S0-BCI-958

CHRONIQUES 3
26 août 1884 - 13 avril 1891

Guy de MAUPASSANT

10 18

« Fins de Siècles »
créé par Hubert Juin

Si vous désirez être régulièrement tenu au courant
de nos publications, écrivez-nous :
Éditions 10/18
12, avenue d'Italie
75627 Paris Cedex 13

L'ensemble des Chroniques *a été
préfacé par Hubert Juin dont le texte
se trouve dans le tome 1.*

ISBN 2-264-01977-8

PETITS VOYAGES

La Chartreuse de La Verne

Ceux qui aiment la terre, de cet amour profond, tendre et sensuel qu'on a pour les êtres, s'en vont parfois, seuls, pendant un mois ou deux, en quelque pays bien inconnu, bien sauvage, bien neuf, et ils le parcourent à pied, savourant heure par heure quelque chose de semblable au bonheur qu'on doit éprouver en possédant une vierge.

Elles sont rares aujourd'hui, les contrées inexplorées et désertes, surtout quand on ne veut point sortir de France. La Normandie est traversée par autant de promeneurs que le boulevard des Italiens. La vieille Bretagne cache un touriste, un odieux touriste, derrière chaque menhir. L'Auvergne abreuve à ses sources guérissantes des légions de malades qui rapportent des ballots de photographies prises sur les dômes, les pics et les plombs.

Où aller? Il est pourtant en France tout un petit pays, bien solitaire et bien beau, qu'on nomme les montagnes des Maures. Un chemin de fer le traversera demain. Passons avant lui dans ces vallons ignorés, incultes, inhabités, où s'élèveront sans doute bientôt autant de villas que sur les rivages de Cannes et de Menton.

Où sont-elles, ces montagnes? Dans la contrée la plus connue et la plus parcourue de France : entre Hyères et

5

Saint-Raphaël. Les géographes nous apprennent qu'elles possèdent à elles seules un système géologique complet. Elles ont toutes les divisions, toutes les parties, tous les organes de leurs grandes sœurs les Alpes et les Pyrénées.

Leur flore est des plus riches de France. Au midi, la Méditerranée baigne leurs côtes où se suivent d'admirables plages. Au nord, un beau fleuve, l'Argens, les sépare du reste du monde.

Il y a six mois, quand les baigneurs de Saint-Raphaël se promenaient sur la longue dune qui contourne le golfe de Fréjus, ils arrivaient, au bout d'une heure de marche, au bord d'un large cours d'eau dont l'embouchure ensablée permettait parfois de passer à pied sec.

Quand on suivait ce fleuve en remontant vers sa source, on s'avançait au milieu d'une sorte d'immense marécage boisé et cultivé par places. On allait à travers des bouquets d'arbres, à travers des taillis épais d'où s'envolaient à tout instant des canards sauvages, des bécassines, des buses aux larges ailes et des nuées de pigeons ramiers.

Puis, après avoir reconnu qu'il était impossible de traverser ce large cours d'eau dont les berges disparaissent sous des bois de roseaux, on revenait par le même chemin en se demandant quel pays inconnu s'étendait derrière. Et on regardait dans la brume rose du couchant la grande ligne des montagnes bleuâtres couvertes de sapins, déroulant à perte de vue leurs cimes pointues et bosselées vers l'ouest.

Aujourd'hui, un pont de bois traverse l'Argens. Voici l'histoire de ce pont.

Sous l'Empire, une route fut commencée, qui devait relier Saint-Tropez, situé à l'extrémité de la presqu'île des Maures, à Saint-Raphaël.

On fit cette route jusqu'à l'Argens. L'Empire tomba, la République fut proclamée, et les travaux furent arrêtés. Il ne restait plus qu'à jeter un pont sur le fleuve. On ne le construisit pas.

On avait donc un beau ruban de chemin de trente-cinq à quarante kilomètres absolument inutile et parfaitement entretenu. Aucune voiture ne passait sur cette route sans issue; mais les cantonniers l'empierraient, la nivelaient et la nettoyaient pour employer les fonds destinés à l'entretien d'une voie existante.

Cela dura douze ans. Puis, comme cet état de choses menaçait de continuer jusqu'à une restauration impériale, une quinzaine de propriétaires du golfe de Grimaud se réunirent, donnèrent mille francs chacun et firent un pont de bois à l'américaine.

On peut donc aujourd'hui pénétrer par terre dans le massif des Maures.

Dès qu'on a traversé le fleuve, on atteint sur les pentes boisées des montagnes l'emplacement d'une ville future.

La côte de la Méditerranée est couverte de ces cités en projet. Celle-ci offre un caractère particulier. Au milieu d'un joli bois de sapins qui descend jusqu'à la mer, s'ouvrent dans tous les sens de magnifiques avenues. Pas une maison, rien que le tracé des rues traversant des arbres. Voici les places, les carrefours, les boulevards. Leurs noms sont même inscrits sur des plaques de métal : boulevard Ruysdael, boulevard Rubens, boulevard Van Dyck, boulevard Claude Lorrain. On se demande pourquoi tous ces peintres? Ah! pourquoi? C'est que la *Société* s'est dit, comme Dieu lui-même avant d'allumer le soleil : « Ceci sera une station d'artistes! » Boum! La *Société!!* On ne sait pas dans le reste du monde tout ce que ce mot signifie d'espérances, de dangers, d'argent gagné et perdu, sur les bords de la Méditerranée! La *Société!* terme mystérieux, fatal, profond, trompeur!

En ce lieu pourtant, la *Société* semble réaliser ses espérances, car elle a déjà des acheteurs, et des meilleurs, parmi les peintres. On lit de place en place : « Lot acheté par M. Carolus Duran; lot de M. Clairin; lot de Mlle Croizette, etc., etc. » Cependant... qui sait?... Les Sociétés de la Méditerranée ne sont pas en veine.

Rien de plus drôle que cette spéculation furieuse qui aboutit à des faillites formidables. Quiconque a gagné dix mille francs sur un champ achète pour dix millions de terrains à vingt sous le mètre pour les revendre à vingt francs. On trace les boulevards, on amène l'eau, on prépare l'usine à gaz, et on attend l'amateur. L'amateur ne vient pas, mais la débâcle arrive.

Dans ce pays d'ailleurs, n'allez pas dire qu'il fait froid, qu'il a plu, que le mistral a soufflé. Car les habitants se réuniraient en armée pour vous lapider. Jamais de gelée, jamais d'eau, jamais de vent. Jamais de vent surtout! C'est qu'ils ont l'air de croire vraiment que le mistral ne souffle jamais, alors qu'il dépierre les grand-routes.

On racontait cet hiver une anecdote assez amusante. L'excellent paysagiste Guillemet, qui fait, pendant l'été, ces remarquables vues de Normandie qu'on connaît, était venu à Saint-Raphaël. Ce peintre (ses amis le savent) a autant d'esprit que de talent. Or, comme il dînait, un soir, avec les grosses têtes d'une *Société,* ces messieurs célébrèrent si énergiquement et avec tant d'abondance les avantages du pays qu'on ne parla pas d'autre chose. Un d'eux enfin, un des plus importants, dit à l'artiste : « Eh bien, monsieur, avez-vous fait de jolies vues de nos côtes, cet hiver? » Guillemet répondit qu'il avait travaillé le plus possible.

— « En destinez-vous une au Salon?

— » Mais oui.

— » Peut-on vous demander le sujet?

— » Certainement. C'est Saint-Raphaël sous la neige. »

***

Continuons notre voyage.

La route suit la mer, serpente le long de la côte dans un admirable paysage. A droite, c'est la montagne, quarante kilomètres de cimes, de vallons où coulent de petits torrents, une immense forêt de sapins, onduleuse et soulevée comme une tempête, sans un village, sans une maison, presque sans route, un désert boisé.

Mais voici que nous arrivons sur les bords d'un admirable golfe qui s'enfonce dans une échancrure des monts, le golfe de Grimaud. En face de nous, de l'autre côté, nous apercevons une petite ville, Saint-Tropez, la patrie du bailli de Suffren.

Et nous traversons un village, Sainte-Maxime. A quelle extrémité du monde sommes-nous donc? On lit sur les murs de ce hameau, qui compte seulement quelques maisons et que traversent deux voitures par jour : « Par ordre de M. le Maire, il est défendu de trotter dans les rues. »

Mais on trotte, dans les rues de Paris, monsieur le Maire! Et Paris est plus grand que Sainte-Maxime; et il y a quelques voitures de plus. On trotte même à Marseille, monsieur le Maire, et Marseille est aussi plus grand que Sainte-Maxime. Voyons, laissez-nous trotter, que diable, nous n'écraserons pas vos soixante habitants d'un coup. Mais pourquoi, oui, pourquoi ne peut-on pas trotter dans les rues de Sainte-Maxime? confiez-nous-en la raison, je vous prie, car je ne la devine pas.

Quand je vous disais que nous étions ici au bout du monde! Mais quelle magnifique route, le long du golfe, avec une grande montagne boisée en face, et, au fond du large bassin, un village en pyramide sur une côte, dominée par la tour en ruine d'un château.

Voici encore des avenues dans une superbe forêt de sapins. La *Société* a préparé une station ici. Elle a eu raison, ma foi. J'apprends que le charmant peintre Jeanniot y possède un terrain.

On aperçoit une maison, enfin, une belle maison ancienne qui domine un admirable paysage. Elle appartient à M. de Raymond.

On approche du village grimpé autour du monticule. C'est une ancienne ville des Maures. Voici leurs demeures précédées d'arcades, avec leurs étroites fenêtres, les portes couvertes de belles ferrures ouvragées, les cours mystérieuses qu'on trouve en toute maison mauresque; et les hauts palmiers poussés sur les terrasses, les aloès aux fleurs monstrueuses, les cactus géants, toutes les plantes d'Afrique.

Et le grand soleil d'été tombe en nappes de feu sur la vieille petite cité étrange et tranquille au fond de son golfe. On la nomme Grimaud.

C'est ici le berceau de l'ancienne famille des Grimaldi.

Nous suivons la route d'Hyères, nous traversons un autre village, Cogolin; puis nous tournons à droite dans un ravin profond et nous entrons dans l'inconnu, dans l'inhabité.

Plus de route, une ornière qui côtoie un torrent et le coupe à tout instant. Il faut sauter de pierre en pierre au risque de tomber en des trous pleins d'eau. Plus rien que des sapins et des vallons déserts; toujours des vallons, toujours des sapins; un vaste pays nu, sauvage, d'un caractère sévère et calme, moins tourmenté que les régions des grandes montagnes, mais plus poétiquement beau, plus largement triste.

On aperçoit, là-bas, une petite maison abandonnée. Et voici ce qu'on me raconte :

Il y a soixante ans environ, deux jeunes gens, une belle fille et un beau garçon, vinrent s'installer là, tout seuls. On parla, tout bas, d'une histoire d'amour, d'un enlèvement. Ils vécurent ensemble jusqu'au dernier hiver, heureux, invraisemblablement heureux, au milieu de leurs enfants. L'homme avait quatre-vingt-deux ans quand sa vieille compagne apprit qu'il entretenait une fille des environs!

En une seconde, tout son bonheur, son long bonheur si doux, s'écroula, et la misérable femme se jeta par la fenêtre. Elle mourut le lendemain.

Il est si admirablement placé dans cet austère paysage ce drame simple et biblique, qu'il semble inventé par un poète. Nous allons toujours et nous parvenons dans une sorte d'impasse, dans un grand cirque vert entouré de cimes. Il faut monter par un sentier de chèvres; nous montons, découvrant à tout instant par-dessus les sommets moins élevés toute cette contrée de ravins sauvages.

Puis nous passons entre deux pics, nous allons sur le flanc du mont, et bientôt apparaît une immense châtaigneraie qui descend comme un manteau de haut en bas de la montagne, une ruine énorme, presque noire, surprenante. Une longue suite d'arceaux, appuyés au roc, supportent sur leurs voûtes l'antique et croulante abbaye de La Verne.

Certaines parties datent du IXe siècle. Aujourd'hui des vaches habitent dans le cloître où circulaient les moines; une famille de pâtres occupe un vaste bâtiment plus récent qui semble refait au XVIIe siècle.

Et cette ruine, la plus imposante que je connaisse, celle qui se trouve le mieux dans le milieu qui lui convient, celle dont la physionomie désolée s'accorde le plus avec le sombre et imposant paysage, a l'air de l'âme même de ces montagnes, de la seule habitante digne d'elles, faite pour elles.

Et nous montons encore sur la dernière cime qu'il faut une heure pour gravir. Et rien au monde n'est plus beau que ce qu'on voit de là.

En face, dans la brume d'or du soleil couchant, la mer, la Méditerranée plate, luisante, avec les îles d'Hyères, qui crèvent, comme des taches noires, son dos immobile et bleu. Autour de nous, un grand désert boisé de vallons et de ravins, les montagnes des Maures. Et là-bas, vers le nord, les Alpes, dont on voit luire, par places, les sommets blancs, les têtes géantes, coiffées de neige.

(Gil Blas, 26 août 1884.)

LES ATTARDÉS

On quitte les plages, les plages tristes où gémit la mer.
Les campagnes où fleurissaient les ombrelles rouges
n'auront bientôt plus que des arbres dépouillés dressant à
travers le ciel la dentelle grise de leurs branches nues.

Ceux qui demeurent encore au bord des flots, par
économie, sentent de jour en jour une tristesse lente,
infinie, mortelle, les envahir. Ils ne reconnaissent plus la
mer, la mer gaie et claire de juillet, la mer chaude et molle
du mois d'août. Ils la regardent avec surprise, avec effroi,
la mer grise aux courtes lames, la mer de septembre qui se
réveille pour les tempêtes de l'hiver. Ils ont peur d'elle
maintenant et ne vont plus, comme au mois dernier,
s'asseoir tout près, les pieds dans l'écume.

Les soirs surtout leur semblent sinistres. Un frisson de
froid court dans la brise, un rude frisson du nord; et le
casino est presque vide. Quelques ombres marchent
encore sur la terrasse, d'un pas rapide, pour activer la
circulation du sang. Quelques couples dansent encore
dans la salle de bal presque déserte. Mais tout semble
triste, abandonné; et les attardés, éperdus, frémissants,
sentent peser sur eux quelque chose d'étrange et de
terrible, la *solitude,* la solitude illimitée, inanimée de
l'espace.

Ils ne connaissent pas cela, eux, les gens des villes, les
gens des maisons pleines comme des ruches, les gens des
rues populeuses, des cafés brillants et de l'éternel coudoie-

ment. Toujours ils ont eu des êtres autour d'eux, au-dessus d'eux, au-dessous d'eux, sur leur tête et sous leurs pieds, et derrière la cloison voisine, derrière le mur, et dans la maison d'en face. Ils ont senti, partout, depuis qu'ils sont nés, grouiller la race humaine à leurs côtés ; ils ont senti toujours, les entourant, un flot d'hommes remuant dans une cité vaste comme un océan, et sur les bords de cette cité, à travers une campagne semée de maisons, encore des hommes, et derrière cette banlieue où les villes poussent mieux que l'herbe, encore des villes, Saint-Germain, Versailles, Pontoise, Rambouillet, Melun.

Pour fuir les grandes chaleurs, ils sont venus au bord de la mer, où ils ont retrouvé Paris. Les champs étaient pleins d'ânes montés par des jeunes filles, les auberges pleines de bandes en gaieté, les plages couvertes de robes claires, de chapeaux coquets et de jolis visages.

Mais voilà que, tout d'un coup, il n'y a plus rien que la mer et le ciel. Ces gens ont peur, peur sans savoir de quoi. Ils pensent brusquement à la mort.

Effarés d'être seuls, ils s'en vont par les plaines, pour y rencontrer les promeneurs habituels, mais ils n'aperçoivent plus que les vaches pesantes, couchées dans les trèfles ; ils n'entendent plus, par l'horizon, qu'un long meuglement solitaire qui rend moins morne le silence de l'air.

Ils reviennent vite : « Nous irons ce soir au casino », disent-ils. Et ils n'y trouvent personne encore ; et, pour la première fois peut-être, ils regardent les étoiles, les seules voisines qu'ils aperçoivent.

Alors ils se sauvent, ils fuient affolés, car ils ont senti la solitude. Ils rentrent dans la ville bruyante en déclarant : « La mer est sinistre en septembre. »

**

Dans un mois ce sera autre chose encore. Le village n'aura plus que ses pêcheurs qui iront par groupes, marchant lourdement avec leurs grandes bottes marines, le cou enveloppé de laine, portant d'une main un litre d'eau-de-vie et, de l'autre, la lanterne du bateau.

La mer, glauque et froide, restera seule sur la grève déserte, illimitée et sinistre, montrant et retirant sa marée, sans personne pour la regarder.

Le soir venu, les matelots arriveront; et longtemps on les verra tourner autour des grosses barques échouées, pareilles à de lourds poissons morts. Ils mettront dedans leurs filets, un pain, un pot de beurre, un verre; puis ils pousseront à l'eau la masse redressée qui bientôt, se balançant, ouvrira ses ailes brunes pour disparaître dans la nuit avec un petit feu au bout du mât.

Les femmes restées jusqu'au départ du dernier pêcheur rentreront alors dans le village assoupi, troublant de leurs voix criardes le lourd silence des rues mornes.

*_**

Mais sur la terrasse du Casino aux volets clos, un homme apparaît, cherchant de l'œil un autre être. Seul et dernier habitant de l'Hôtel des Bains, il se met à marcher vite, les mains dans ses poches, le dos arrondi, pour attendre l'heure du dîner.

Tout à coup, des voix résonnent, là-bas, derrière les cabines empilées pour l'hiver sous la galerie du café. Et des formes humaines se montrent. Elles viennent en tas pour avoir moins froid : le père, la mère, trois filles, le tout roulé dans des pardessus, des châles, des imperméables antiques ne laissant passer que le nez et les yeux. Le père est embobiné dans une couverture de voyage qui lui monte jusqu'aux cheveux.

Alors le promeneur solitaire se précipite; de fortes poignées de main sont échangées, et on se met à marcher de long en large sur la terrasse.

Quels sont ces gens restés ainsi quand tout le monde est parti?

Le premier est un grand homme, un grand homme de bains de mer. La race en est nombreuse.

Quel est celui de nous qui, arrivant en été dans ce

14

qu'on appelle une station balnéaire, n'a pas rencontré un ami quelconque, venu déjà depuis un mois, possédant tous les visages, tous les noms, toutes les histoires, tous les cancans. On fait ensemble un tour de plage. Soudain on rencontre un monsieur sur le passage de qui les autres baigneurs se retournent pour le contempler de dos. Il a l'air très important : ses cheveux longs, coiffés artistement d'un béret de matelot, encrassent un peu le col de sa vareuse. Il se dandine en marchant vite, les yeux vagues, comme s'il se livrait à un travail mental important, et on dirait qu'il se sent chez lui, qu'il se sent *sympathique*. Il pose enfin.

Votre compagnon vous serre le bras :

— « C'est Ravalet. »

Vous demandez naïvement :

— « Qui ça, Ravalet? »

Brusquement votre ami s'arrête, et vous dévisageant avec des yeux intrigués :

— « Ah ça, mon cher, d'où sortez-vous? Vous ne connaissez pas Ravalet, le clarinettiste. Ça, c'est fort, par exemple. Mais c'est un artiste de premier ordre, un maître. Il n'est pas permis de l'ignorer. »

On se tait, légèrement humilié.

Et vous rencontrez encore Bondini, le chanteur, deux peintres, un homme de lettres, le romancier Paul Fardin, plus un chef de bureau dont on dit : « C'est monsieur Boutet, directeur au Ministère des travaux publics. Il a un des services les plus importants de l'administration : il est chargé des serrures. On n'achète pas une serrure pour les bâtiments de l'Etat sans que l'affaire lui passe par les mains. »

***

Voici les grands hommes de la station; et leur renommée est due uniquement à la régularité de leurs retours. Depuis seize ans ils apparaissent exactement à la même date; et comme tous les étés, quelques baigneurs de l'année précédente reviennent; on relègue, de saison en

15

saison, ces réputations locales, qui, par l'effet du temps, sont devenues de véritables célébrités, écrasant, sur la plage qu'ils ont choisie, toutes les réputations de passage.

Une seule espèce d'homme les fait trembler : les académiciens. Et plus l'Immortel est inconnu, plus son apparition est redoutable. Il éclate dans la ville d'eaux, comme un obus.

On est toujours préparé à la venue d'un homme célèbre ; mais l'annonce d'un académicien que tout le monde ignore produit l'effet subit d'une découverte géologique surprenante. On se demande : « Qu'a-t-il fait ? Qui est-il ? » Tous en parlent comme d'un rébus à deviner ; et l'intérêt qu'il excite s'accroît de son obscurité.

Celui-là, c'est l'ennemi ! Et la lutte s'engage immédiatement entre le grand homme officiel et le grand homme du pays.

**

Quand les baigneurs sont partis, le grand homme reste. Il reste tant qu'une famille, une seule, sera là. Il est encore grand homme quelques jours pour cette famille. Cela suffit.

Et toujours une famille reste également, une pauvre famille de la ville voisine avec trois filles à marier. Elle vient tous les étés, et les demoiselles Beausire sont aussi connues dans ce lieu que le grand homme. Depuis dix ans elles font leur saison de pêche au mari (sans rien prendre d'ailleurs) comme les marins font leur saison de pêche au hareng.

Mais elles vieillissent. Les gens du pays savent leur âge et déplorent leur célibat : « Elles sont bien avenantes cependant. »

Et voilà qu'après la fuite du monde élégant, chaque automne, la famille et l'homme célèbre se retrouvent face à face. Ils restent là un mois, deux mois, ne pouvant se décider à quitter la plage où gisent leurs rêves. Dans la famille on parle de lui comme on parlerait de Victor Hugo. Il dîne souvent à la table commune, l'hôtel étant triste et vide.

Il n'est pas beau, lui; il n'est pas jeune; il n'est pas riche, mais il est, dans le pays, M. Ravalet, le clarinettiste, « qui a joué, vous vous le rappelez bien, une année à la messe de la fête patronale. » Quand on lui demande comment il ne rentre pas à Paris où tant de succès l'attendent, il répond invariablement : « Oh! moi, j'aime éperdument la nature solitaire. Ce pays ne me plaît que lorsqu'il devient désert! »

Mais bientôt un bruit court parmi les indigènes :

« Vous savez, M. Ravalet va épouser la dernière des demoiselles Beausire. »

Il a choisi la dernière, le pauvre, il a choisi la moins avariée, la moins avancée, et il a fait sa demande, accueillie avec transport.

Et il s'en fait quelques-uns chaque année, de ces mariages d'arrière-saison, de ces tristes mariages entre ces épaves de la vie.

***

La nuit est tombée, la lune se lève, toute rouge d'abord, puis pâlissant à mesure qu'elle monte dans le ciel; et elle jette sur l'écume des vagues des lueurs blêmes, éteintes aussitôt qu'allumées.

Le bruit monotone du flot engourdit la pensée; et une tristesse démesurée vous pénètre l'âme et le corps, venue de la solitude infinie de la terre et du ciel.

Soudain, des mots bizarres passent dans le vent, criés plutôt que parlés, et deux grandes filles démesurément hautes apparaissent, marchant d'un pas qui sautille, du pas long et rapide des Anglaises. Puis elles s'arrêtent, immobiles, et regardent l'océan. Leurs cheveux répandus dans le dos se soulèvent à la brise, et serrées en des caoutchoucs gris, elles ressemblent à des poteaux télégraphiques qui porteraient des crinières.

De toutes les épaves, celles-là sont les plus ballottées. A tous les coins du monde il en échoue; il en traîne dans toutes les villes où la mode a passé.

Elles rient, de leur rire grave, parlent fort de leurs voix

d'homme sérieux, et on se demande quel singulier plaisir ces grandes filles, qu'on rencontre partout, sur les plages désertes, dans les bois profonds, dans les villes bruyantes et dans les vastes musées pleins de chefs-d'œuvre, peuvent ressentir à contempler sans cesse des tableaux, des monuments, de longues allées mélancoliques et des flots moutonnant sous la lune, sans jamais rien comprendre à tout cela.

(*Gil Blas,* 16 septembre 1884.)

VÉRITÉS FANTAISISTES

Je ne connais ni M. Lefèvre, ni M. Arène, mais j'ai fait deux visites au pays dont M. Lefèvre a si fort malmené les femmes, défendues si énergiquement par M. Arène.

La querelle des deux journalistes importe peu, d'ailleurs.

Mais en apprenant que les dames corses avaient des mœurs aussi légères, j'ai regretté amèrement de n'avoir pas mieux employé mon temps là-bas. Je m'étais laissé dire, au contraire, par tous les officiers qui ont séjourné dans cette île, qu'il n'y fallait guère compter sur des amourettes; — et je me l'étais tenu pour dit.

Jamais, d'ailleurs, je n'ai aussi peu entendu parler d'aventures galantes, de séductions et de malheurs conjugaux que pendant les quatre mois passés en Corse. J'en avais conclu que la vendetta et le banditisme, toujours florissants dans le maquis, occupaient trop les esprits pour leur laisser le loisir d'exploits moins sanguinaires. Et si on m'avait demandé un certificat de vertu pour les femmes corses, bien que je n'eusse aucune qualité pour délivrer de pareils diplômes, j'aurais pu le signer des deux mains, avec la conviction profonde qu'elles le méritaient mieux que les femmes de Paris, en général.

Si on m'avait demandé encore un travail comparé entre les mœurs de Corse et les mœurs de Jersey que gouverne la chaste et hypocrite Angleterre, j'aurais conclu, avec beaucoup de considérants à l'appui, en faveur de l'île française.

Je me hâte de prévenir les Anglais qui pourraient venir me demander raison de cette opinion que je les mordrai avec toute l'énergie dont je suis capable.

Quant aux Corses, qui ne sont pas riches, ils sont du moins les hommes les plus hospitaliers et les plus généreux du monde.

Et s'il fallait comparer le paysan normand qui travaille sans repos, du lever au coucher du soleil, économe, rusé pour ses intérêts, avare à laisser mourir de faim son frère, sournois et soupçonneux, au paysan corse qui ne fait rien du matin au soir que de fumer à l'ombre des châtaigniers, qui vit de presque rien mais qui ouvre sans hésiter et sans compter sa porte aux passants inconnus, partage avec eux sa soupe, et leur donne même ce qu'il y a de mieux chez lui, je préférerais peut-être le Corse au Normand.

Cette polémique et cette bataille occupent depuis huit jours tous les journaux français.

Dans les journaux belges j'ai trouvé aussi une petite aventure qui ne manque point d'intérêt.

Comme on fait toujours, non pas à Bruxelles, mais à Paris, des procès littéraires, et comme nos magistrats confondent et confondront éternellement l'œuvre d'art, bonne ou mauvaise, osée ou retenue, mais sincère, avec le roman obscène ou le volume de chantage, le parquet français vient de poursuivre *Autour d'un Clocher,* paru chez Kistemaeckers à Bruxelles.

C'est un tableau de mœurs, brutal il est vrai, mais écrit avec conviction par un auteur très jeune, trop jeune, mais qui promet.

Or, ce livre mis en vente chez nous en même temps qu'en Belgique a été poursuivi en France, et non en Belgique bien entendu.

A cette nouvelle, l'éditeur, surpris, accourt à Paris et

vient se mettre spontanément à la disposition de M. le juge d'instruction.

Ce magistrat fit d'abord attendre plusieurs heures M. Kistemaeckers, puis le fit revenir le lendemain, puis, après une nouvelle attente, lui fit dire qu'il ne le recevrait pas.

Il paraît que la justice et le savoir-vivre ne sauraient faire bon ménage.

Donc, l'éditeur retourna chez lui.

Mais quelle fut sa stupéfaction, en recevant, un mois plus tard, du même juge d'instruction, l'ordre d'avoir à comparaître devant lui, tel jour, à telle heure.

M. Kistemaeckers sauta sur sa bonne plume et répondit au magistrat français une lettre fort spirituelle, affirmant que sa santé ne lui permettait guère de quitter la campagne en ce moment, et priant M. le juge d'instruction de ne point s'étonner de son refus d'aller à Paris, car il avait, pour ne pas se déplacer au jour dit, juste les mêmes raisons qui avaient empêché M. le magistrat de le recevoir, quand il s'était présenté chez lui.

La réponse était amusante et méritée. M. Kistemaeckers, qui a de la chance de ne point relever de nos tribunaux, doit s'amuser en ce moment.

**

Quant aux procès littéraires, il paraît que certains hommes regrettent les temps où ils étaient aussi nombreux que les jours de l'année.

Un ancien prêtre, qui s'appelait Hyacinthe, et qui s'appelle aujourd'hui, plus modestement, Loyson, a écrit au poète Jean Richepin une inqualifiable lettre, rendue publique, en laquelle il dénonce formellement *Les Blasphèmes* à l'indignation du monde et à l'attention des tribunaux.

Je sais que le signataire s'est défendu depuis lors de cette dernière intention, évidente cependant pour qui comprend le français.

Si M. Loyson ne l'a pas eue, c'est qu'il ignore quelque peu le maniement et la valeur de notre langue.

Ce ci-devant moine, qui éprouve le besoin, semble-t-il, de faire sa paix avec l'opinion publique, part en guerre, avec la dernière violence, pour défendre la morale, et crie au scandale en regardant la paille dans l'œil de M. Riche-pin.

Donc M. Loyson défend la morale, comme homme marié, assurément, car il n'a plus de mandat spécial.

Il défend avec véhémence les liens du sang, comme père de famille sans doute ; et on ne peut lui contester ce droit.

Enfin, il défend la patrie, à propos de bottes, peut-être dans l'intention de devenir le chapelain de la Ligue des patriotes. Et tout cela pourquoi ? Tout cela au sujet de l'opinion poétique d'un écrivain ou plutôt au sujet de la fantaisie paradoxale ou sincère d'un rimeur excité par le rythme.

En tout cas il s'agit d'idées mises en vers, c'est-à-dire d'une œuvre d'art et non d'une œuvre scientifique, d'une œuvre d'art qui doit échapper aux discussions de doctrine, aux discussions purement philosophiques pour appartenir aux discussions esthétiques.

Cette distinction est élémentaire pour tout homme éclairé et de bonne foi. MM. Darwin, Littré, Herbert Spencer et autres, n'ont pas écrit en vers leurs théories, leurs systèmes, leurs hypothèses.

Je ne me ferai pas une opinion sur les croyances de Musset, en lisant le dialogue de Dupont et Durand. Si M. Loyson, qui a perdu beaucoup de sujets de s'indigner, lisait un peu ce qu'écrivent aujourd'hui les philosophes positifs et scientifiques, à l'étranger et même en France, et je parle des philosophes les plus illustres et des savants les plus reconnus, il y verrait, précisée en des phrases d'une concision sèche, l'idée qui l'a choqué si fort avec le développement poétique que lui donne M. Richepin.

Mais cet ancien moine semble plus préoccupé de réclame que de sincérité scientifique ; et sa lettre, d'une grossièreté déclamatoire et voulue, montre bien le fond de cet esprit emphatique, brutal et vague.

Cependant, s'il tenait à dire son opinion sur *Les Blasphèmes,* ce discoureur confus a bien fait de ne donner que son avis de moraliste, car au point de vue littéraire son incompétence est suffisamment prouvée par ses stériles conférences.

Ce genre de lettres, d'ailleurs, et ce genre d'indignation ressemblent beaucoup à du cabotinage, à du cabotinage religieux.

***

Et nous venons d'assister, mes frères, à une autre séance de cabotinage politique qui a profondément remué l'opinion publique en Europe, mais dont nous n'avons pas suffisamment savouré le prodigieux comique.

Trois grands empereurs, de qui dépend le sort du monde, ont jugé bon de causer une heure ou deux des affaires de notre continent.

Quand trois gros commerçants ont à parler d'une entreprise importante, ils lui consacrent, en général, plus de temps.

Donc, nos trois empereurs ont résolu de se faire une visite de cousinage, mais comme les déplacements sont plus difficiles pour eux que pour un simple bourgeois, en raison des assassins spéciaux qu'on nomme des régicides, ils se sont rencontrés, avec mille précautions, dans un grand château bien gardé par deux excellents régiments d'élite.

Et là qu'ont-ils fait? Ce qu'ils ont fait? Ils ont invité les trois hommes d'Etat qui les accompagnaient à s'entretenir entre eux des motifs de ce voyage, pendant qu'ils tireraient un lapin, à l'imitation de M. Grévy.

Ils ont donc tué un lapin ou même plusieurs lapins pendant que les trois chanceliers, bien enfermés, discutaient tranquillement.

Puis, comme le temps devenait long, l'empereur d'Allemagne dit aux deux autres : « Si nous passions une revue », comme les enfants des Tuileries disent à leurs camarades : « Si nous jouions au cheval. »

Et les deux autres, enchantés, ont répondu : « C'est ça. »

Il faut dire que par politesse l'empereur d'Autriche était habillé en général prussien, l'empereur d'Allemagne en général russe et l'empereur de Russie en général autrichien. Je fais peut-être une confusion dans la mascarade.

Qu'on se figure un colonel s'habillant en curé pour aller faire visite à son évêque, et l'évêque rendant la visite en capitaine de gendarmerie.

Donc ils ont crié : « C'est ça, passons une revue. »

Mais on n'avait que deux régiments, deux régiments superbes, il est vrai; mais enfin, pour trois empereurs, c'était peu. Il fallait pourtant s'en contenter. Ce qui rendait la chose amusante, par exemple, c'est que l'empereur de Russie était colonel d'un de ces régiments-là et l'empereur d'Allemagne colonel de l'autre.

Quant à l'empereur d'Autriche, il a dû pleurer de chagrin, n'étant colonel de rien du tout, comme l'officier qui ne portait rien à l'enterrement de Marlborough.

On a donc fait passer les deux régiments devant les trois généraux-empereurs. Puis ils ont repassé, puis ils sont revenus. Alors l'empereur d'Allemagne s'est mis à la tête du sien et il l'a ramené encore une fois devant ses deux compères, en leur faisant un grand salut avec son épée.

Après ça il a dit, en retournant s'asseoir :

— « Chacun son tour. »

Et l'empereur de Russie s'est levé pour faire aussi défiler son régiment, à lui, en saluant de la même manière.

Ce petit jeu de revue en chambre terminé, on est allé voir si les trois hommes d'Etat avaient enfin achevé leur besogne.

Est-ce que ces grotesques enfantillages ne donnent pas quelquefois raison, hélas! à ceux qui font des révolutions sanglantes?

Car, au lieu de jouer à la revue, ces vieux gamins

couronnés ont souvent la fantaisie de jouer à la guerre.

Et voilà comment les trois grands empereurs ont employé leur grande intelligence, par le moyen des trois chanceliers, pour le plus grand bien de l'Europe.

(Gil Blas, 7 octobre 1884.)

LE FOND DU CŒUR

Le jour n'est pas plus pur que le fond de mon cœur,
a dit un poète.

Quant à moi, mesdames et messieurs, je n'ai pas vu le fond d'un cœur, pas plus d'ailleurs que le fond de l'air dont on nous parle à tout instant, mais je m'imagine que si on en pouvait examiner un au microscope, on y trouverait autant de saletés que dans l'eau distribuée aux habitants de Paris par MM. les ingénieurs de la Ville, ces malfaiteurs publics.

Et je ne parle pas d'un cœur de qualité médiocre, d'un cœur de filou, de souteneur de fille publique, de financier ou de député, mais d'un cœur honnête, loyal, digne sous tous les rapports de l'estime publique.

Un autre penseur a dit : « Il n'y a pas de grand homme pour son valet de chambre. »

Je dis, moi : « Il n'y aurait pas d'honnête homme pour un œil sondant le fond des consciences. »

Voilà. Criez, maintenant, prêcheurs de vertu, sépulcres blanchis, comme vous a appelés jadis, je crois, un homme qui passe pour respectable auprès d'un grand nombre d'humains. Pas d'honnête homme? Pas un au monde? — Pas un.

Ah! certes, on est honnête de temps en temps, par élans, par entraînement, par éducation, par raisonnement, par morale, — mais par vocation? jamais.

On est honnête devant les autres par pose, par politesse, par religion, par peur, par respect humain. Je vais plus loin, on est honnête devant soi-même par aveuglement, par orgueil, par pudeur, par estime de soi ou par sottise.

Mais personne, personne au monde ne paraîtrait toujours et rigoureusement honnête à l'*œil,* à l'œil mystérieux qui lirait au fond des cœurs.

Oh! quelle chance d'être fermés comme nous le sommes à toute investigation du voisin, d'être toujours mentalement sur la terre, toujours séparés de tous dans le mystère de notre pensée! Quelle chance d'être par nature toujours discrets sur nous-mêmes et de ne jamais accomplir le *Gnôthi seauton,* le « Connais-toi toi-même » d'un philosophe d'autrefois.

Je me crois honnête, parbleu! Vous aussi, monsieur, vous vous croyez honnête, qui n'avez pas volé! Vous aussi, madame, qui n'avez pas failli!

Et nous ne sommes cependant, les uns et les autres, que d'hypocrites coquins.

D'hypocrites coquins, car nous nous jouons toute la journée, à nous-mêmes, la comédie de l'intégrité.

S'il fallait, non pas avouer mais seulement reconnaître en silence toutes les hontes secrètes de notre pensée, tous les désirs coupables qui nous effleurent, tous les éveils infâmes de nos passions, de nos instincts, de notre sensualité, de notre envie, de notre cupidité, nous demeurerions effarés devant notre gredinerie.

Confessons-le, notre cœur est plein d'appétits rampants, vils et coupables, que nous surprenons à tout instant, que nous réprimons souvent, où nous nous complaisons parfois.

Cherchons en nous. Qui n'a désiré la mort d'un rival? d'un confrère heureux? même d'un voisin dont on convoite le champ? Oui, qui n'a désiré la mort d'un homme, ne fût-ce qu'une seconde, pour un motif futile, inavouable ou honteux. Combien même ont attendu la mort d'un parent dont ils devaient hériter, et, sans la désirer, se sont répété souvent tout bas un chiffre, rien qu'un chiffre : « Cinquante mille livres de rentes. J'aurai ça, un jour. »

Que d'autres choses encore on trouverait au fond d'un cœur honnête — petites lâchetés, petites transactions, petites perfidies, petits mensonges, petites roueries, — toutes les échappatoires, enfin qui nous font mettre le pied, pendant un moment, hors la limite étroite de ce pays de convention qu'on nomme la stricte honnêteté.

^{*}

Et d'abord, au front de tout homme qui naît, on devrait graver ce mot : « égoïsme », sur la chair, au fer rouge.

Des gens indignés s'écrieront qu'ils suivent scrupuleusement, sans s'en écarter jamais, le chemin de la morale.

La morale, qu'est-ce que cela, monsieur ?

C'est, ne vous déplaise, l'idéalisation des mobiles de nos actions, c'est le besoin qu'éprouvent les braves gens de prendre des vessies pour des lanternes, ou, si vous l'aimez mieux, l'art délicat de nous faire passer vis-à-vis de nous-mêmes pour meilleurs que nous ne sommes, en colorant nos intentions avec des nuances de dévouement, de grandeur d'âme, de générosité, etc. ; c'est la poétisation de la vie au profit de l'humanité. La morale et la religion sont les deux poésies de la *Loi,* l'une laïque et l'autre ecclésiastique.

Essayons donc de dépoétiser la morale, dont toute l'action, indispensable à l'organisation sociale, vient de son idéalité.

Je dis que le seul mobile de nos faits toujours appréciable, toujours possible à retrouver sous les guirlandes de beaux sentiments, est l'égoïsme.

En effet, est-ce que tout ne se rapporte pas au MOI, soit directement, soit indirectement ? Toute action humaine est une manifestation d'égoïsme déguisée. Le mérite de l'action ne vient que du déguisement. Certains acteurs se prennent parfois pour les personnages qu'ils représentent : ce sont les grands artistes. Certains hommes croient au déguisement que la morale met sur nos actes : ce sont les honnêtes gens.

Prenons donc les morales les plus élevées.

Quelle est la sanction de toute religion?

Récompense des bonnes actions après la vie, et punition des mauvaises! Jamais on ne prévoit un acte sans retour assuré, un bienfait sans récompense.

— « Qui donne aux pauvres prête à Dieu. »

Mais cette terreur du châtiment qui vous empêche de vous livrer à vos instincts nuisibles, et cette soif de joies futures qui vous fait vous priver des plaisirs plus passagers du monde, ne représentent-ils pas les deux pôles de l'égoïsme exploité habilement au profit de la morale et de l'humanité? Le cloître, où se réfugient ceux qui sont revenus du monde, qu'est-ce donc, sinon l'enrégimentement de l'égoïsme qui se prive de tout en cette vie pour obtenir davantage dans l'autre? N'est-ce pas là une sorte de compagnie d'assurances sur l'éternité? On verse petit à petit à la caisse du Ciel toutes les douceurs qu'on aurait goûtées dans l'existence, pour en toucher la somme en bloc, après la mort, avec les intérêts accumulés et multipliés. Egoïsme raffiné d'avare.

Que dirons-nous des services rendus? Voyons! là, au fond du cœur, lorsque vous rendez un service, n'avez-vous pas la conviction intime que vous placez votre générosité à mille pour cent? Celui que vous obligez ne devra-t-il pas, sous peine d'être considéré par vous comme un traître et un malhonnête homme, demeurer jusqu'à son dernier jour prêt à vous témoigner de toutes les façons une constante et infatigable gratitude?

Je n'ai pas inventé les deux aphorismes suivants d'une incontestable vérité. On est reconnaissant aux autres des services qu'on leur a rendus. On aime son prochain en raison du bien qu'on lui a fait.

Qu'est cela, sinon de l'égoïsme subtilisé?

La charité, dira-t-on?

La charité mondaine est une affaire de mode, de pose, un sport. Mais dans la charité discrète, dans l'apitoiement véritable, n'y a-t-il pas une peur? Une crainte inconsciente pour soi-même, une sorte d'effarement devant une menace voilée du sort, en constatant le malheur d'un être qui nous ressemble, fait comme nous, et qui vivrait comme nous, s'il était dans les mêmes conditions de fortune, de famille et de santé que nous.

Toutes les fois que nous nous désolons devant les estropiés, les difformes, les victimes d'un accident, d'une fatalité, est-ce que le sentiment de la possibilité d'une pareille misère tombée sur nous ne s'éveille pas aussitôt, obscurément, au fond de notre esprit ; ne tremblons-nous pas un peu pour nous-mêmes en pleurant sur les autres de la façon la plus sincère ?

*
* *

Faut-il d'autres exemples ?

Prenons l'amour qui, au dire de tous les exaltés, est le père de l'abnégation, de l'héroïsme, des plus nobles dévouements, et qui représente l'idéal du désintéressement.

Çà, vraiment, quand vous aimez quelqu'un plus que vous-même, qu'entendez-vous par là ? — Tout simplement que vous éprouvez à l'aimer un plaisir tellement aigu, tellement véhément, tellement puissant, que toutes choses, votre fortune, votre avenir, votre vie, vous deviennent moins chers que ce plaisir !

C'est de l'égoïsme à l'état furieux.

Vous me répondrez, madame : « Ce n'est pas vrai. Je l'aime pour lui et non pour moi. Je ne pense plus à moi ; je suis prête à tout lui sacrifier, à mourir pour lui. » Cela prouve seulement l'exaltation de bonheur que vous donne cet amour ! J'ai dit : *de l'égoïsme furieux*. Or, cela devient bientôt de l'égoïsme féroce. Attendez.

Quand l'un des deux amants a déroulé jusqu'au bout la bobine de sa tendresse, il casse le fil et s'en va, sans davantage s'occuper de l'autre, dont il a plein le dos, comme on dit improprement, et il cherche une passion nouvelle. Est-ce de l'égoïsme ou du désintéressement, cela ?

Mais que fait l'autre, aimant toujours ? Il devient ce qu'on appelle vulgairement un crampon ; et, sans trêve, sans pitié, sans répit, il s'attache au fuyard. Alors commence cette exaspérante persécution de la passion non partagée, les scènes, l'espionnage, les poursuites en voiture, la jalousie acharnée qui arme la main d'un couteau, d'un revolver ou d'une fiole de vitriol.

C'est là, peut-être, de l'abnégation et du désintéressement?

Oui, madame, si l'amour était le dévouement, à partir du jour où vous ne vous sentiriez plus aimée, vous sacrifieriez votre bonheur à celui de votre infidèle, et au lieu de le traiter d'ingrat (en quoi ingrat?), de traître (pourquoi traître?), de lâche et de misérable (à quel sujet lâche et misérable?), et de mille autres noms aussi injustes, vous lui diriez : « Puisque vous préférez aujourd'hui une autre femme, que vous espérez être plus heureux avec elle, soyez libre ; car moi, je vous aime, et je ne désire que votre bonheur. »

***

Montons plus haut.

Est-il un sentiment plus noble que le patriotisme?

Or, un philosophe devant qui toute notre génération savante et pensante s'incline, M. Herbert Spencer, n'a-t-il pas écrit dans son admirable livre, *L'Introduction à la science sociale,* qui est une sorte de bréviaire des peuples :

« Le patriotisme est pour la nation ce qu'est l'égoïsme pour l'individu. Il a même racine, et produit les mêmes biens accompagnés des mêmes maux. »

Qui de nous n'a admiré et vanté cet axiome si simple et si complet : « *Ne faites pas à autrui ce que vous ne voudriez pas qu'on vous fît* », qui contient l'origine de la loi, le principe de toute charité, la règle des rapports sociaux, la mesure de nos actions, la limite de la pénalité permise qui est le résumé parfait du code, de la religion, de la morale et de l'honnêteté. Eh bien, creusons ce précepte divin si magnifique, et nous arriverons à nous convaincre qu'il constitue un habile tour de passe-passe : — *Ce que vous ne voudriez pas qu'on vous fît.* — C'est l'hypocrisie de l'égoïsme.

Pourtant il se rencontre quelquefois des hommes dont la droiture naïve est telle qu'ils se dévouent sans arrière-pensée, même inconsciente.

Combien de fois n'a-t-on pas cité l'exemple du monsieur en habit noir qui saute d'un pont dans un fleuve, la nuit, pour sauver un misérable et qui s'en va sans laisser son nom.

Cela arrive... Mais alors... Alors il faudrait un microscope plus puissant pour voir au fond de ce cœur-là! Il faudrait, surtout, connaître l'histoire de sa vie.

(*Gil Blas,* 14 octobre 1884.)

CONTEMPORAINS

On ferme, messieurs, on ferme vos tripots! Il paraît que vous y cartonniez avec une ardeur rare et une louable habileté. Donc, on ferme des tripots d'un bout à l'autre du boulevard, des tripots fréquentés, soutenus, fondés, présidés par des gens connus et respectés, qui demeurent malgré tout respectés et plus connus que jamais.

— Que faisait-on dans ces tripots que la police a fini par murer?

— On y trichait, madame.

— Rien que cela?

— Oui, rien que cela, car ce n'est rien. Aujourd'hui, on entend bien murmurer des soupçons sur la délicatesse des hommes les plus considérables de ce temps. Quand ce n'est pas au jeu qu'on triche et qu'on vole, et qu'on pille, et qu'on dévalise, et qu'on filoute, c'est ailleurs, partout, en haut aussi bien qu'en bas.

On chuchote même que tous ces tripots fermés, si tard, ne l'ont été que pour venir en aide à certains autres établissements de même nature, patronnés par des puissants, et dont l'état financier laissait beaucoup à désirer.

Rien de mieux! Le public aussi s'étonnait de ces exécutions sans raison sérieuse, car enfin ce n'est pas sérieux de fermer un cercle parce qu'on y vole des gens de bonne volonté, alors qu'on ne ferme pas les rues où on dévalise, chose plus grave, des gens qui ne s'y prêtent en rien.

33

Constatons cependant que la police s'est indignée.

Mais le monde, lui, ne s'indigne pas, il sourit; il murmure : « Ah! on trichait. — Eh bien, pourquoi ne tricherait-on pas dans un cercle? »

*
* *

Chaque siècle a son caractère, chaque quart de siècle sa physionomie. L'histoire de France faite au seul point de vue des mœurs serait plus intéressante pour bien des hommes que faite, selon l'usage, au seul point de vue des événements. Mais il est assez difficile de déterminer les causes qui modifient, en vingt ans, toute la manière d'être d'une race.

Le dernier siècle avait un caractère tout spécial. Il était élégant et dépravé. Rejetant l'hypocrisie à la mode sous le précédent roi, il étala des mœurs hardiment impures que rendit séduisantes une crise d'esprit, de fantaisie artiste, de goût charmant, de libre philosophie comme aucun pays n'en avait eu.

On peut dire que le peuple français a donné, sous le Régent et sous Louis XV, sa note éclatante dans l'histoire intellectuelle du monde, qu'il a atteint là le vrai sommet de son originalité.

Ainsi chaque pays arrive à un moment précis à dégager une sorte d'arôme d'humanité triomphante et mûre dont l'histoire garde le goût. Cette maturité particulière ne dure jamais, d'ailleurs. Produite par le temps et les événements, elle passe en quelques années comme la saveur des vins.

Il est à remarquer aussi que l'époque où un pays dégage le vrai bouquet de sa race ne correspond presque jamais avec les grandes périodes de splendeur et de prospérité, car le tempérament des nations comme celui des hommes étant fait autant de défauts que de qualités, il faut, pour qu'elles parviennent à tout leur développement caractéristique, que leurs défauts comme leurs qualités atteignent ce degré de maturité qui précède la décomposition.

Je ne veux point dire non plus que nous soyons en décadence en tout. — Qui pourrait affirmer cela? — Nous sommes différents, pires sous certains rapports, meilleurs sous certains autres. Nous paraissons surtout être devenus beaucoup moins français. Mais le trait spécial à noter depuis une vingtaine d'années, c'est la disparition presque complète de ce qu'on pourrait appeler l'honneur intime. Nous n'avons plus guère que l'honneur d'apparat. Et cela se montre principalement par l'éclipse totale de la probité scrupuleuse, ou même de la probité, sans adjectif.

Quels que fussent les vices des hommes de l'ancienne société, ils gardaient cependant en eux le sentiment secret de la propreté morale, ils avaient le sens très profond d'une certaine délicatesse de cœur et d'une subtile élévation d'âme, qui, malgré leurs débauches, leurs écarts les faisaient demeurer des gentilshommes.

Tous les gentilshommes n'étaient pas des nobles, et tous les nobles n'étaient point gentilshommes.

Dans le peuple aussi la probité était commune.

Elle a disparu aujourd'hui du monde comme du peuple.

On pouvait tout faire, sauf voler. Cela seul déshonorait.

Aujourd'hui on peut tout faire, même voler, surtout voler, pourvu qu'on garde certaines formes exigées.

Il y a seulement cinquante ans, ceux dont on disait « c'est un honnête homme » étaient assez communs. Aujourd'hui ils sont devenus presque introuvables. Ce n'est point là un paradoxe, mais une vérité déplorable.

Cherchons, de bas en haut.

Encore connaît-on ces bons serviteurs dévoués et probes qu'on ne rencontrait pas seulement dans le théâtre de M. Scribe, mais aussi dans les familles? Plus du tout! Nos domestiques sont des ennemis intimes installés chez nous pour nous dévaliser. Est-il une cuisinière qui laisse en paix l'anse du panier?

Connaissez-vous des fournisseurs scrupuleux? Le principe du commerce moderne ne semble-t-il pas être le vol organisé, l'art de duper le client, de le tromper sur la qualité et sur la quantité, de lui placer les rebuts. La falsification des denrées les plus communes est devenue si générale qu'il a fallu organiser des escouades de chimistes aussi impuissants à empêcher cette fraude universelle qu'on le serait à empêcher la pluie de tomber.

Quel est celui des premiers restaurants de Paris où nous ne soyons chaque jour trompés sur la provenance et l'âge des vins que nous buvons à quarante francs la bouteille?

Qui ne connaît le truc du champagne Baratte, le truc de l'addition, le truc de la pièce de dix francs glissée sous la carte, tous les trucs enfin qu'il nous faut flairer, découvrir, pour n'être pas dévalisés du matin au soir, par ces honnêtes gens patentés qu'on nomme les commerçants.

Mais dans le monde, direz-vous? Ah! oui, parlons-en! L'improbité s'y étale avec une incroyable impudence. Que sont nos grands financiers? De grands voleurs qui dévalisent les petits rentiers au moyen de fluctuations préparées des valeurs et de coups de bourse habiles. Toute la manipulation des hautes affaires n'est que de la ruse, de la duplicité, de l'adresse déloyale employées avec une rare audace pour escamoter des millions. Le succès légitime la fraude.

Regardez l'histoire des grandes Banques, des grandes Entreprises dites Nationales, dites Patriotiques, dites Humanitaires, et vous ne trouverez, au fond, que de la friponnerie impudente.

On vient de condamner deux députés pour des tripotages indélicats. Mais si on condamnait tous ceux, députés, sénateurs, fonctionnaires ou autres, qui font partie de conseils d'administration véreux, qui patronnent des affaires louches, qui secourent des chemins de fer d'intérêt local et personnel passant par leurs propriétés, qui ont prêté la main, pour la tendre ensuite, à des spéculations inavouables, les services publics désorganisés cesseraient de fonctionner, et il faudrait employer le budget tout entier à la construction de prisons.

Regardons maintenant dans les premiers salons de Paris. Qu'y voyons-nous? Des hommes portant de grands noms, dont on connaît et dont on accepte la vie faite d'expédients honteux. On parle, comme on parlerait de fredaines amusantes, des procédés qu'ils emploient pour se procurer les sommes nécessaires à leur existence somptueuse. Tout leur va. Argent des femmes, même de leurs femmes épousées pour leur dot, puis exploitées comme on exploite une mine, argent d'affaires suspectes, argent emprunté partout, argent du jeu — qui n'a entendu dire de vingt hommes connus : — « Oh, vous savez, X..., il triche au jeu. »

Combien a-t-on chuchoté de noms dans ces scandales des tripots fermés? La foule soupçonneuse a désigné peut-être quelques innocents; mais pour qu'il y ait tant de suspects, ne faut-il pas qu'il y ait aussi beaucoup de coupables?

**

Enfin, c'est le mot friponnerie qui semble fait pour caractériser notre époque. Les portes des salons les plus difficiles ne se ferment plus devant les fripons connus et cent fois millionnaires; et le culte du fripon étant entré dans les mœurs, tout le monde est devenu fripon du haut en bas de ce qu'on appelle l'échelle sociale.

Je ne veux pas dire qu'il n'y ait plus d'honnêtes gens. Il en existe, et beaucoup, mais ils sont effacés, éclipsés, écrasés par le fripon qui triomphe, que le monde accueille et acclame.

Or, il s'est produit en même temps que cette disparition presque totale de la probité un phénomène tout à fait étrange, la réapparition du duel, devenu aussi fréquent que les falsifications de denrées.

Et nous assistons à ce curieux spectacle de voir nos bourgeois véreux, ventrus et ensaqués en leurs redingotes noires ferrailler dans les salles d'armes et ferrailler sur le pré pour défendre leur honneur problématique, comme on ferraillait aux jours héroïques des cuirasses et aux jours élégants des pourpoints.

La continuation dans notre société démocratique, tolérante, complaisante de cette coutume antique des temps où l'on portait l'épée, comme nous portons des parapluies, a de quoi surprendre.

Elle est facile à expliquer cependant.

Plus cet honneur intime de l'homme, cet honneur délicat qu'on pourrait appeler *la conscience de sa probité* disparaît, plus on éprouve le besoin de faire croire à son existence. L'honorabilité véritable étant morte, on se fabrique, à coups d'épée, une honorabilité fictive, dont se contentent les gens du monde.

Il existe, il est vrai, des hommes qui se battent pour d'autres raisons. On les peut classer :

1° Ceux qui se battent parce qu'ils ont été insultés, injuriés, trompés par leurs femmes, leurs maîtresses et leurs amis ;

2° Ceux qui se battent par pose, par chic, pour la réclame, parce que c'est de mode en ce moment. La plupart des journalistes appartiennent à cette catégorie ;

3° Ceux qui se battent parce qu'ils ont le tempérament batailleur.

Mais la dernière catégorie, la plus nombreuse, est composée de tous ceux qui ont besoin d'intimider pour faire taire les bouches, pour forcer les chapeaux à se lever, les portes et les mains à s'ouvrir.

Ils s'imposent à la société lâche et indifférente par la menace de leur épée.

Jadis on se battait pour défendre son honneur, aujourd'hui on se bat pour se constituer un honneur qui ait cours. Car le duel refait une honorabilité d'aventure, ou plutôt d'aventurier, comme l'amour refaisait une virginité à Marion.

On confond tout à fait la crapule, brave parce qu'il le faut, avec l'honnête homme.

Mais il est rare, bien rare en vérité, qu'un homme parfaitement honorable ait besoin d'aller sur le terrain comme on dit, car on ne le suspectera point. Se sentant irréprochable il ne sera pas chatouilleux ; il n'éprouvera pas le besoin d'aller demander raison de paroles soupçonnées, de propos devinés, d'intentions aperçues.

Si on ne l'a point salué par hasard, il ne supposera pas aussitôt qu'on l'a fait avec intention.

En général, les hommes qui ont le témoin facile ont la conscience nuageuse : on est susceptible quand on se sent attaquable, car la bête souffre où le bât la blesse. Or, si chaque fois qu'un duel a lieu entre ces messieurs de la demi-société, cités dans le Tout-Paris et connus par la réclame qu'ils se font faire dans les journaux, on dévoilait la vie entière des deux adversaires, on trouverait, huit fois sur dix, une telle série de saletés que le public épouvanté finirait par confondre le combat pour l'honneur avec les condamnations judiciaires.

Et quand on dirait d'un homme : « X... a le diable au corps, il s'est battu dix-huit fois », on ne pourrait s'empêcher de murmurer : « Dix-huit fois !... Ça doit être une rude canaille... »

(*Gil Blas*, 4 novembre 1884.)

39

MESSIEURS DE LA CHRONIQUE

Elle n'est point près de finir la grande querelle des romanciers et des chroniqueurs. Les chroniqueurs reprochent aux romanciers de faire de médiocres chroniques et les romanciers reprochent aux chroniqueurs de faire de mauvais romans.

Ils ont un peu raison, les uns et les autres.

Mais il serait étonnant d'entendre les pianistes reprocher aux flûtistes de manquer de doigts et les flûtistes reprocher aux pianistes d'avoir le souffle trop court. Ils sont musiciens les uns et les autres, cependant, bien que l'instrument diffère. Il en est de même des chroniqueurs et des romanciers qui sont hommes de lettres avec des tempéraments différents, je dirais même avec des tempéraments opposés.

Le romancier a besoin de pénétration, d'idées générales, d'observation profonde et minutieuse des hommes, et surtout une suite sévère dans l'enchaînement des pensées et des événements d'où dépend la composition d'un livre.

L'observation du chroniqueur doit porter sur les faits bien plus que sur les hommes, le fait étant la nourriture même du journal, et ce doit être encore bien plus de l'appréciation que de l'observation. Le chroniqueur doit, en outre, avoir plus de trait que de profondeur, plus de saillie que de descriptions, plus de gaieté que d'idées générales.

Les qualités maîtresses du romancier, qui sont l'haleine, la tenue littéraire, l'art du développement méthodique, des transitions et de la mise en scène, et surtout la science difficile et délicate de créer l'atmosphère où vivront les personnages, deviennent inutiles et même nuisibles dans la chronique qui doit être courte et hachée, fantaisiste, sautant d'une chose à une autre et d'une idée à la suivante sans la moindre transition, sans ces préparations minutieuses qui demandent tant de peine au faiseur de livres.

J'ai parlé de l'atmosphère d'un livre et c'est là le point capital, essentiel.

C'est l'atmosphère de la terre, existant avant tout, qui a déterminé les races, la structure, les organes, toute la manière de vivre des êtres nés et développés sur le globe, et qui sont soumis à toutes les fatalités du lieu, de l'air, du climat, et modifiés même suivant les continents.

C'est l'atmosphère d'un livre qui rend vivants, vraisemblables et acceptables les personnages et les événements. Tout arrive dans la vie et tout peut arriver dans le roman, mais il faut que l'écrivain ait la précaution et le talent de rendre tout naturel par le soin avec lequel il crée le milieu et prépare les événements au moyen des circonstances environnantes.

Donc les qualités maîtresses du romancier deviennent stériles dans le journal et lui donnent même un air de gêne et de lourdeur. Tandis que les qualités essentielles du chroniqueur, la bonne humeur, la légèreté, la vivacité, l'esprit, la grâce donnent aux romans des journalistes un air négligé, décousu, peu approfondi.

S'il fallait pousser plus loin cette analyse on remarquerait encore que le chroniqueur plaît surtout parce qu'il prête aux choses qu'il raconte son tour d'esprit, l'allure de sa verve, et qu'il les juge toujours avec la même méthode, leur applique le même procédé de pensée et d'expression auquel le lecteur du journal est habitué.

Le romancier, au contraire, doit, tout en donnant à son œuvre la marque de son originalité propre, se faire autant de tempéraments qu'il met en scène de personnes, il doit apprécier avec leurs jugements divers, voir la vie avec leurs yeux, donner le reflet des faits et des choses dans tous ces esprits contraires, différemment organisés suivant leur tempérament physique et les milieux où ils se sont développés. Aussi ne s'est-il jamais rencontré un romancier qui fût un chroniqueur, et jamais un chroniqueur qui fût un bon romancier.

Les vrais chroniqueurs sont tout aussi rares et aussi précieux que les vrais romanciers, et combien en compte-t-on qui résistent seulement quatre ou cinq ans à ce métier terrible d'écrire tous les jours, d'avoir de l'esprit tous les jours, de plaire tous les jours au public.

Le romancier peut braver la colère de ses juges, s'en moquer même et attendre la justice de l'avenir. Il poursuit son œuvre suivant l'idéal qu'il s'est créé, suivant ses croyances et sa nature.

Le chroniqueur, au contraire, n'existe que par la faveur immédiate du public. Il faut qu'il soit sans cesse le favori des lecteurs, qu'il s'efforce sans cesse de les séduire ou de les convaincre. Il a besoin pour cet effort constant, d'une incroyable énergie, d'un tempérament infatigable, d'un esprit et d'une présence d'esprit sans limites. Le mépris systématique des romanciers pour leurs frères du journalisme n'empêchera point qu'il soit aussi difficile au directeur d'un grand journal de découvrir un chroniqueur, qu'il est difficile à un éditeur de mettre la main sur un auteur.

Je veux, en quelques lignes, faire le portrait des principaux chroniqueurs parisiens, des maîtres, de ceux qui, par la durée de leur labeur et de leurs succès, ont prouvé la valeur persistante de leur talent. J'en laisserai de côté d'excellents, qui sont plus jeunes, ou moins arrivés. Et puis je veux surtout choisir ceux qui sont les types de l'espèce. Ne songeons point à les classer. Aussi bien les chroniqueurs sont susceptibles. On a dit des poètes autrefois : *Irritabile genus.* On peut le dire aujourd'hui des journalistes. Autant les romanciers ont ou affectent d'indifférence pour les jugements qu'on porte sur eux, autant les chroniqueurs ont l'humeur excitable et la patience courte. Il ne les faut toucher qu'avec des gants et avec mille précautions.

Ceux dont je veux parler méritent ces égards.

Nous commencerons donc à l'F, sixième lettre de l'alphabet, par

M. HENRY FOUQUIER

Un grand garçon, beau garçon, portant toute sa barbe, une large barbe blonde galante et parfumée. La figure est douce, fine et calme, très calme. Il a le geste sobre et la parole modérée. Et la forme de son talent répond à celle de sa personne.

C'est un chroniqueur sage et mordant par des moyens cachés. Ecrivain soigneux, châtié, amoureux de sa langue et la connaissant en perfection, il l'emploie avec des précautions délicates, avec des ruses et des perfidies sous les mots. Au lieu de frapper par des atteintes directes comme Scholl, dont les attaques ressemblent à des coups d'épée, il a des traits qui restent dans la plaie, accrochés par des intentions sournoises pareilles aux barbes des hameçons.

Bien qu'il traite les questions du jour, il n'est qu'à moitié ce qu'on appelle un chroniqueur d'actualité, car il voit, surtout, dans les sujets qu'il choisit, la moralité qu'il en veut tirer, et non point une moralité amusante ou piquante, mais une moralité de philosophie.

Henry Fouquier est, en effet, un philosophe, d'une race aujourd'hui disparue, un philosophe du XVIIIe siècle, bienveillant, optimiste, assez indifférent, satisfait des gens, des choses et du monde, irrité contre les désespérés, contre les pessimistes, contre les penseurs précis et désolés de l'école de Schopenhauer. Il aime vivre, le montre et le dit, et il porte, dans ses écrits comme dans sa personne, le reflet de cette satisfaction. Son esprit orné et lettré se complaît dans la galante métaphysique des hommes du dernier siècle que l'amour rêvé ou obtenu consolait de tout; et il semble voir l'existence, toutes les choses tristes, navrantes, terribles de la terre, à travers un voile transparent où seraient dessinées des images et des figures de femmes, de femmes souriantes, coquettes, montrant la grâce de leurs lignes, le charme de leur sourire, l'appel de leurs yeux et de leur bouche.

Il n'a pourtant pas le scepticisme de ses ancêtres dont il a hérité la morale gracieuse : et les enseignements qu'il tire des choses du jour sont parfois empreints d'une certaine prud'homie, que je regrette pour ma part, mais que goûte fort le public.

Il est, en somme, un des écrivains les plus remarquables et les plus aimés de la presse actuelle, un de ceux qui font estimer et respecter le journalisme.

M. HENRI ROCHEFORT

Qui ne connaît cette figure de clown spirituelle, nerveuse et mobile, avec le haut toupet blanc, le nez cassé, l'œil inquiet, la voix fêlée, et dans toute l'allure un tel charme cordial et franc que ce Terrible, ce Révolté, ce Démolisseur, est aimé de ses plus furieux adversaires qui lui tendent la main avec plaisir. Confrère excellent et sûr, Henri Rochefort, le Démocrate, est, détail étrange, un remarquable connaisseur en bibelots d'art, en tableaux anciens, en vieilleries de toute espèce, et un amateur passionné de toutes ces choses.

Celui-là ne procède point par coups d'adresse ni par coups de pointe, pour abattre ses ennemis, mais par crocs-en-jambe prestement passés. Croc-en-jambe à l'homme, croc-en-jambe au français, croc-en-jambe à la grammaire, croc-en-jambe même à la raison, et le tour est fait. L'adversaire culbuté ne se relèvera pas.

Son esprit, imprévu, éclatant comme un pétard, n'emprunte rien à la tradition de notre race, à la tradition de finesses et de pointes où se sont exercés nos pères. Il en dérive cependant, d'une façon indirecte, et pour n'être pas tout à fait légitime il n'en est pas moins français.

Ce galant et charmant homme au masque de clown a inventé une clownerie bizarre de la langue, une manière de faire sauter les mots, de les désarticuler, de leur faire prendre des attitudes et des contorsions imprévues qui font rire d'un rire impérieux, irrésistible, immodéré, comme les véritables clowneries des vrais clowns, dans les cirques. Il fait naître, par des rapprochements de syllabes, des à-peu-près imprévus, par des calembredaines fantastiques, des éveils de pensées surprenantes et cocasses. Il lui faut une seconde pour appeler Camescasse-tête, M. Camescasse, en apprenant sa nomination aux fonctions de préfet de police. Et sans cesse de son esprit, de sa bouche et de sa plume, tombent des mots inattendus et singulièrement comiques, des jugements d'une vérité désopilante dans une forme saisissante de drôlerie.

Et tout le monde s'amuse de cette intarissable verve parisienne, depuis les femmes les plus fines jusqu'au voyou le plus illettré, pourvu qu'il ait respiré cet air du trottoir qui met dans le cerveau ce quelque chose d'inconnu qui semble l'âme de Paris.

Après l'R, arrêtons-nous à la lettre suivante S.

M. AURÉLIEN SCHOLL

Le nombre des mots que Scholl a semés sur le monde est aussi grand que celui des étoiles. Tous les chroniqueurs présents et les chroniqueurs futurs puisent et puiseront dans ce réservoir de l'esprit.

Il a le trait direct et sûr, frappant comme une balle et crevant son homme, le trait suivant la bonne tradition du XVIe siècle, rajeunie par lui, et qui deviendra, encore par lui, la tradition du XIXe siècle.

En lisant une bonne chronique d'Aurélien Scholl, on croirait sentir la moelle de la gaieté française coulant de sa source naturelle. Il est, dans le vrai sens du mot, le chroniqueur spirituel, fantaisiste et amusant.

Gascon, grand, bel homme, élégant et souple, il donne bien aussi l'idée de son talent, un peu casseur d'assiettes et rodomont. Il a fait, malheureusement, beaucoup d'élèves, qui sont bien loin de le valoir, ayant pris sa manière sans avoir son esprit. A la quatrième avant-dernière lettre de l'alphabet nous trouvons

M. ALBERT WOLFF

Tout différent des trois autres, celui-là procède avec un flair et une sûreté de limier pour découvrir le fait du jour, le fait parisien, le fait enfin qui doit intéresser, émouvoir, passionner le plus le public, son public. Non seulement il le découvre, mais il le fouille, le commente et le développe, juste de la façon dont il doit être fouillé, commenté et développé, ce jour-là même, pour répondre à l'attente de tous les esprits. Je parlais tout à l'heure de l'atmosphère à créer autour des personnages d'un livre. Eh bien! M. Albert Wolff subit l'atmosphère du moment d'une telle façon qu'il semble écrire souvent ce que pensent et ce qu'ont pensé tous ses lecteurs, tant il leur donne le résumé de leur opinion, formulé avec sa verve souvent pointue et caustique, toujours amusante, fine et bien littéraire. Et ses fidèles, en le lisant, éprouvent à peu près le sentiment d'un homme à qui on servirait, quand il entre dans un restaurant, le plat unique qu'il désirait manger ce jour-là, et auquel il n'avait peut-être pas songé.

M. Wolff est en outre en train de faire ce que devraient faire tous les chroniqueurs vraiment parisiens, qui ont vécu longtemps cette vie mouvementée, si renseignée et si bizarre des journalistes; il écrit ses mémoires.

Le premier volume contenant des souvenirs de voyage des plus intéressants; le second, l'*Ecume de Paris,* est une fort curieuse, fort saisissante et fort originale étude des dessous secrets de cette grande capitale des capitales. Les *Voyous sinistres,* les *Forçats célèbres,* les *Monstres,* les *Adultères sanglants,* le *Crime et la Folie,* sont des pages profondes, terribles, et singulièrement attachantes.

J'aurais tant désiré parler d'un autre encore, mort tout dernièrement, Léon Chapron, qui avait apporté dans la chronique contemporaine une note bien particulière, alerte et mordante! Il était en outre un des hommes les plus sincères du journalisme actuel, d'une sincérité même brutale, mais d'une loyauté à toute épreuve.

Et si on me demandait maintenant de citer un nom parmi les plus jeunes, parmi ceux d'aujourd'hui qui sont ceux de demain, je le choisirais dans ce journal, et je dirais : Gros-claude.

(*Gil Blas,* 11 novembre 1884.)

SOUVENIRS

Connaissez-vous, madame, l'admirable nouvelle d'Ivan Tourgueneff, qui a pour titre : *Trois Rencontres?* Non, sans doute, car vous ne lisez que les livres du jour.

Je comprends l'intérêt que vous portez aux romans d'hier, d'aujourd'hui ou de demain, mais il faut quelquefois lire les vieux ; croyez-moi.

Les *Trois Rencontres!* N'oubliez point ce titre, madame, et lisez cette courte nouvelle. Elle contient, en quelques pages, l'essence même du génie de Tourgueneff, de ce génie rêveur et précis, réel et poétique, un peu voilé, comme pour faire deviner des choses lointaines, indécises, ces choses qui flottent dans les brouillards de la vie, ces choses qui peuplent la terre de songes, qui nous montrent, derrière les faits cruels, le mystère doux, toujours fuyant et charmant, dont se bercent les poètes.

Le sujet? direz-vous. Il n'y en a guère dans cette œuvre enchanteresse et vague comme une féerie d'opium. C'est l'histoire étrange et charmante des émotions qu'une voix de femme, entendue trois fois par trois nuits de lune, sous trois climats différents, ont fait naître dans le cœur d'un homme.

Il ne la connaît point, cette femme, il ne l'a jamais vue ; mais il l'entend chanter, et il la reconnaît chaque fois. Et dans ces pays où chante aussi une musique mystérieuse, il semble que l'admirable poète ait fait passer toutes ces sensations menues et profondes qui s'éveillent dans

47

certaines âmes, au contact exquis ou douloureux de choses que le commun des hommes ne remarque point.

Avez-vous observé, madame, combien sont sonores en nous, les nerveux, les répercussions du souvenir, et combien aussi la vue de certains détails inaperçus par tous fait vibrer notre cœur?

Depuis quelque temps, elle me hante, cette nouvelle de Tourgueneff, les *Trois Rencontres ;* car, moi aussi, je viens de la sentir en moi la triple émotion d'une chose vue à trois époques différentes.

*
* *

Je traversais Rouen, l'autre jour. Nous sommes au moment de la foire Saint-Romain. Figurez-vous la fête de Neuilly, plus importante, plus solennelle, avec une gravité provinciale, un mouvement plus lourd de la foule qui est aussi plus compacte et plus silencieuse.

Plusieurs kilomètres de baraques et de vendeurs, car les boutiques sont plus nombreuses qu'à Neuilly, les gens de campagne achetant beaucoup. Marchands de verrerie, de porcelaines, de coutellerie, de rubans, de boutons, de livres pour les paysans, d'objets singuliers et comiques en usage dans les villages, puis des montreurs de curiosités, que le Normand des champs appelle des « faiseux vé de quoi », et une profusion de femmes colosses dont semblent fort amateurs les Rouennais. Une d'elles vient d'envoyer à la presse locale une lettre aimable pour inviter MM. les journalistes à venir la visiter, en s'excusant de ne pouvoir se présenter elle-même chez eux, ses dimensions lui interdisant toute sortie.

... Se plaint de la grosseur qui l'attache au rivage.

Enfoncé Louis XIV!

Puis voici des lutteurs : l'admirable M. Bazin qui parle comme à la Comédie-Française, en saluant le public de l'index. Voici encore un cirque de singes, un cirque de puces, un cirque de chevaux, cent autres curiosités de toute espèce. Et un public particulier : — gens de la ville endimanchés, aux mouvements sérieux et modérés, mais bien accordés, l'homme et la femme manœuvrant d'ensemble, avec une sage gravité, comme si la nature eût mis en eux une même manivelle, — gens de la campagne aux mouvements plus lents encore, mais différents, l'homme et la femme ayant chacun le sien, couple détraqué par des besognes diverses : le mâle courbé, traînant ses jambes ; la femelle se balançant comme si elle portait des seaux de lait.

Ce qu'il y a de plus remarquable dans la foire Saint-Romain, c'est l'odeur — odeur que j'aime, parce que je l'ai sentie tout enfant, mais qui vous dégoûterait sans doute. On sent le hareng grillé, les gaufres et les pommes cuites.

Entre chaque baraque, en effet, dans tous les coins, on grille des harengs en plein air, car nous sommes au plus fort de la saison de pêche, et on cuit des gaufres, et on rissole des pommes, de belles pommes normandes, sur de grands plats d'étain.

**

J'entends une cloche. Et tout à coup une émotion singulière me serre le cœur. Deux souvenirs m'ont assailli, l'un de mes premiers ans, l'autre de l'adolescence.

Je demande à l'ami qui m'accompagne :

— C'est toujours lui ?

Il a compris et répond :

— C'est toujours lui, ou plutôt toujours eux. Le violon de Bouilhet y est encore.

Et j'aperçois bientôt la tente, la petite tente où l'on joue, comme on jouait dans mon enfance, cette *Tentation de saint Antoine,* qui ravissait Gustave Flaubert et Louis Bouilhet. Sur l'estrade, un vieux homme à cheveux blancs, si vieux, si courbé qu'il semble un centenaire, cause avec un polichinelle classique. Songez donc, madame, que mes parents aussi l'ont vue, cette *Tentation de saint Antoine,* quand ils avaient dix ou douze ans ! Et c'est toujours le même homme qui la montre. Sur sa tête est pendue une pancarte où on lit : « A céder pour cause de santé. » Et s'il ne trouve pas d'amateur, le pauvre vieux, le spectacle naïf et drôle dont s'amusent, depuis plus de soixante ans, toutes les générations de petits Normands, disparaîtra.

Je monte les marches de bois qui tremblent, car je veux voir encore une fois, une dernière fois peut-être, le saint Antoine de mon enfance.

Les bancs, de misérables bancs étagés, portent un peuple de petits êtres, assis ou debout, babillant, faisant un bruit de foule, le bruit d'une foule de dix ans.

Les parents se taisent, accoutumés à la corvée de chaque année.

Quelques lampions éclairent l'intérieur sombre de la baraque. La toile se lève. Une grosse marionnette apparaît, faisant, au bout de ses fils, des gestes bizarres et maladroits.

Et voilà que toutes les petites têtes se mettent à rire, les mains s'agitent, les pieds trépignent sur les bancs, et des cris de joie, des cris aigus, s'échappent des bouches.

Et il me semble que je suis un de ces enfants, que je suis aussi entré pour voir, pour m'amuser, pour croire, comme eux. Je retrouve en moi, réveillées brusquement, toutes les sensations de jadis ; et dans l'hallucination du souvenir, je me sens redevenu le petit être que j'ai été autrefois, devant ce même spectacle.

Mais un violon se met à jouer. Je me lève pour le regarder. C'est aussi le même : un vieux encore, très maigre, et triste, triste, à longs cheveux blancs rejetés derrière une tête creuse, intelligente et fière.

Et je me rappelle ma seconde visite à Saint-Antoine. J'avais seize ans.

*
* *

Un jour (j'étais élève au collège de Rouen en ce temps-là), un jour donc, un jeudi, je crois, je montai la rue

Bihorel pour aller montrer des vers à mon illustre et sévère ami Louis Bouilhet.

Quand j'entrai dans le cabinet du poète, j'aperçus, à travers un nuage de fumée, deux grands et gros hommes, enfoncés en des fauteuils et qui fumaient en causant.

En face de Louis Bouilhet était Gustave Flaubert.

Je laissai mes vers dans ma poche et je demeurai assis dans mon coin bien sage sur ma chaise, écoutant.

Vers quatre heures, Flaubert se leva.

— Allons, dit-il, conduis-moi jusqu'au bout de ta rue; j'irai à pied au bateau.

Arrivés au boulevard, où se tient la foire Saint-Romain, Bouilhet demanda tout à coup :

— Si nous faisions un tour dans les baraques?

Et ils commencèrent une promenade lente, côte à côte, plus hauts que tous, s'amusant comme des enfants, et échangeant des observations profondes sur les visages rencontrés.

Ils imaginaient les caractères rien qu'à l'aspect des faces, faisaient les conversations des maris avec leurs épouses. Bouilhet parlait comme l'homme et Flaubert comme la femme, avec des expressions normandes, l'accent traînard et l'air toujours étonné des gens de ce pays.

Quand ils arrivèrent devant Saint-Antoine :

— Allons voir le violon, dit Bouilhet.

Et nous entrâmes.

***

Quelques années plus tard, le poète étant mort, Gustave Flaubert publia ses vers posthumes, les *Dernières Chansons*.

Une pièce est intitulée :

UNE BARAQUE DE LA FOIRE

En voici quelques fragments :

Oh! qu'il était triste au coin de la salle,
Comme il grelottait l'homme au violon.

La baraque en planche était peu d'aplomb
Et le vent soufflait dans la toile sale.
. . . .

Dans son entourage, Antoine, en prière,
Se couvrait les yeux sous son capuchon.
Les diables dansaient. Le petit cochon
Passait, effaré, la torche au derrière.
. . . .

Oh! qu'il était triste! Oh! qu'il était pâle!
Oh! l'archet damné, raclant sans espoir;
Oh! le paletot plus sinistre à voir
Sous les transparents aux lueurs d'opale!

Comme un chœur antique au sujet mêlé,
Il fallait répondre aux péripéties
Et quitter soudain, pour des facéties,
Le libre juron tout bas grommelé!...

Il fallait chanter, il fallait poursuivre,
Pour le pain du jour, la pipe du soir;
Pour le dur grabat dans le grenier noir;
Pour l'ambition d'être homme et de vivre!

Mais parfois dans l'ombre, et c'était son droit,
Il lançait, lui pauvre et transi dans l'âme,
Un regard farouche aux pantins du drame,
Qui reluisaient d'or et n'avaient pas froid.

Puis — comme un rêveur dégagé des choses,
Sachant que tout passe et que tout est vain,
Sans respect du monde, il chauffait sa main
Au rayonnement des apothéoses.

Et quand je sortis de la baraque, je croyais entendre
encore la voix sonore de Flaubert :
— Pauvre... diable!
Et Bouilhet répondit :
— Oui, ça n'est pas gai pour tout le monde!

(*Le Gaulois*, 4 décembre 1884.)

LE SENTIMENT ET LA JUSTICE

Obéissant au sentiment presque unanime, je désire l'acquittement de Mme Clovis Hugues dont la situation a éveillé dans tous les cœurs la sympathie la plus respectueuse et la plus vive.

Cependant, à un point de vue plus général, il y aurait beaucoup de choses à dire.

Pour les dire, ces choses, je vais imaginer une aventure analogue à la sienne mais en disposant les circonstances accessoires que j'ignore, de façon à appeler sur l'agent plus d'intérêt peut-être qu'il n'en mérite, et cela, pour les besoins de la cause que je vais plaider.

Je veux faire le procès de l'opinion publique.

Je dis que l'opinion publique en France a perdu complètement le sens de la justice et qu'elle se laisse emporter, *emballer,* égarer sans cesse par une sentimentalité naïvement prudhommesque et par un donquichottisme niais.

Et de plus en plus, dans nos mœurs, le sentiment tend à remplacer la loi et la logique.

Nous ne faisons que de la politique de sentiment, de la guerre de sentiment, de la justice de sentiment.

**

Donc, je raconte une aventure qui n'est pas arrivée, mais que je suppose arrivée.

J'imagine qu'un garçon de trente ans erre dans Paris, sans place et sans pain. Le cas est fréquent. Il va de porte en porte et ne trouve rien. Il n'a d'ailleurs ni parents ni recommandations. Enfin, harcelé par la faim, il frappe chez un de ces misérables qui tiennent des agences de renseignements secrets.

L'homme l'emploie, puis au bout de quelque temps le charge de trouver des preuves de l'infidélité conjugale de M. X... Besogne aisée, ajoute le patron, car les maris fidèles sont rares.

L'agent se met en campagne, il interroge à droite, à gauche, convaincu, comme un simple juge d'instruction, que le prévenu est coupable. Qui interroge-t-il? les concierges, parbleu! Or, quel est le concierge qui ne calomnie pas cent fois par jour le plus innocent de ses locataires? Oh! si nous savions ce que disent de nous nos concierges, les armuriers, demain, n'auraient plus assez de revolvers.

Un fait, entre mille. Le bruit ayant couru dernièrement dans Paris, de la folie d'une femme charmante, un grand journal envoya aussitôt prendre des renseignements chez sa concierge.

Le reporter demanda :

— Est-ce vrai que Mme X... est folle?

L'autre, ravie d'avoir à dire du mal de sa locataire, s'écria :

— Pour sûr, et folle à lier encore.

C'était là son opinion de portière mais nullement la confirmation d'un fait accompli.

Et le journal annonça une nouvelle fausse.

Donc la concierge en raconte sur la dame du quatrième et celle du cinquième. L'agent demande : — Est-ce que M. X... ne vient pas au cinquième?

Et la chipie en loge en débite, en invente, en surinvente, enchantée d'avoir un public aussi rempli d'attention.

Le pauvre gueux, tenant son témoin, fait son rapport au patron qui fournit à sa cliente les renseignements payés.

Un procès a lieu.

La concierge se voyant dans une position dangereuse

nie avoir bavardé et menti et se tire d'affaire par un faux serment.

— Si on rapportait au tribunal tout ce qu'on dit, n'est-ce pas, on ne pourrait plus causer de rien.

Or l'agent mis en cause se trouve ainsi avoir indignement calomnié une honnête et charmante femme. Il est condamné à deux ans de prison et deux mille francs d'amende.

Le malheureux, qui faisait, il est vrai, une besogne ignoble, mais non punie par la loi, avait été poussé par son patron et trompé par son témoin. Donc, innocent jusqu'à un certain point, il trouve dure la peine et en appelle.

Mais la jeune femme, victime, affreusement frappée, meurtrie, désespérée, tire un coup de revolver sur son tortureur et l'abat. L'homme agonise dix jours et meurt.

Et l'opinion publique crie « Bravo! vive l'héroïne! », pousse des hurlements d'enthousiasme, veut qu'on acquitte séance tenante la meurtrière!...

Pourtant...

Pourtant les juges ont apprécié et jugé. Ils ont rendu l'arrêt légal que nous devons respecter d'une façon absolue!

La jeune femme ne se trouve pas assez vengée. Rien en effet ne peut compenser la souffrance morale qu'elle a subie.

Mais qu'arrivera-t-il si nous en appelons tous, par le couteau, le revolver ou le vitriol, des jugements que nous estimons insuffisants?

Or quel est l'homme lésé qui trouve suffisante la compensation accordée par la loi?

En quoi l'horrible agonie de cet agent infime, moins coupable que son patron introuvable, rend-elle plus éclatante l'innocence reconnue incontestée de sa victime?

Quelles seraient les conséquences de cette jurisprudence nouvelle?

Quelle femme n'a pas été calomniée mille fois par ses concierges, ses domestiques, ses amies et ses ennemies? Quelle femme n'a pas appris un jour par une bouche affectueuse et malveillante que telle ou telle personne avait dit sur elle une chose infâme?

Devra-t-elle acheter un revolver et tuer? N'y sera-t-elle pas un peu autorisée par un verdict d'acquittement?

Puis, après? Oui, après les femmes calomniées, nous aurons les femmes suspectées avec raison qui voudront se refaire un honneur à coups de pistolet. Et elles seront nombreuses celles qui, n'ayant rien à perdre, auront tout à gagner d'un crime retentissant capable de retourner et d'établir en leur faveur le cours de l'opinion publique?

Elles joueront le tout pour le tout, pile ou face, acquittement ou condamnation, car avec les jurés français tout arrive.

**

N'avons-nous pas déjà, comme exemple du sentiment substitué à la stricte justice, tous les cas de vitriol jugés depuis quelques années par ce tribunal fantaisiste qu'on nomme un jury.

Toutes les fois qu'il s'agit d'amour, l'indulgence attendrie du tribunal est acquise d'avance à celle qui a mutilé son séducteur. Elle est acquittée d'enthousiasme.

Or, cinq fois sur dix, c'est le vitriolé qui a séduit, car le monde est peuplé de filles et de femmes qui emploient des ruses de Peau-Rouge et une adresse et des astuces, et un déploiement d'innocence, de naïveté et de candeur incroyables, à découvrir et conquérir le séducteur de leur choix.

La profession de fille et de femme séduite et payée a du bon. Or, si le séducteur leur échappe, c'est toute une campagne à recommencer. Leur dépit exaspéré les pousse à une vengeance terrible pour lui et sans danger pour elles.

J'admets qu'elles aiment follement.

L'amour peut-il être une excuse?

Qu'est-ce que l'amour qui frappe, sinon de l'égoïsme que les jurés acquittent, en donnant aux liens illégaux une sanction poétique et une valeur presque légale, en ce temps où il devient si facile de rompre les liens réguliers du mariage.

De sorte qu'on peut maintenant se débarrasser à son gré d'une femme légitime, par un petit jugement, tandis qu'on a tout à craindre en se débarrassant d'une maîtresse!

Vive le sentiment, à bas la loi!

**

La création des jurys a été d'ailleurs, en principe, la substitution du sentiment à la justice, car les jurés jugent selon leur cœur, et ces braves gens seraient fort embarrassés pour faire autrement puisqu'ils n'ont que ça pour juger.

On leur soumet des cas compliqués de psychologie, or ils sont préparés à les résoudre, uniquement par les romans-feuilletons de leur journal.

Une fille séduite! Ils ne connaissent que ça! Ils ont assez pleuré en lisant « La Folle du Carrefour », et ils voient immédiatement une situation analogue. Ils se rappellent aussi toutes les scènes de tribunal, de cour d'assises, les plaidoiries, les preuves accablantes, les circonstances dramatiques des œuvres de MM. Richebourg et autres. Et ils jouent une de ces scènes, ils font partie d'un de ces romans!

Pouvait-il en être autrement, du jour où l'on choisissait pour pénétrer dans le tréfonds du cœur humain, pour démêler les fils délicats des intentions, non pas des criminalistes de profession, non pas des hommes supérieurs, habitués à voir, à comprendre et à juger toutes les évolutions de l'esprit, mais le boucher, le boulanger, le mercier, le commerçant quelconque, qui apprécient selon leur cœur, parbleu, à défaut du reste.

Je voudrais qu'on fît une simple expérience.

On prendrait dix jurés et on leur poserait cette question :

— Que pensez-vous du 2 Décembre?

Le premier répondrait : « C'est un crime ignoble accompli par des bandits. »

Le second : « Ce fut un coup de génie qui sauva pour quelques années la France agonisante... »

Aucun d'eux ne dira : « Ce fut un coup d'Etat comparable à toutes les révolutions qui ont changé le gouvernement d'un pays. »

Or, s'ils sont six du premier avis, tant pis pour les réactionnaires qu'ils auront à juger.

Mais s'ils sont au contraire six de la seconde opinion, tant pis pour les républicains.

Il en est de même en matière de sentiment ; et voilà ce que nous appelons la justice.

Donc, les femmes sont aujourd'hui à peu près autorisées à régler toutes leurs affaires à coups de revolver et de vitriol.

Quoi d'étonnant à cela, puisqu'un homme attaqué dans son honneur n'a pas d'autre ressource, en ce moment, que le duel.

Et c'est là un signe singulier de cette tendance de plus en plus visible du tempérament français à remplacer la justice par le hasard, ou plutôt par une fantaisie imprévue, arbitraire et sentimentale.

Nous avons horreur de la loi et de la logique !

Examinons donc la jurisprudence du duel telle qu'elle s'établit chez nous.

Nous sommes loin des jours, proches cependant, où on concédait que le duel, vieille coutume de la chevalerie, devenue souvent, de nos jours, la ressource des chevaliers d'industrie qui se font un honneur à coups d'épée, était admissible seulement dans certains cas d'appréciation délicate où la loi est impuissante et dans certaines situations que l'amour ou la trahison d'une femme, ainsi que des haines particulières, peuvent créer entre deux êtres.

Aujourd'hui, le combat singulier est devenu la règle et la loi dans tous les cas d'injures, calomnie ou médisance, entre hommes.

L'insulté, le lésé, sous peine d'être dix fois déshonoré, devra avoir recours aux armes et non aux tribunaux.

S'il se bat, étant même une crapule et un fripon, il redevient instantanément un honnête homme.

S'il fait intervenir les juges, il n'est plus qu'un couard, même avec un honneur irréprochable.

Qui est l'insulteur? La galerie ne s'en informe guère. Homme du demi-monde vivant d'expédients, publiciste aux abois vivant de chantage. Peu importe. On le salue, on lui serra la main. Cela suffit.

Prévoyant le cas, il a travaillé ses contres de quarte comme un gymnaste travaille le trapèze.

Qui est l'insulté? Un homme du monde quelconque, qui peut exciter la haine, la jalousie ou l'envie par sa fortune, ses succès, sa situation politique, ou la beauté de sa femme?

Il est peut-être myope. Alors il doit renoncer au pistolet qui égalise à peu près les chances. Il peut être aussi maladroit, lourd, obèse, sans aucune habitude de l'escrime. Alors il ira se faire saigner par son adversaire et reviendra chez lui injurié, blessé et pas content. O Molière!

Car nous apprenons chaque jour qu'une innombrable quantité de gaillards se font la main du matin au soir.

Il en est, dans le nombre, qui travaillent l'escrime comme on travaille la peinture, parce qu'ils l'aiment.

Mais les autres? Les autres s'exercent le poignet afin de pouvoir être insolents tant qu'il leur plaira.

De sorte que le duel étant devenu la règle de tout différend entre deux hommes, l'étude acharnée de l'épée à laquelle on se livre en ce moment n'est qu'un effort raisonné pour faire entrer l'injustice dans ce hasard armé qui remplace la loi.

Or, puisque les ministres semblent embarrassés pour équilibrer leur budget, ne pourrait-on faire des économies sur la magistrature et supprimer autant de juges qu'on ouvre de salles d'armes nouvelles?

Et ne pourrions-nous arriver tout de suite à l'Etat idéal rêvé peut-être par beaucoup?

L'Ecole de droit étant devenue inutile aux Français sera remplacée par une Faculté d'escrime.

On y travaillera de neuf heures à midi, et de deux heures à six heures, les dégagés, les oppositions, les contres, les coupés, etc., afin de pouvoir injurier, calomnier, mentir et gifler autrui en toute liberté et toute sécurité.

Les citoyens français se trouveront donc divisés en deux classes.

La première catégorie comprendra les gens agiles, adroits, ayant le coup d'œil juste et le jarret solide, qui seront braves par nature et par profession, après dix ans de salle et de tir au commandement.

Les gens affligés de maladies des yeux, d'embonpoint précoce, de gaucherie naturelle et de faiblesse musculaire, feront partie de la deuxième catégorie des braves par nécessité.

Les certificats de médecin, constatant un état physique suffisants à vous faire dispenser du service militaire, ne seront pas valables en cas de duel.

Un impotent qui aurait refusé de se battre contre un maître d'armes serait qualifié de lâche et rejeté du monde comme il faut.

D'où il résulte que quiconque ne sera ni fort comme Hercule, ni agile comme Achille aux pieds légers, et n'aura pas sacrifié un quart de son existence pour acquérir le doigté de Louis Mérignac, sera aussi exposé dans la société parisienne qu'un voyageur tout nu dans une forêt vierge, peuplée d'animaux féroces.

O saint Don Quichotte, priez pour nous!

Mais la situation est en train de devenir encore plus grave qu'on ne pense.

Nous avons lu l'autre jour le compte rendu du grand concours d'escrime organisé entre les commis du Bon Marché, dans une salle d'armes ouverte par les soins et aux frais du directeur de ce magasin.

Et vous voulez que nous allions acheter des gants ou un parapluie dans cette boutique pour que l'employé du rayon ganterie, « très prompt à prendre les contres », prenne la mouche avec non moins de promptitude à une simple observation sur le nombre des boutons, et nous jette sa carte au visage.

Et l'employé du rayon ameublement, en déployant une tenture qui ne nous plaira point, répondra avec insolence, parce qu'il « déploie aussi une grande vitesse dans les attaques en ligne basse ».

Les gens pacifiques se verront donc contraints de s'adresser aux maisons qui n'arment pas leur personnel.

Mais qu'arrivera-t-il si M. Bixio ouvre une salle d'armes pour ses cochers? Si la Compagnie des omnibus en fait autant pour ses conducteurs?

Ne verrons-nous pas bientôt sur les grandes lignes, à côté du wagon-restaurant, le wagon d'escrime où le mécanicien viendra de temps en temps faire un petit assaut avec le chef de train?

O saint Don Quichotte, priez pour nous!

**

J'ai dit que nous faisions de la politique et de la guerre de sentiment et jamais de logique.

Je n'en citerai qu'une preuve entre cent mille.

Il y a quelques années, un officier de grande valeur qui fait aujourd'hui la campagne du Tonkin, M. le général de Négrier, alors colonel, ayant à réprimer une insurrection d'Arabes dans le Sud Oranais et sachant bien qu'on ne peut frapper ces fanatiques que par leur religion, abattit la célèbre mosquée de Sidi-Cheik.

L'Arabe est fataliste. « Dieu le veut! » est toute sa foi. Si Dieu ne le défend pas, c'est qu'il abandonne ses enfants.

Or, l'opinion publique s'émut en France, le gouvernement s'indigna. On avait outragé la religion de ces pauvres ennemis! On avait détruit leur temple! Profanation!

On fit reconstruire la mosquée! Allah avait vaincu!

Or, c'est le même gouvernement qui, quelques mois plus tard, expulsait les moines et fermait leurs églises en France.

(*Le Figaro*, 8 décembre 1884.)

LES ACADÉMIES

On parlait, dans un salon académique, de la réception de François Coppée. Une jeune femme, pour qui les combinaisons qui ont étonné et éloigné M. Soulary n'ont pas de mystères, s'écria : « Ça me fait de la peine de voir nommer Coppée; j'aurais préféré qu'on en choisît un autre. »

Comme on la savait grande admiratrice du poète, on s'étonna. Elle reprit : « C'est justement parce que je l'aime beaucoup que ça m'a ennuyée. Moi je ne nomme que les académiciens pour qui je n'ai ni admiration ni amitié. »

« *Je ne nomme* » fit sourire les hommes. Mais les femmes ne le remarquèrent point. Quelqu'un demanda : « Alors vous préférez les ganaches? » Elle dit : « Oui, les vieux surtout. Vous ne comprenez pas pourquoi. C'est bien simple pourtant.

» J'adore Coppée, et voilà que j'ai peur de désirer sa mort.

» Vous n'y êtes point encore?

» Qu'est-ce que nous connaissons parmi les académiciens. Trois poètes : Coppée dont nous avons lu tous les vers, Sully Prudhomme dont nous avons lu quelques vers, et Victor Hugo qui a fait des vers superbes, mais que nous avons un peu... un peu oubliés. Pardon, nous nous rappelons encore quelques pièces des *Châtiments* et de *La Légende des Siècles*, n'est-ce pas?

» Nous connaissons très bien les auteurs dramatiques et les romanciers, en tout dix écrivains.

» Il en reste trente. Qui? Nous savons leurs noms, nous autres, parce qu'ils sont de l'Académie. C'est vrai. Mais qu'ont-ils fait? Personne ne sait. Personne! voilà pourtant ceux que je préfère, les vrais académiciens, ceux que nous devrions toujours nommer.

» Chaque fois qu'un fauteuil est vacant, moi je ne m'informe jamais des titres d'un candidat, mais de son âge et de ses maladies. Que m'importe qu'il ait fait une traduction en vers de *Don Quichotte* ou bien dix volumes de bavardages sur l'idée de Patrie dans la poésie scandinave, ou bien vingt volumes de commentaires sur les poètes marocains du xvie siècle. Ce qui m'importe et ce qui m'amuse, par exemple, c'est qu'il meure le plus vite possible.

» Je voudrais qu'on forçât les candidats à passer devant une espèce de conseil de révision qui écarterait les bien portants. On ne nous dirait point les titres ni la valeur de leurs œuvres qui ne nous intéressent guère, mais les noms et la gravité de leurs maladies et les lésions organiques de leur corps. C'est le plus atteint qui aurait le plus de chances.

» N'ai-je point raison?

» Quoi de plus ennuyeux et de plus inutile que l'Académie quand elle est au complet? Que fait-elle? A quoi sert-elle?

» Mais sitôt qu'un académicien meurt, quel amusement! Toute la France s'émeut, tout Paris se passionne. Qui le remplacera? Moi je sens un petit frisson au cœur quand je lis dans mon journal, le matin, qu'un immortel vient de mourir! Voilà mes bons jours, car j'ai du plaisir sur la planche pour six mois au moins. Et s'il en meurt deux ou trois de suite, je deviens folle de contentement. Et tout le monde est comme moi, sans exceptions!

» Qui remplacera le trépassé? Quelle émotion! Chacun fait sa liste. On pointe, on discute, on suppose, on calcule. Il n'y a rien de plus amusant, non rien, absolument rien! Que d'intrigues, de visites, de mines, de contre-mines, de combinaisons, d'influences mises en mouvement, de manœuvres! Quelle joie quand votre candidat réussit! Et comme il faut déployer d'adresse, de ruse, de tact, de politique.

» C'est là la vraie distraction de Paris l'hiver, du Paris intelligent, du Paris qui pense.

» Personne ne pourra dire le contraire. Aussi je trouve très fâcheux qu'on amène à l'Académie des jeunes gens comme François Coppée, qui nous feront attendre très longtemps leur successeur. Songez que nous pourrions disparaître avant lui! Ça n'est pas gai cette idée-là.

» Du moment que nous ne nommons des académiciens que pour avoir le plaisir de les remplacer, c'est avec l'espérance de les voir mourir bientôt. Plus il en meurt, plus nous devons être satisfaits. Il faut donc les prendre très vieux, très infirmes, très malades.

» Moi, je l'avoue, quand il se passe deux ou trois mois sans qu'il en soit parti un seul pour l'autre monde, je fais brûler un petit cierge à Notre-Dame. Ça m'a réussi souvent.

» Il y a beau temps que l'Académie n'existerait plus, croyez-moi, si ce n'était pas si amusant de la renouveler.

» C'est un petit jeu, cela, un petit jeu littéraire et tout à fait passionnant.

» Si j'étais écrivain, je composerais un livre sur ce sujet :

» L'ACADÉMIE FRANÇAISE OU LE JEU DE LA MORT ET DES QUARANTE VIEILLARDS

» ou encore :

» LE JEU DE LA MORT ET DES IMMORTELS. »

***

La petite dame avait-elle tort? A d'autres de le décider. Mais il me semble pour être juste, qu'il y avait du vrai dans sa manière de raisonner.

Voilà donc Coppée baptisé avec la prose de M. Cherbuliez. (A sa place, je me laverais la tête.) Au tour de

65

M. Edmond About, maintenant, et puis au tour de M. Ludovic Halévy. Le *Paris qui pense* va s'amuser avec ces entrées à sensation.

Mais on attend les sorties? A qui le tour?

Il n'est point que l'Académie où l'on s'exerce à discourir.

Voilà que la Société des gens de lettres est en train de devenir une concurrence de l'Institut. La maison n'est pas au coin du quai.

On y discute le mérite littéraire, la valeur du verbe et de l'adjectif, le style et la composition, en des morceaux préparés avec prétention.

Cet autre petit jeu serait fort innocent, s'il était inoffensif. Malheureusement, il ne l'est point.

Le fait qui vient de se produire est assez curieux pour qu'on le cite.

La Société des gens de lettres est une association de gens qui écrivent bien ou mal, souvent mal et quelquefois bien, et qui se sont associés pour tirer tout le profit possible de leurs œuvres et empêcher le pillage littéraire, si facile et si constant. C'est donc uniquement une réunion d'intérêts pécuniaires, une réunion de marchands de prose ou de vers, une réunion de commerçants qui mettent en commun, pour l'exploiter, un fonds ayant une valeur mercantile. Ils forment donc absolument le contraire d'une académie.

S'il en fallait une preuve, il suffirait de lire les noms des sociétaires. Pour dix qui sont connus un peu ou beaucoup, on en trouve cinquante ignorés du monde entier. Pour dix qui écrivent en une langue élégante ou seulement correcte, on en trouve cinquante qui se servent du charabia négro-français le plus étonnant. Là sont réunis tous ceux qui fabriquent en gros le roman-feuilleton, honorables débitants de lignes, habiles en leur métier spécial, mais qui n'ont pas connu ce qu'un poète nommerait les idéales caresses de la langue française, cette divine maîtresse des artistes. Trublots de la littérature, ils n'ont jamais fréquenté que la bonne de la maison. Cela n'empêche que leurs intérêts soient aussi respectables que ceux de MM. Daudet, Claretie, Coppée et de tous les vrais écrivains qui font partie de cette association, mais cela devrait empêcher ces barbouilleurs de papier de s'ériger en juges aussi intolérants qu'incompétents.

Voici le cas :

Le règlement dit que pour être admis dans la Société, il faut avoir produit au moins deux volumes, ou la valeur de deux volumes en articles publiés.

Il faut en outre que le candidat soit absolument honorable.

Or, un jeune écrivain de talent, Harry Alis, qui a publié quatre volumes plus *trois cent mille lignes* dans divers grands journaux, garçon charmant d'ailleurs et dont la vie est inattaquable, vient de se voir refuser la porte de ce sanctuaire, après la lecture d'un rapport superlativement admirable de M. Ferdinand du Boisgobey.

Il semble que le rapporteur aurait dû mettre une certaine coquetterie modeste à nous laisser toujours ignorer ses idées et ses théories sur l'art littéraire. Il a l'imprudence de nous les révéler.

Il dit, parlant du premier roman d'Harry Alis, *Hara-Kiri* : « Le commencement est un petit chef-d'œuvre. La description du Japon (l'avez-vous vu, monsieur Ferdinand?), la douleur du vieux samouraï, etc., etc., tout cela forme un tableau achevé.

» Mais la suite ne rappelle que très imparfaitement le voyage en Grèce du jeune Anacharsis (l'avez-vous lu, monsieur Ferdinand?) qui fit les délices de nos grands-pères! » (Parbleu! que la logique est une belle chose, et aussi l'à-propos de la comparaison, et cette opération d'esprit qu'on nomme l'enchaînement des idées!)

Et puis M. du Boisgobey s'étonne de rencontrer des invraisemblances dans le roman de son jeune confrère. Et je m'étonne à mon tour, et plus que lui encore, de son étonnement! Il s'écrie : « O prodige! » parce qu'un jeune Japonais de noble race pénètre *dans les salons les plus aristocratiques du faubourg Saint-Germain,* ces salons dont M. du Boisgobey considère les portes comme infranchissables, bien qu'il en ait révélé le monde, et le ton et les amours, à toutes les portières et les fruitières de France! Oh! le bon faubourg qu'elles ont!

Le récipiendaire conclut ainsi : « Tel est, messieurs, le fond du roman de M. Harry Alis qui a tiré de ce fond bizarre une infinité d'épisodes non moins singuliers. Il y a de tout dans son œuvre... Elle pèche fortement par la composition, mais elle est écrite avec une verve extraordinaire, dans une bonne langue, *sobre et colorée à la fois*. L'auteur n'abuse pas trop des adjectifs et ne torture pas trop ses phrases.

» Il est malheureusement sorti de la bonne voie, lorsque, deux ans plus tard, il fit son second roman, *Reine Soleil*. Cette fois, il a versé dans le réalisme, dans le néologisme et même dans la pornographie! »

— Avec vous, Goncourt et Zola!

Après une analyse succincte, M. du Boisgobey reprend : « Vous parlerai-je du style? » (Oh! non, s'il vous plaît.) Il en parle cependant. — « Je me contenterai de deux ou trois citations qui vous mettront à même d'en juger. »

Première citation. « Au théâtre, la lumière crue de la rampe fait scintiller les *ors* et *rougeoyer* les maillots des danseuses. » Sœur Anne, ma sœur Anne, ne vois-tu rien venir? dit le conte.

La sœur Anne voit l'herbe qui verdoie et la route qui poudroie. Mais M. du Boisgobey ne voit point rougeoyer les maillots des danseuses.

Je continue... Ce sont-là de vraies perles, et le livre contient de quoi faire un beau collier. — (Si j'étais écailleur, ce n'est pas dans *Reine Soleil* que je chercherais des perles de cette sorte.) — Le rapporteur reprend :

» M. Harry Alis vous apporte deux volumes importants. Il a de gros défauts, mais il a aussi du talent. C'est un jeune. Il cherche sa voie, et, en attendant qu'il l'ait trouvée, il va où le *pousse le vent qui souffle en ce temps-ci sur la littérature. Il prend plaisir à traiter des sujets scabreux et à alambiquer la bonne vieille langue française!!* » — (Que cet « *à alambiquer* » a de grâce et de justesse!)

Mais le juge sévère termine :

» Si le comité était de l'Académie, je ne vous propose-
rais pas de décerner un prix à M. Harry Alis, surtout pas
un prix de vertu; mais je vous propose de le nommer
*sociétaire par la même raison que vous ne pourriez pas
refuser M. Zola s'il se présentait!* »

***

Voilà! voilà la langue française défendue par M. Ferdinand du Boisgobey. O prodige! l'Invraisemblance condamnée par M. du Boisgobey. O deux fois prodige! Et *Reine
Soleil,* un livre d'artiste, étudié et écrit, curieux et vrai,
jeté dans la hotte aux ordures par M. Ferdinand du
Boisgobey avec *L'Assommoir* et *Germinal.* O trois fois
prodige!!!

Et le comité a repoussé la candidature de M. Harry
Alis, ce qui fera subir au jeune écrivain un dommage
pécuniaire important.

Toute réflexion est inutile.

***

Je plains ceux qui débutent en ce moment, je ne parle
pas de M. Alis qui n'est plus un débutant, mais de ceux
qui publient un premier livre dans ce flot de volumes qui
nous inonde. Si vraiment M. de Goncourt a l'intention de
laisser un prix de dix mille francs à décerner chaque
année au roman qui révélera chez un jeune écrivain le
plus de tempérament, d'originalité, d'effort vers la forme
et l'invention indéfiniment nouvelles que doivent poursuivre les artistes, il fera là une œuvre belle, grande et
digne du nom qu'il porte.

L'Académie, la vraie, celle qui est au coin du quai,
cette éternelle couronne de momies, jeunes ou vieilles, car
il est des momies de vingt ans, en art, a-t-elle parfois
découvert un jeune homme devenu plus tard un grand
homme?

Je lisais avec surprise, dernièrement, la longue liste
des encouragements qu'elle a distribués cette année.

Où sont les jeunes d'avenir, là-dedans? J'y cherche les noms des nouveaux qu'on murmure déjà dans les réunions d'hommes de lettres, les noms de romanciers de demain.

Parmi ces derniers venus, est-ce l'Académie qui patronnera M. Robert Caze, qui n'est plus d'ailleurs un inconnu et sur qui beaucoup comptent, et son homonyme, M. Jules Case, un débutant qui sera quelqu'un, ou M. Abel Hermant, dont le premier roman, *Monsieur Rabosson,* est déjà un livre fort et charmant et plus qu'une promesse, une œuvre?

(Gil Blas, 22 décembre 1884.)

L'AMOUR A TROIS

Vous touchez, mon cher ami, dans ces vives et charmantes nouvelles, au plus gros problème moral de notre époque, ou même au plus gros problème de tous les temps.

Depuis que le monde et le mariage existent, la religion, la littérature et la loi se sont cassé le nez à cet écueil de l'amour à trois. Ces trois têtes sur le même oreiller font rire les uns, indignent les autres, sont la plus fréquente cause de procès, de crimes ou de bonheur qui soit encore connue.

Il ne sert à rien de se fâcher là contre. Ça est parce que ça est. Constatons simplement, comme vous le faites si bien, tous les cas si variés, si drôles ou si dramatiques de l'adultère, servons-nous-en dans les livres et au théâtre, laissons les législateurs chercher le remède, et philosophons un peu, par moments.

Le remède? En est-il un? M. Naquet répond : « Le divorce. »

Et M. Naquet pourrait bien avoir raison.

Deux cas surtout sont intéressants, l'un parce qu'il est mystérieux, l'autre parce qu'il est terrible.

Dans le premier, l'aveuglement de certains maris passe les bornes du possible, et fait rêver.

Dans le second, la vengeance de certains jaloux surprend, révolte les observateurs désintéressés.

Quel roman on pourrait écrire, mon cher ami, sur certains ménages à trois, alors que l'amant est installé dans la maison comme un époux préféré! Quelle situation singulière, complexe, comique, étrange, et cependant naturelle, puisqu'elle est fréquente! Nous en connaissons tous, de ces associations où les hommes se partagent amicalement les bénéfices et les charges. Liés par une étroite amitié, intimes comme deux complices, ils ont les mêmes soins pour leur femme qui, elle, préfère, on le voit, l'ami choisi par son cœur à l'homme imposé par la famille et par la loi. Ils vivent ensemble, au vu et au su de tous, déjeunent et dînent à la même table. On en conclut avec vraisemblance que tous les autres meubles de la maison leur sont également communs, la nuit comme le jour.

Dans la rue, on les rencontre. Elle et Lui devant (car elle a pris son bras), le mari derrière car on ne peut aller trois de front, partout; et les trottoirs n'ont pas tout à fait la largeur d'un lit.

Le monde sourit et ferme les yeux. Qui donc pourrait les ouvrir assez grands, les yeux, pour voir au fond de ces trois cœurs, surtout au fond du cœur du troisième, du mari impénétrable, ignorant ou complaisant, lâche ou indifférent, plein de colère étouffée, de haine et de désirs de vengeance, ou simplement heureux peut-être?

Sous cette rubrique : « Les drames de l'adultère », les journaux nous apprennent tous les jours qu'un époux trompé vient de massacrer sa femme, ou l'amant, ou tous les deux. Les jurés, tous mariés, sont pleins d'indulgence pour ces fureurs de propriétaire outragé. Ils acquittent ce meurtrier, et l'assistance spéciale des cours d'assises, lecteurs de romans-feuilletons, venue pour l'émotion, gonflée de sensiblerie larmoyante, applaudit à ce verdict, jugeant que le mari trompé a *lavé son honneur dans le sang*, qu'il s'est réhabilité par ce meurtre. C'est avec ces grands mots qu'on nous élève, avec ces préjugés qu'on nous instruit, avec ces idées qu'on nous prépare au mariage.

Ce que je vais dire paraîtra sans doute déplorablement subversif. Tant pis ; il ne faut chercher que la vérité, sans s'occuper de la morale enseignée, orthodoxe et officielle ; de la morale, cette prétendue loi naturelle, indéfiniment variable, facultative, cette chose dosée différemment pour chaque pays, appréciée d'une façon nouvelle par chaque expert, prêtre ou législateur, et sans cesse modifiée par tout le monde.

La seule loi qui importe est la loi suprême de l'humanité, cette loi qui gouverne les baisers humains, et qui sert de thème éternel aux poètes.

Nous vivons dans une société affreusement bourgeoise, timorée et médiocre. Jamais peut-être on n'a eu l'esprit plus étroit et moins humain.

La faiblesse (disons faute, si vous vous voulez) d'une femme mariée, entraînée à mal par un séducteur, a pris des proportions si mélodramatiques qu'on la considère généralement comme digne de mort.

Des hommes comme M. Dumas fils raisonnent et argumentent pendant des livres entiers, avec talent, esprit et partialité, et peut-être avec incompétence, sur les entraînements et les chutes de ces pauvres êtres sans énergie contre l'amour. Les baisers illégaux acquièrent sous leur plume une gravité de crimes ; et les femmes payent pour tous : pour le mariage indissoluble, chose horrible ; pour la loi, injuste à leur égard ; pour le préjugé féroce qui les condamne ; pour l'opinion monstrueuse qui permet tout à leurs maris et leur défend tout. Je ne veux point absoudre l'adultère. Je ne veux que constater la situation absolument injuste que crée le mariage.

Le mariage est la loi. Nous devons donc nous y soumettre.

Il est cependant permis de le discuter.

Constatons d'abord que les médecins et les philosophes affirment, pour la plupart, que nous sommes des polygames et non des monogames. Donc les femmes seraient des polyandres. (J'ignore si le mot est académique.) Ainsi, l'individu qui se contenterait d'une femme toute sa vie serait tout autant en dehors des lois de la nature que celui qui ne vivrait que de salade. L'examen de nos mâchoires nous révèle créés pour manger de la viande et des légumes; mais à quoi voit-on que nous sommes des polygames? Il suffit d'un raisonnement pour le prouver. Une femme ne peut porter qu'un enfant par an, tandis qu'un homme... a la production plus facile. La loi de nature veut donc que le mâle ait plusieurs épouses. D'où il résulte que le harem est une institution sage. Et pourtant... on pourrait dire encore beaucoup d'autres choses, mais, cette fois, à l'avantage des femmes et au détriment des hommes! Passons.

Admettons donc que nous ne soyons absolument ni carnivores, ni herbivores, mais omnivores. Nous nous arrangerons en Orient de la polygamie, et en Occident de la monogamie, et encore de la monogamie avec accommodements. Je voudrais bien qu'on me citât un seul homme — un seul — sain de corps et d'esprit, demeuré toute sa vie absolument monogame.

Donc le mariage crée une situation anormale, antinaturelle, et à laquelle on ne peut se résigner que grâce à des abnégations infinies, à une vertu supérieure, à des mérites absoluments religieux, une situation à laquelle le mari ne se résigne jamais, une situation qui met éternellement la conscience en lutte avec l'instinct, avec l'amour.

Lequel est le monstre au point de vue naturel et humain : la femme qui succombe ou le mari qui tue?

Ici un homme, parce qu'il est trompé dans son égoïsme, blessé dans sa vanité, déçu dans sa prétention (peut-être exorbitante) de possession exclusive, détruit un être, supprime la vie, la vie que rien ne peut rendre, commet le seul acte vraiment monstrueux qu'on puisse commettre, et le plus horrible, et le plus immoral, tue!

Là, une femme, élevée pour plaire, instruite dans cette pensée que l'amour est son domaine, sa faculté et sa seule joie au monde (tels sont, en effet, les enseignements de la société); créée par la nature même faible, changeante, capricieuse, entraînable; faite coquette par la nature et par la société ensemble, vivant presque toujours seule pendant que son mari fait ce qu'il veut et s'amuse à son gré; une femme donc se laisse captiver par un homme qui met tous ses soins, toute son ardeur, toute son habileté, toute sa puissance à l'entraîner! Il fait, lui, son métier d'homme du monde, de séducteur! Elle tombe entre ses bras, obéissant à l'invincible amour; elle commet un acte blâmable, condamnable au point de vue des législations, mais humain, fatal, si fatal que rien n'a jamais pu l'entraver depuis que les règlements de la moralité civile et religieuse le combattent; et on proclame cette femme une gueuse, une misérable, une souillée, tandis qu'on salue jusqu'à terre son mari qui l'assassine, parce qu'on le juge réhabilité!

Pourquoi tue-t-il? Parce qu'il se croit déshonoré! Nous touchons ici à un de ces préjugés prodigieux qui servent généralement de bases à toutes nos croyances.

Etes-vous déshonoré parce que votre marchand de vin vous a filouté? — Non? — Parce que votre bonne vous a volé? — Non? — Et vous l'êtes parce que votre femme vous a trompé! Vous, le volé, le trompé, le lésé, le filouté enfin, vous vous considérez comme déshonoré tant que vous n'aurez pas lardé de coups de couteau l'amant que tout le monde considère comme honorable, comme accomplissant légitimement ses fonctions de maraudeur d'amour, et la femme qui s'est abandonnée, séduite, entraînée! Que la logique est une belle chose!

Mais, sacrebleu, le déshonneur ne peut résulter que d'un acte absolument personnel, et ne peut, en aucun cas, provenir du fait d'un autre.

Est-il admissible qu'on puisse être atteint dans son honneur par une action à laquelle on n'est pour rien — bien au contraire, — une action qu'on met tous ses soins à empêcher? Nous voyons heureusement aujourd'hui une phalange de maris philosophes, qui, ayant déterminé exactement la situation, les droits et les devoirs de chacun des époux, et respectant les convenances, aiment à leur guise, laissent leur femme vivre à son aise, tout en surveillant de l'œil ses allures comme ferait le gardien d'une chèvre capricieuse, pour empêcher ses escapades.

Cette sagesse n'est-elle pas morale au fond?

(Paul Ginisty, *L'Amour à Trois,* préface de Guy de Maupassant. Paris, Baillière, 1884.)

GUSTAVE FLAUBERT

I

Gustave Flaubert naquit à Rouen le 12 décembre 1821. Sa mère était fille d'un médecin de Pont-l'Evêque, M. Fleuriot. Elle appartenait à une famille de Basse-Normandie, les Cambremer de Croix-Mare, et était alliée à Thouret, de la Constituante.

La grand-mère de G. Flaubert, Charlotte Cambremer, fut une compagne d'enfance de Charlotte Corday.

Mais son père, né à Nogent-sur-Seine, était d'origine champenoise. C'était un chirurgien de grande valeur et de grand renom, directeur de l'Hôtel-Dieu de Rouen. Homme droit, simple, brusque, il s'étonna, sans s'indigner, de la vocation de son fils Gustave pour les lettres. Il jugeait la profession d'écrivain un métier de paresseux et d'inutile. Gustave Flaubert fut le contraire d'un enfant phénomène. Il ne parvint à apprendre à lire qu'avec une extrême difficulté. C'est à peine s'il savait lire, lorsqu'il entra au lycée, à l'âge de neuf ans.

Sa grande passion, dans son enfance, était de se faire dire des histoires. Il les écoutait immobile, fixant sur le conteur ses grands yeux bleus. Puis, il demeurait pendant des heures à songer, un doigt dans la bouche, entièrement absorbé, comme endormi.

Son esprit cependant travaillait, car il composait déjà des pièces, qu'il ne pouvait point écrire, mais qu'il représentait tout seul, jouant les différents personnages, improvisant de longs dialogues.

Dès sa première enfance, les deux traits distinctifs de sa nature furent une grande naïveté et une horreur de l'action physique. Toute sa vie, il demeura naïf et sédentaire. Il ne pouvait voir marcher ni remuer autour de lui sans s'exaspérer ; et il déclarait avec sa voix mordante, sonore et toujours un peu théâtrale : que cela n'était point philosophique. « On ne peut penser et écrire qu'assis », disait-il.

Sa naïveté se continua jusqu'à ses derniers jours. Cet observateur si pénétrant et si subtil semblait ne voir la vie avec lucidité que de loin. Dès qu'il y touchait, dès qu'il s'agissait de ses voisins immédiats, on eût dit qu'un voile couvrait ses yeux. Son extrême droiture native, sa bonne foi inébranlable, la générosité de toutes ses émotions, de toutes les impulsions de son âme, sont les causes indubitables de cette naïveté persévérante.

Il vécut à côté du monde et non dedans. Mieux placé pour observer, il n'avait point la sensation nette des contacts. C'est à lui surtout qu'on peut appliquer ce qu'il écrivit dans sa préface aux *Dernières Chansons,* de son ami Louis Bouilhet :

> Enfin, si les accidents du monde, dès qu'ils sont perçus, vous apparaissent transposés comme pour l'emploi d'une illusion à décrire, tellement que toutes les choses, y compris votre existence, ne vous sembleront pas avoir d'autre utilité, et que vous soyez résolus à toutes les avanies, prêts à tous les sacrifices, cuirassés à toute épreuve, lancez-vous, publiez !

Jeune homme, il était d'une beauté surprenante. Un vieil ami de sa famille, médecin illustre, disait à sa mère : « Votre fils, c'est l'Amour adolescent. »

Dédaigneux des femmes, il vivait dans une exaltation d'artiste, dans une sorte d'extase poétique qu'il entretenait par la fréquentation quotidienne de celui qui fut son plus cher ami, son premier guide, le cœur frère qu'on ne trouve jamais deux fois, Alfred Le Poittevin, mort tout jeune, d'une maladie de cœur, tué par le travail.

Puis, il fut frappé par la terrible maladie qu'un autre

ami, M. Maxime Du Camp, a eu la mauvaise inspiration de révéler au public, en cherchant à établir un rapport entre la nature artiste de Flaubert et l'épilepsie, à l'expliquer l'une par l'autre. Certes, ce mal effroyable n'a pu frapper le corps sans assombrir l'esprit. Mais, doit-on le regretter? Les gens tout à fait heureux, forts et bien portants, sont-ils préparés comme il faut pour comprendre, pénétrer, exprimer la vie, notre vie si tourmentée et si courte? Sont-ils faits, les exubérants, pour découvrir toutes les misères, toutes les souffrances qui nous entourent, pour s'apercevoir que la mort frappe sans cesse, chaque jour, partout, féroce, aveugle, fatale. Donc, il est possible, il est probable que la première atteinte de l'épilepsie mit une empreinte de mélancolie et de crainte sur l'esprit ardent de ce robuste garçon. Il est probable que, par la suite, une sorte d'appréhension dans la vie lui resta, une manière un peu plus sombre d'envisager les choses, un soupçon devant les événements, un doute devant le bonheur apparent. Mais, pour quiconque a connu l'homme enthousiaste et vigoureux qu'était Flaubert, pour quiconque l'a vu vivre, rire, s'exalter, sentir et vibrer chaque jour, il est indubitable que la peur des crises, disparues d'ailleurs dans l'âge mûr et reparues seulement dans les dernières années, ne pouvait modifier que d'une façon presque insensible sa manière d'être et de sentir et les habitudes de sa vie. Après quelques essais littéraires qui ne furent point publiés, Gustave Flaubert débuta en 1857 par un chef-d'œuvre, *Madame Bovary*.

On sait l'histoire de ce livre, le procès intenté par le ministère public, le réquisitoire violent de M. Pinard, dont le nom restera marqué par ce procès, l'éloquente défense de Me Sénart, l'acquittement difficile, marchandé, reproché par les paroles sévères du président, puis le succès vengeur, éclatant, immense!

Mais *Madame Bovary* a aussi une histoire secrète qui peut être un enseignement pour les débutants dans ce difficile métier des lettres.

Quand Flaubert, après cinq ans de travail acharné, eut enfin terminé cette œuvre géniale, il la confia à son ami

M. Maxime Du Camp, qui la remit entre les mains de M. Laurent Pichat, rédacteur-propriétaire de la *Revue de Paris*. C'est alors qu'il éprouva combien il est difficile de se faire comprendre au premier coup, combien on est méconnu par ceux en qui on a le plus de confiance, par ceux qui passent pour les plus intelligents. C'est de cette époque assurément que date ce mépris qu'il garda du jugement des hommes, et son ironie devant les affirmations ou les négations absolues.

Quelque temps après avoir porté à M. Laurent Pichat le manuscrit de *Madame Bovary*, M. Maxime Du Camp écrivit à Gustave Flaubert la singulière lettre suivante, qui, peut-être, modifiera l'opinion qu'on a pu se faire après les révélations de cet écrivain sur son ami, et en particulier sur la *Bovary*, dans ses *Souvenirs littéraires* :

14 juillet 1856.

Cher vieux, Laurent Pichat a lu ton roman et il m'en envoie l'appréciation que je t'adresse. Tu verras en la lisant combien je dois la partager, puisqu'elle reproduit presque toutes les observations que je t'avais faites avant ton départ. J'ai remis ton livre à Laurent, sans faire autre chose que le lui recommander chaudement ; nous ne nous sommes donc nullement entendus pour te scier avec la même scie. Le conseil qu'il te donne est bon et je te dirai même qu'il est le seul que tu doives suivre. Laisse-nous *maîtres* de ton roman pour le publier dans la *Revue ;* nous y ferons faire les coupures que nous jugeons indispensables ; tu le publieras ensuite en volume comme tu l'entendras, cela te regarde. Ma pensée très intime est que, si tu ne fais pas cela, tu te compromets absolument et tu débutes par une œuvre embrouillée à laquelle le style ne suffit pas pour donner de l'intérêt. Sois courageux, ferme les yeux pendant l'opération, et fie-t'en, sinon à notre talent, du moins à notre expérience acquise de ces sortes de choses et aussi à notre affection pour toi. Tu as enfoui ton roman sous un tas de choses, bien faites, mais inutiles ; on ne le voit pas assez ; il s'agit de le dégager ; c'est un travail facile. Nous le ferons faire sous nos yeux par une personne exercée et habile : on n'ajoutera pas un mot à ta copie ; on ne fera qu'élaguer ; ça te coûtera une centaine de francs qu'on réservera sur tes droits, et tu auras publié une chose vraiment bonne, au lieu d'une œuvre incomplète et trop rembourrée. Tu dois me maudire de toutes tes forces, mais songe bien que dans tout ceci je n'ai en vue que ton seul intérêt.

Adieu, cher vieux, réponds-moi et sache-moi bien tout à toi.

MAXIME DU CAMP

La mutilation de ce livre typique et désormais immortel, pratiquée par une *personne exercée et habile,* n'aurait coûté à l'auteur qu'une centaine de francs! Vraiment, c'est pour rien!

Gustave Flaubert a dû tressaillir, en lisant ces étranges conseils, d'une émotion profonde et bien naturelle. Et il a écrit, de sa plus grande écriture, sur le dos de cette lettre précieusement conservée, ce seul mot : *Gigantesque!*

Les deux collaborateurs, MM. Pichat et Maxime Du Camp, se mirent au travail, en effet, pour dégager l'œuvre de leur ami de ce *tas de choses bien faites, mais inutiles,* qui la gâtaient; car on lit sur un exemplaire, conservé par l'auteur, de la première édition du livre, les lignes suivantes :

Cet exemplaire représente mon manuscrit tel qu'il est sorti des mains du sieur Laurent Pichat, poète et rédacteur-propriétaire de la *Revue de Paris.*

GUSTAVE FLAUBERT

20 avril 1857

En ouvrant le volume, on trouve de page en page des lignes, des paragraphes, des morceaux entiers retranchés. La plupart des choses originales et nouvelles sont biffées avec soin. Et on lit encore, de la main de Gustave Flaubert, sur le dernier feuillet, ceci :

Il fallait, selon Maxime Du Camp, retrancher *toute* la noce, et, selon Pichat, supprimer, ou du moins abréger considérablement, *refaire* les *Comices* d'un bout à l'autre! De l'avis général, à la *Revue,* le *pied bot* était considérablement trop long, « inutile ».

C'est là assurément aussi l'origine du refroidissement survenu dans l'ardente amitié qui liait Flaubert à M. Du Camp. S'il en fallait une preuve plus précise, on la trouverait dans ce fragment de lettre de Louis Bouilhet à Flaubert :

> Quant à Maxime Du Camp, j'ai été quinze jours sans le revoir, et j'aurais passé l'année de la même façon, si lui-même n'était apparu chez moi jeudi dernier, il y a huit jours. Je dois dire qu'il fut fort aimable, et à mon endroit et pour toi-même. Ça peut être de la politique, mais je constate les faits en simple historien. Il m'a offert ses services pour trouver un éditeur, plus tard pour trouver une bibliothèque. Il s'est informé de toi et de ton travail. Ce que je lui ai dit de la *Bovary* l'a occupé beaucoup. Il m'a dit, en phrases incidentes, qu'il en était fort heureux, que tu avais tort de ne lui avoir jamais pardonné la *Revue,* qu'il verrait avec bonheur tes œuvres dans son recueil, etc., etc. Il semblait parler avec conviction et franchise...

Ces détails intimes n'ont d'importance qu'au point de vue des jugements portés par M. Du Camp sur son ami. Une réconciliation eut lieu, plus tard, entre eux.

L'apparition de *Madame Bovary* fut une révolution dans les lettres.

Le grand Balzac, méconnu, avait jeté son génie en des livres puissants, touffus, débordant de vie, d'observations ou plutôt de révélations sur l'humanité. Il devinait, inventait, créait un monde entier né dans son esprit.

Peu artiste, au sens délicat du mot, il écrivait une langue forte, imagée, un peu confuse et pénible.

Emporté par son inspiration, il semble avoir ignoré l'art si difficile de donner aux idées de la valeur par les mots, par la sonorité et la contexture de la phrase.

Il a, dans son œuvre, des lourdeurs de colosse; et il est peu de pages de ce très grand homme qui puissent être citées comme des chefs-d'œuvre de la langue, ainsi qu'on cite du Rabelais, du La Bruyère, du Bossuet, du Montesquieu, du Chateaubriand, du Michelet, du Gautier, etc.

Gustave Flaubert, au contraire, procédant par pénétration bien plus que par intuition, apportait dans une langue admirable et nouvelle, précise, sobre et sonore, une étude de vie humaine, profonde, surprenante, complète.

Ce n'était plus du roman comme l'avaient fait les plus grands, du roman où l'on sent toujours un peu l'imagination et l'auteur, du roman pouvant être classé dans le genre tragique, dans le genre sentimental, dans le genre passionné ou dans le genre familier, du roman où se montrent les intentions, les opinions et les manières de penser de l'écrivain; c'était la vie elle-même apparue. On eût dit que les personnages se dressaient sous les yeux en tournant les pages, que les paysages se déroulaient avec leurs tristesses et leurs gaietés, leurs odeurs, leur charme, que les objets aussi surgissaient devant le lecteur à mesure que les évoquait une puissance invisible, cachée on ne sait où.

Gustave Flaubert, en effet, fut le plus ardent apôtre de l'impersonnalité dans l'art. Il n'admettait pas que l'auteur fût jamais même deviné, qu'il laissât tomber dans une page, dans une ligne, dans un mot, une seule parcelle de son opinion, rien qu'une apparence d'intention. Il devait être le miroir des faits, mais un miroir qui les reproduisait en leur donnant ce reflet inexprimable, ce je-ne-sais-quoi de presque divin qui est l'art.

Ce n'est pas impersonnel qu'on devrait dire, en parlant de cet impeccable artiste, mais impassible.

S'il attachait une importance considérable à l'observation et à l'analyse, il en mettait une plus grande encore dans la composition et dans le style. Pour lui, ces deux qualités surtout faisaient les livres impérissables. Par composition, il entendait ce travail acharné qui consiste à exprimer l'essence seule des actions qui se succèdent dans une existence, à choisir uniquement les traits caractéristiques et à les grouper, à les combiner de telle sorte qu'ils concourent de la façon la plus parfaite à l'effet qu'on voulait obtenir, mais non pas à un enseignement quelconque.

Rien ne l'irritait d'ailleurs comme les doctrines des pions de la critique sur l'art moral ou sur l'art honnête.

« Depuis qu'existe l'humanité, disait-il, tous les grands écrivains ont protesté par leurs œuvres contre ces conseils d'impuissants. »

La morale, l'honnêteté, les principes sont des choses indispensables au maintien de l'ordre social établi; mais il n'y a rien de commun entre l'ordre social et les lettres. Les romanciers ont pour principal motif d'observation et de description les passions humaines, bonnes ou mauvaises. Ils n'ont pas mission pour moraliser, ni pour flageller, ni pour enseigner. Tout livre à tendances cesse d'être un livre d'artiste.

L'écrivain regarde, tâche de pénétrer les âmes et les cœurs, de comprendre leurs dessous, leurs penchants honteux ou magnanimes, toute la mécanique compliquée des mobiles humains. Il observe ainsi suivant son tempérament d'homme et sa conscience d'artiste. Il cesse d'être consciencieux et artiste s'il s'efforce systématiquement de glorifier l'humanité, de la farder, d'atténuer les passions qu'il juge déshonnêtes au profit des passions qu'il juge honnêtes.

Tout acte, bon ou mauvais, n'a, pour l'écrivain, qu'une importance comme sujet à écrire, sans qu'aucune idée de bien ou de mal y puisse être attachée. Il vaut plus ou moins comme document littéraire, voilà tout.

En dehors de la vérité observée avec bonne foi et exprimée avec talent, il n'y a rien qu'efforts impuissants de pions. Les grands écrivains ne sont préoccupés ni de morale ni de chasteté. Exemple : Aristophane, Apulée, Lucrèce, Ovide, Virgile, Rabelais, Shakespeare et tant d'autres.

Si un livre porte un enseignement, ce doit être malgré son auteur, par la force même des faits qu'il raconte.

Flaubert considérait ces principes comme des articles de foi. Lorsque parut *Madame Bovary,* le public, accoutumé à l'onctueux sirop des romans élégants, ainsi qu'aux aventures invraisemblables des romans accidentés, a classé le nouvel écrivain parmi les réalistes. C'est là une grossière erreur et une lourde bêtise. Gustave Flaubert n'était pas plus réaliste parce qu'il observait la vie avec soin que M. Cherbuliez n'est idéaliste parce qu'il l'observe mal.

Le réaliste est celui qui ne se préoccupe que du fait brutal sans en comprendre l'importance relative et sans en noter les répercussions. Pour Gustave Flaubert, un fait par lui-même ne signifiait rien. Il s'explique ainsi dans une de ses lettres :

> ... Vous vous plaignez que les événements ne sont pas variés, — cela est une plainte réaliste, et d'ailleurs qu'en savez-vous? Il s'agit de les regarder de plus près. Avez-vous jamais cru à l'existence des choses? Est-ce que tout n'est pas une illusion? Il n'y a de vrais que les rapports, c'est-à-dire la façon dont nous percevons les objets.

Nul observateur cependant ne fut plus consciencieux; mais nul ne s'efforça davantage de comprendre les causes qui amènent les effets.

Son procédé de travail, son procédé artistique tenait bien plus encore de la pénétration que de l'observation.

Au lieu d'étaler la psychologie des personnages en des dissertations explicatives, il la faisait simplement apparaître par leurs actes. Les dedans étaient ainsi dévoilés par les dehors, sans aucune argumentation psychologique.

Il imaginait d'abord des types; et, procédant par déduction, il faisait accomplir à ces êtres les actions caractéristiques qu'ils devaient fatalement accomplir avec une logique absolue, suivant leurs tempéraments.

La vie donc qu'il étudiait si minutieusement ne lui servait guère qu'à titre de renseignement.

Jamais il n'énonce les événements; on dirait, en le lisant, que les faits eux-mêmes viennent parler, tant il attache d'importance à l'apparition visible des hommes et des choses. C'est cette rare qualité de *metteur en scène*, d'évocateur impassible qui l'a fait baptiser réaliste par les esprits superficiels qui ne savent comprendre le sens profond d'une œuvre que lorsqu'il est étalé en des phrases philosophiques.

Il s'irritait beaucoup de cette épithète de réaliste qu'on lui avait collée au dos et prétendait n'avoir écrit sa *Bovary* que par haine de l'école de M. Champfleury.

Malgré une grande amitié pour Emile Zola, une grande admiration pour son puissant talent qu'il qualifiait de génial, il ne lui pardonnait pas le *naturalisme*.

Il suffit de lire avec intelligence *Madame Bovary* pour comprendre que rien n'est plus loin du réalisme.

Le procédé de l'écrivain réaliste consiste à raconter simplement des faits arrivés, accomplis par des personnages moyens qu'il a connus et observés.

Dans *Madame Bovary,* chaque personnage est un type, c'est-à-dire le résumé d'une série d'êtres appartenant au même ordre intellectuel.

Le médecin de campagne, la provinciale rêveuse, le pharmacien, sorte de Prudhomme, le curé, les amants, et même toutes les figures accessoires sont des types, doués d'un relief d'autant plus énergique qu'en eux sont concentrées des quantités d'observations de même nature, d'autant plus vraisemblables qu'ils représentent l'échantillon modèle de leur classe.

Mais Gustave Flaubert avait grandi à l'heure de l'épanouissement du romantisme; il était nourri des phrases retentissantes de Chateaubriand et de Victor Hugo, et il se sentait à l'âme un besoin lyrique qui ne pouvait s'épandre complètement en des livres précis comme *Madame Bovary*. Et c'est là un des côtés les plus singuliers de ce grand homme : ce novateur, ce révélateur, cet oseur a été jusqu'à sa mort sous l'influence dominante du romantisme. C'est presque malgré lui, presque inconsciemment, poussé par la force irrésistible de son génie, par la force créatrice enfermée en lui, qu'il écrivait ces romans d'une allure si nouvelle, d'une note si personnelle. Par goût, il préférait les sujets épiques, qui se déroulent en des espèces de chants pareils à des tableaux d'opéra.

Dans *Madame Bovary,* d'ailleurs, comme dans l'*Education sentimentale,* sa phrase, contrainte à rendre des choses communes, a souvent des élans, des sonorités, des tons au-dessus des sujets qu'elle exprime. Elle part, comme fatiguée d'être contenue, d'être forcée à cette platitude, et, pour dire la stupidité d'Homais ou la niaiserie d'Emma, elle se fait pompeuse ou éclatante, comme si elle traduisait des motifs de poème.

Ne pouvant résister à ce besoin de grandeur, il composa à la façon d'un récit homérique son second roman, *Salammbô*. Est-ce là un roman? N'est-ce pas plutôt une sorte d'opéra en prose? Les tableaux se développent avec une magnificence prodigieuse, un éclat, une couleur et un rythme surprenants. La phrase chante, crie a des fureurs et des sonorités de trompette, des murmures de hautbois, des ondulations de violoncelle, des souplesses de violon et des finesses de flûte.

Et les personnages, bâtis en héros, semblent toujours en scène, parlant sur un mode superbe, avec une élégance forte ou charmante, ont l'air de se mouvoir dans un décor antique et grandiose.

Ce livre de géant, le plus plastiquement beau qu'il ait écrit, donne aussi l'impression d'un rêve magnifique.

Est-ce ainsi que se sont passés les événements que raconte Gustave Flaubert? Non, sans doute. Si les faits sont exacts, l'éclat de poésie qu'il a jeté dessus nous les montre dans l'espèce d'apothéose dont l'art lyrique enveloppe ce qu'il touche.

Mais à peine eut-il terminé ce sonore récit de la révolte mercenaire, qu'il se sentit de nouveau sollicité par des sujets moins superbes, et il composa avec lenteur ce grand roman de patience, cette longue étude sobre et parfaite qui s'appelle l'*Education sentimentale*.

Cette fois, il prit pour personnages, non plus des *types* comme dans la *Bovary,* mais des hommes quelconques, des médiocres, ceux qu'on rencontre tous les jours.

Bien que cet ouvrage lui ait demandé un travail de composition surhumain, il a l'air, tant il ressemble à la vie même, d'être exécuté sans plan et sans intentions. Il est l'image parfaite de ce qui se passe chaque jour; il est le journal exact de l'existence; et la philosophie en demeure si complètement latente, si complètement cachée derrière les faits ; la psychologie est si parfaitement enfermée dans les actes, dans les attitudes, dans les paroles des personnages, que le gros public, accoutumé aux effets soulignés, aux enseignements apparents, n'a pas compris la valeur de ce roman incomparable.

Seuls, les esprits très aigus et observateurs ont saisi la portée de ce livre unique, si simple, si morne, si plat en apparence, mais si profond, si voilé, si amer.

L'*Education sentimentale,* méprisée par la plupart des critiques accoutumés aux formes connues et immuables de l'art, a des admirateurs nombreux et enthousiastes qui placent cette œuvre au premier rang parmi les œuvres de Flaubert.

Mais il lui fallait, par suite d'une de ces réactions nécessaires à son esprit, entreprendre de nouveau un sujet large et poétique, et il refit une œuvre ébauchée autrefois, la *Tentation de saint Antoine.*

C'est là, certes, l'effort le plus puissant qu'ait jamais tenté un esprit. Mais la nature même du sujet, son étendue, sa hauteur inaccessible rendaient l'exécution d'un pareil livre presque au-dessus des forces humaines.

Reprenant la vieille légende des tentations du solitaire, il l'a fait assaillir non plus seulement par des visions de femmes nues et de nourritures succulentes mais par toutes les doctrines, toutes les croyances, toutes les superstitions où s'est égaré l'esprit inquiet des hommes. C'est le défilé colossal des religions escortées de toutes les conceptions étranges, naïves ou compliquées, écloses dans les cerveaux des rêveurs, des prêtres, des philosophes, torturés par le désir de l'impénétrable inconnu.

Puis, aussitôt achevée cette œuvre énorme, troublante, un peu confuse comme le chaos des croyances écroulées, il recommença presque le même sujet en prenant les sciences au lieu des religions et deux bourgeois bornés au lieu du vieux saint en extase.

Voici quels sont l'idée et le développement de ce livre encyclopédique, *Bouvard et Pécuchet,* qui pourrait porter comme sous-titre : « Du défaut de méthode dans l'étude des connaissances humaines. »

Deux copistes employés à Paris se rencontrent par hasard et se lient d'une étroite amitié. L'un d'eux fait un héritage, l'autre apporte ses économies ; ils achètent une ferme en Normandie, rêve de toute leur existence, et quittent la capitale. Alors ils commencent une série d'études et d'expériences embrassant toutes les connaissances de l'humanité ; et, là, se développe la donnée philosophique de l'ouvrage.

Ils se livrent d'abord au jardinage, puis à l'agriculture, à la chimie, à la médecine, à l'astronomie, à l'archéologie, à l'histoire, à la littérature, à la politique, à l'hygiène, au magnétisme, à la sorcellerie ; ils arrivent à la philosophie, se perdent dans les abstractions, tombent dans la religion, s'en dégoûtent, tentent l'éducation de deux orphelins, échouent encore et, désespérés, se remettent à copier comme autrefois.

Le livre est donc une revue de toutes les sciences, telles qu'elles apparaissent à deux esprits assez lucides, médiocres et simples. C'est en même temps un formidable amoncellement de savoir, et surtout une prodigieuse critique de tous les systèmes scientifiques opposés les uns aux autres, se détruisant les uns les autres par les contradictions des faits, les contradictions des lois reconnues, indiscutées. C'est l'histoire de la faiblesse de l'intelligence humaine, une promenade dans le labyrinthe infini de l'érudition avec un fil dans la main ; ce fil est la grande ironie d'un penseur qui constate sans cesse, en tout, l'éternelle et universelle bêtise.

Des croyances établies pendant des siècles sont exposées, développées et désarticulées en dix lignes par l'opposition d'autres croyances aussi nettement et vivement démontrées et démolies. De page en page, de ligne en ligne, une connaissance se lève, et aussitôt une autre se dresse à son tour, abat la première et tombe elle-même frappée par sa voisine.

Ce que Flaubert avait fait pour les religions et les philosophies antiques dans la *Tentation de saint Antoine*, il l'a de nouveau accompli pour tous les savoirs modernes. C'est la tour de Babel de la science, où toutes les doctrines diverses, contraires, absolues pourtant, parlant chacune sa langue, démontrent l'impuissance de l'effort, la vanité de l'affirmation et toujours « l'éternelle misère de tout».

La vérité d'aujourd'hui devient erreur demain; tout est incertain, variable, et contient en des proportions inconnues des quantités de vrai comme de faux. A moins qu'il n'y ait ni vrai ni faux. La morale du livre semble contenue dans cette phrase de Bouvard : « La science est faite suivant les données fournies par un coin de l'étendue. Peut-être ne convient-elle pas à tout le reste qu'on ignore, qui est beaucoup plus grand et qu'on ne peut découvrir. »

Ce livre touche à ce qu'il y a de plus grand, de plus curieux, de plus subtil et de plus *intéressant* dans l'homme : c'est l'histoire de l'*idée* sous toutes ses formes, dans toutes ses manifestations, avec toutes ses transformations, dans sa faiblesse et dans sa puissance.

Ici, il est curieux de remarquer la tendance constante de Gustave Flaubert vers un idéal de plus en plus abstrait et élevé. Par idéal il ne faut point entendre ce genre sentimental qui séduit les imaginations bourgeoises. Car l'idéal, pour la plupart des hommes, n'est autre chose que l'*invraisemblable*. Pour les autres, c'est tout simplement le domaine de l'idée.

Les premiers romans de Flaubert ont été d'abord une étude de mœurs très vraie, très humaine, puis un poème éclatant, une suite d'images, de visions.

Dans *Bouvard et Pécuchet,* les véritables personnages sont des systèmes et non plus des hommes. Les acteurs servent uniquement de porte-voix aux idées qui, comme des êtres, se meuvent, se joignent, se combattent et se détruisent. Et un comique tout particulier, un comique sinistre, se dégage de cette procession de croyances dans le cerveau de ces deux pauvres bonshommes qui personnifient l'humanité. Ils sont toujours de bonne foi, toujours ardents; et invariablement l'expérience contredit la théorie la mieux établie, le raisonnement le plus subtil est démoli par le fait le plus simple.

Ce surprenant édifice de science, bâti pour démontrer l'impuissance humaine, devait avoir un couronnement, une conclusion, une justification éclatante. Après ce réquisitoire formidable, l'auteur avait entassé une foudroyante provision de preuves, le dossier de sottises cueillies chez les grands hommes.

Quand Bouvard et Pécuchet, dégoûtés de tout, se remettaient à copier, ils ouvraient naturellement les livres qu'ils avaient lus et, reprenant l'ordre naturel de leurs études, transcrivaient minutieusement des passages choisis par eux dans les ouvrages où ils avaient puisé. Alors commençait une effrayante série d'inepties, d'ignorances, de contradictions flagrantes et monstrueuses, d'erreurs énormes, d'affirmations honteuses, d'inconcevables défaillances des plus hauts esprits, des plus vastes intelligences. Quiconque a écrit sur un sujet quelconque a dit parfois une sottise. Cette sottise, Flaubert l'avait infailliblement trouvée et recueillie ; et, la rapprochant d'une autre, puis d'une autre, puis d'une autre, il en avait formé un faisceau formidable qui déconcerte toute croyance et toute affirmation.

Ce dossier de la bêtise humaine formait une montagne de notes demeurées trop éparses, trop mêlées, pour être jamais publiées en entier.

Morale.
Amour.
Philosophie.
Mysticisme.
Religion.
Prophétie.
Socialisme (religieux et politique).
Critique.
Esthétique.

Spécimens de style. { Périphrases.
Palinodies.
Rococo.

Style des grands écrivains, des journalistes, des poètes.

Style {
Classique.
Scientifique. { Médical.
Agricole.
Clérical.
Révolutionnaire.
Romantique.
Réaliste.
Dramatique.
Officiel des souverains.
Poétique officiel.

HISTOIRE DES IDÉES SCIENTIFIQUES

Beaux-arts

Beautés { Du parti de l'ordre. Bizarreries. — Férocités. — Excentricités. — Injures. — Sottises. Lâchetés. — Exaltation du bas.
Des gens de lettres.
De la religion.
Des souverains.

Opinions sur les grands hommes.
Les classiques corrigés.

Charabia officiel. { Discours. Circulaires.

IMBÉCILES

Le dictionnaire des idées reçues. Le catalogue des opinions *chic*.

Il les avait cependant classées; mais il devait revoir cette classification première, la modifier, supprimer au moins la moitié de cet amas de documents. Voici, toutefois, l'ordre dans lequel il a laissé ces notes : (voir page précédente).

C'est donc bien là l'histoire de la bêtise humaine sous toutes ses formes.

Quelques citations peuvent faire comprendre la portée et la nature de ces notes.

PHILOSOPHIE, MORALE, RELIGION

Les Grecs corrompus par leur philosophie raisonneuse

Ce peuple si brillant n'a rien fondé, rien établi de durable, et il n'est resté de lui que des souvenirs de crimes et de désastres, de livres et de statues. Il manqua toujours de raison.

LAMENNAIS, *Essai sur l'indifférence*, t. IV, p. 171.

Morale

Les souverains ont le droit de changer quelque chose aux mœurs.

DESCARTES, *Discours de la méthode*, part. 6.

L'étude des mathématiques, en comprimant la sensibilité et l'imagination, rend quelquefois l'explosion des passions terrible.

DUPANLOUP, *Education intellectuelle*, p. 417.

La superstition est un ouvrage avancé de la religion qu'il ne faut pas détruire.

DE MAISTRE, *Soirées de Saint-Pétersbourg*, ent. VII, p. 234.

L'eau est faite pour soutenir ces prodigieux édifices flottants que l'on appelle des vaisseaux.

FÉNELON

BEAUTÉS RELIGIEUSES, PHILOSOPHIE, MORALE

Economie politique

En 1823, des habitants de la ville de Lille, parlant au nom de l'huile de colza, exposèrent au gouvernement qu'un produit nouveau, le gaz, commençait à se répandre; que ce mode d'éclairage, s'il se généralisait, ferait délaisser les autres, d'autant plus qu'il paraissait être à la fois meilleur et à plus bas prix, etc. En raison de quoi, ils priaient humblement, mais fermement, Sa Majesté, protectrice naturelle de leur travail, de vouloir bien préserver de toute atteinte leurs droits acquis en interdisant absolument ce produit perturbateur.

FRÉDÉRIC PASSY, *Discours sur le libre-échange*. *15 décembre 1878.*

Shakespeare lui-même, tout grossier qu'il était, n'était pas sans lecture et sans connaissance.

LA HARPE, *Introduction de cours littéraire*.

Style ecclésiastique

Mesdames, dans la marche de la société chrétienne, sur le railway du monde, la femme c'est la goutte d'eau dont l'influence magnétique, vivifiée et purifiée par le feu de l'Esprit saint, communique aussi le mouvement au convoi social sous son impulsion bienfaisante; il court sur la voie du progrès, et s'avance vers les doctrines éternelles.

Mais si, au lieu de fournir la goutte d'eau de la bénédiction

93

divine, la femme apporte la pierre du déraillement, il se produit d'affreuses catastrophes.

Mgr MERMILLOD, *De la vie surnaturelle dans les âmes.*

PÉRIPHRASES

Imbéciles

Je trouverais mauvais qu'une fille peu sage vécût avec un homme avant le mariage.

(*Traduction d'Homère.*) PONSARD.

Style romantique

Sibylle, jouant de la harpe, était généralement adorable. Le mot ange venait aux lèvres en la regardant.

Sibylle (p. 116). O. FEUILLET.

Style des souverains

La richesse d'un pays dépend de la prospérité générale.

LOUIS-NAPOLÉON

Cité dans la RIVE GAUCHE, *12 mars 1865.*

Style catholique

L'enseignement philosophique fait boire à la jeunesse du fiel de dragon dans le calice de Babylone.

PIE IX, *Manifeste,* 1847.

Les inondations de la Loire sont dues aux excès de la presse et à l'inobservation du dimanche.

L'ÉVÊQUE DE METZ, *Mandement,* décembre 1846.

IDÉES SCIENTIFIQUES

Histoire naturelle

Les femmes en Egypte se prostituaient publiquement aux crocodiles !

PROUDHON (*De la Célébration du Dimanche,* 1850).

Les chiens sont pour l'ordinaire de deux teintes opposées, l'une claire et l'autre rembrunie, afin que, quelque part qu'ils soient dans la maison, ils puissent être aperçus sur les meubles, avec la couleur desquels on les confondrait.

BERNARDIN DE SAINT-PIERRE, *Harmonies de la Nature*.

Les puces se jettent, partout où elles sont, sur les couleurs blanches. Cet instinct leur a été donné afin que nous puissions les attraper plus aisément.

BERNARDIN DE SAINT-PIERRE, *Harmonies de la Nature*.

Le melon a été divisé en tranches par la nature afin d'être mangé en famille; la citrouille, étant plus grosse, peut être mangée avec les voisins.

BERNARDIN DE SAINT-PIERRE, *Etudes de la Nature*.

Souci de la vérité

Toute autorité, mais surtout celle de l'Eglise, doit s'opposer aux nouveautés, sans se laisser effrayer par le danger de retarder la découverte de quelques vérités, inconvénient passager et tout à fait nul, comparé à celui d'ébranler les institutions et les opinions reçues.

P. 283, t. II. DE MAISTRE, *Exam. philos.*, BACON.

La maladie des pommes de terre a pour cause le désastre de Monville. Le météore a plus agi dans les vallées, il a soustrait le calorique. C'est l'effet d'un refroidissement subit.

RASPAIL, *Hist. Santé et Maladie*, p. 246-247.

Poissons

Je remarque sur les poissons que c'est une merveille qu'ils puissent naître et vivre dans l'eau de mer, qui est salée, et que leur race ne soit pas anéantie depuis longtemps.

GAUME, *Catéchisme de Persévérance*, 57.

De la chimie

Est-il nécessaire d'observer que cette vaste science (la chimie) est absolument déplacée dans un enseignement général? A quoi sert-elle pour le ministre, pour le magistrat, pour le militaire, pour le marin, pour le négociant?

DE MAISTRE, *Lettres et Opuscules inédits*.

Mépris de la science

Plusieurs personnes ont pensé que la science, entre les mains de l'homme, dessèche le cœur, désenchante la nature, mène les esprits faibles à l'athéisme, et de l'athéisme au crime.

CHATEAUBRIAND, *Génie du Christianisme*, p. 335.

Zoologie

C'est, ce nous semble, une grande pitié que de trouver aujourd'hui l'homme *mammifère* rangé, d'après le système de Linnæus, avec les singes, les chauves-souris et les paresseux. Ne valait-il pas autant le laisser à la tête de la création, où l'avaient placé Moïse, Aristote, Buffon et la nature?

CHATEAUBRIAND, *Génie du Christianisme*, p. 351.

Ses mouvements (du serpent) diffèrent de ceux de tous les animaux; on ne saurait dire où gît le principe de son déplacement, car il n'a ni nageoires, ni pieds, ni ailes, et cependant il fuit comme une ombre, il s'évanouit magiquement.

CHATEAUBRIAND, *Génie du Christianisme*, p. 138.

Linguistique

Si on avait un dictionnaire des langues sauvages, on y trouverait des restes évidents d'une langue antérieure parlée par un peuple éclairé, et, quand même nous ne les trouverions pas, il en résulterait seulement que la dégradation est arrivée au point d'effacer ces derniers restes.

DE MAISTRE, *Soirées de Saint-Pétersbourg*.

Les sciences naturelles sont secondaires

Il appartient aux prélats, aux nobles, aux grands officiers de l'Etat, d'être les dépositaires et les gardiens des vérités conservatrices, d'apprendre aux nations ce qui est mal et ce qui est bien, ce qui est vrai et ce qui est faux dans l'ordre moral et spirituel. Les autres n'ont pas le droit de raisonner sur ces sortes de matières. Ils ont les sciences naturelles pour s'amuser. De quoi pourraient-ils se plaindre?

8ᵉ Entretien. DE MAISTRE, *Soirées de Saint-Pétersbourg*, p. 131.

La science doit être mise à la seconde place

Si l'on n'en vient pas aux anciennes maximes, si l'éducation n'est pas rendue aux prêtres et si la science n'est pas mise partout à la seconde place, les maux qui nous attendent sont incalculables ; nous serons abrutis par la science, et c'est le dernier degré de l'abrutissement.

DE MAISTRE, *Essai sur les Principes générateurs*.

BÉVUES HISTORIQUES

Opinion sur l'étude de l'histoire

L'enseignement de l'histoire peut avoir, selon moi, des inconvénients et des périls pour le professeur. Il en a aussi pour les élèves.

DUPANLOUP.

Critique historique

Si on considère Napoléon sous le rapport des qualités morales, il est difficile à apprécier, parce qu'il est difficile d'aller découvrir la bonté chez un soldat toujours occupé à joncher la terre de morts, l'amitié chez un homme qui n'eut jamais d'égaux autour de lui, la probité chez un potentat qui était le maître des richesses de l'univers. Toutefois, quelque en dehors des règles ordinaires que fût ce mortel, il n'est pas impossible de saisir çà et là certains traits de sa physionomie morale.

A. THIERS, *Histoire du Consulat et de l'Empire*, vol. XX, p. 713.

J'ai ouï plusieurs fois déplorer l'aveuglement du conseil de François Ier, qui rebuta Christophe Colomb qui lui proposait les Indes.

MONTESQUIEU, *Esprit des Lois*, liv. XXI, ch. XXII.

François Ier monte sur le trône en 1515. Christophe Colomb meurt en 1506.

Pipe au XVe siècle

A quelques pas de cette scène si vive, le chef espagnol, immobile, fumait une longue pipe.

VILLEMAIN, *Lascaris*.

A la veille de l'empire napoléonien

Il n'a jamais existé de famille souveraine dont on puisse assigner l'origine plébéienne. Si ce phénomène paraissait, ce serait une époque du monde.

DE MAISTRE, *Soirées de Saint-Pétersbourg.*

La Prusse ne sera pas rétablie

Rien ne peut rétablir la puissance de la Prusse (1807). Cet édifice fameux, construit avec du sang, de la boue, de la fausse monnaie et des feuilles de brochures, a croulé en un clin d'œil et c'en est fait pour toujours.

DE MAISTRE, *Lettres et Opuscules,* p. 98.

Saint Jean Chrysostome, ce Bossuet africain!
[*Saint Jean Chrysostome, né à Antioche (Asie).*]
La ville de Cannes doublement célèbre par la victoire remportée par Hannibal sur les Romains et par le débarquement de Bonaparte.
Il accuse Louis XI d'avoir persécuté Abélard.
Louis XI, né en 1423.
Abélard, né en 1079.
Smyrne est une île.

J. JANIN, dans *G. de Flotte,* 1860.

EXALTATION DU BAS

Il faut plus de génie pour être batelier du Rhône que pour faire les *Orientales.*

PROUDHON.

BÊTISES SUR LES GRANDS HOMMES

Corneille

Ses mœurs (Chimène) sont du moins scandaleuses; si, en effet, elles ne sont pas dépravées. Ces pernicieux exemples rendent l'ouvrage notablement défectueux et s'écartent du but de la poésie qui veut être utile.

ACADÉMIE (sur le *Cid*).

Qu'on me cite une pièce du grand *Corneille* que je ne me charge de refaire mieux que lui! Qui tient la gageure? Je n'aurais fait que ce dont tout homme est capable, pourvu qu'il croie aussi fermement en Aristote qu'en moi.

LESSING, *Dramaturgie de Hambourg*, p. 462, 463.

Malgré la réputation dont jouit cet écrivain (La Bruyère), il y a beaucoup de négligence dans son style.

CONDILLAC, *Traité de l'art d'écrire*.

(Descartes) Rêveur fameux par les écarts de son imagination et dont le nom est fait pour le pays des chimères.

MARAT, à propos du Panthéon.

Rabelais, ce boueux de l'humanité.

LAMARTINE.

Lulli

Ses airs tant répétés dans le monde ne servent qu'à insinuer des passions les plus déréglées.

BOSSUET, *Maximes sur la Comédie*.

Molière

C'est dommage que Molière ne sache pas écrire.

FÉNELON.

Molière est un infâme histrion.

BOSSUET.

Byron

Le génie byronien me semble, au fond, un peu bête.

L. VEUILLOT, *Libres Penseurs*, p. 11.

A mon avis, Byron, très justement rejeté de la famille et de la patrie, c'est-à-dire mis au bagne pour avoir été mari infidèle et citoyen scandaleux, s'il eût été homme de sens et vraiment grand par l'esprit et par le cœur, aurait fait tout simplement pénitence, afin de reconquérir le droit d'élever sa fille et de servir son pays.

L. VEUILLOT, *Libres Penseurs*, p. 11.

C'est (Bonaparte) en effet un grand gagneur de batailles ; mais, hors de là, le moindre général est plus habile que lui.

CHATEAUBRIAND, *De Buonaparte et des Bourbons.*

Bonaparte

On a cru qu'il (Bonaparte) avait perfectionné l'art de la guerre, et il est certain qu'il l'a fait rétrograder vers l'enfance de l'art.

CHATEAUBRIAND, *De Buonaparte et des Bourbons.*

Bacon

Bacon est absolument dépourvu de l'esprit d'analyse, non seulement ne savait pas résoudre les questions, mais ne savait pas même les poser.

DE MAISTRE, *Examen de la Philosophie de Bacon,* t. I, p. 37.

Bacon, homme étranger à toutes les sciences et dont toutes les idées fondamentales étaient fausses.

DE MAISTRE, *Examen de la Philosophie de Bacon,* t. I, p. 82.

Bacon avait l'esprit éminemment faux et d'un genre de fausseté qui n'a jamais appartenu qu'à lui. Son incapacité absolue, essentielle, radicale dans toutes les branches des sciences naturelles.

DE MAISTRE, *Examen de la philosophie de Bacon,* t. I, p. 285.

Voltaire

Voltaire est nul comme philosophe, sans autorité comme critique et historien, arriéré comme savant, percé à jour dans sa vie privée et déconsidéré par l'orgueil, la méchanceté et les petitesses de son âme et de son caractère.

DUPANLOUP, *Haute Education intellectuelle.*

Gœthe

La postérité, à laquelle Gœthe a donné son œuvre à juger, fera ce qu'elle a à faire. Elle écrira sur ses tablettes d'airain :

« Gœthe, né à Francfort en 1749, mort à Weimar en 1832, grand écrivain, grand poète, grand artiste. »

Et, lorsque les fanatiques de la forme pour la forme, de l'art pour l'art, de l'amour quand même et du matérialisme, viendront lui demander d'ajouter :

« Grand homme! » elle répondra : Non!

A. DUMAS fils.

23 juillet 1873.

IDÉES SUR L'ART

Imbéciles

Nul doute que les hommes extraordinaires, en quelque genre que ce soit, ne doivent une partie de leur succès aux qualités supérieures dont leur organisation est douée.

DAMIRON, Cours de Philosophie, t. II, p. 35.

Jocrisses

Sitôt qu'un Français a passé la frontière, il entre sur le territoire étranger.

L. HAVIN, Courrier du Dimanche.

15 décembre.

Quand la borne est franchie, il n'est plus de limites.

PONSARD.

Imbéciles

L'épicerie est respectable. C'est une branche du commerce. L'armée est plus respectable encore, parce qu'elle est une institution dont le but est l'ordre.

L'épicerie est utile, l'armée est nécessaire.

Les Nouvelles, Jules NORIAC.

26 octobre 1865.

Il existe environ la valeur de trois volumes de ces notes. L'aptitude de Gustave Flaubert pour découvrir ce genre de bêtises était surprenante. Un exemple est caractéristique. En lisant le discours de réception de Scribe à l'Académie française, il s'arrêta net devant cette phrase qu'il nota immédiatement :

La comédie de Molière nous instruit-elle des grands événements du siècle de Louis XIV? Nous dit-elle un mot des erreurs, des faiblesses ou des fautes du grand roi? Nous parle-t-elle de la révocation de l'Edit de Nantes?

Il écrivit au-dessous de cette citation :

Révocation de l'Edit de Nantes, 1685.
Mort de Molière, 1673.

Comment se peut-il qu'aucun des académiciens, réunis en Comité pour entendre la lecture de ce discours avant qu'il fût prononcé, ne fît ce simple rapprochement de dates? Gustave Flaubert comptait donc former un volume entier de ces documents justificatifs. Pour rendre moins lourd et fastidieux ce recueil de sottises, il y aurait intercalé deux ou trois contes, d'un idéalisme poétique, copiés aussi par Bouvard et Pécuchet.

On a trouvé dans ses papiers le plan d'une de ces nouvelles, qui aurait été intitulée : *Une Nuit de Don Juan*.

Ce plan, indiqué en phrases courtes, souvent même par des mots sans suite, révèle mieux que toute dissertation sa manière de concevoir et de préparer son travail. A ce point de vue, il peut être intéressant. Le voici :

UNE NUIT DE DON JUAN

I

Le faire sans parties, d'un seul trait.

Commencement mouvementé comme action, — en tableau deux cavaliers arrivent sur les chevaux essoufflés. Aperçu de paysage, mais pas encore trop indiqué, seulement comme lumière, dans les arbres, — on laisse paître les chevaux dans les broussailles, — ils s'y empêtrent la gourmette, etc. — Cela au milieu du dialogue, coupé, de temps à autre, par de petits détails d'action.

Don Juan se déboutonne et jette son épée qui sort un peu du fourreau sur le gazon. — Il vient de tuer le frère de dona Elvire.

— Ils sont en fuite. — La conversation commence par des aigreurs et des brusqueries.

Paysage. — Le couvent derrière eux. — Ils sont assis sur une pelouse en pente sous des orangers. — Cercle des bois autour d'eux. — Terrain d'une pente légère devant eux. — Horizon de montagnes pelées par le sommet. — Coucher de soleil.

Don Juan est las et s'en prend à Leporello. — Mais est-ce ma faute, la vie que vous menez et me faites mener? — Eh bien, la vie que je mène, est-ce ma faute aussi? — Comment, ce n'est pas votre faute! — Leporello le croit, car il lui a souvent vu de bonnes intentions de mener une vie plus rangée. — Oui, et le hasard en dispose autrement. Exemples. — Leporello reprend les exemples : désir qu'il a de connaître à toutes les femmes qu'il voit, jalousie universelle du genre humain. — Vous voudriez que tout fût à vous. — Vous cherchez les occasions. — Oui, une inquiétude me pousse. Je voudrais... aspiration. — Moins que jamais il ne sait pas ce qu'il voudrait, ce qu'il veut. — Leporello depuis longtemps ne comprend plus rien à ce que dit son maître. — Don Juan souhaite d'être pur, d'être un adolescent vierge. — Il ne l'a jamais été, car il a toujours été hardi, impudent, positif. — Il a voulu souvent se donner les émotions de l'innocence. — Dans tout et partout c'est la femme qu'il cherche. — Mais pourquoi les quittez-vous? — Ah! pourquoi! — Don Juan répond par l'ennui de la femme possédée. — Embêtement que cause son œil, tentation de battre celles qui pleurent. — Comme vous les repoussez, les pauvres petites biches. — Comme vous oubliez. — Don Juan s'étonne lui-même de l'oubli et sonde cette idée, c'est une chose triste. — J'ai retrouvé des gages d'amour que je ne savais plus d'où ils me venaient. — Vous vous plaignez de la vie, maître, c'est injuste. — Leporello jouit scélératement à l'idée du bonheur de Don Juan. — Les jeunes gens le regardent avec envie, lui, Leporello, comme participant à quelque chose de la poésie de son maître.

Rêverie de Don Juan à l'idée que lui soumet Leporello qu'il peut avoir un fils quelque part?...

Et je vous ai vu désirer de revoir des anciennes. — Désir qu'a Don Juan de pouvoir préciser dans sa pensée des visages presque effacés. — Que ne donnerait-il pas pour r'avoir une idée nette de ces images! Ce n'est pas tout de changer. C'est que vous changez souvent pour pire. — Amour des femmes laides. N'avez-vous pas été, l'an passé, fou de cette vieille marquise napolitaine?

Don Juan raconte comment il a perdu son pucelage (une vieille duègne, dans l'ombre, dans un château). — Mais tu ne sais donc pas ce que c'est qu'un désir, pauvre homme (en lui saisissant le bras), et ce qui le fait naître? — Excitation d'un désir physique. — Corruption. — Abîme qui sépare l'objet du sujet, et appétit de celui-ci à entrer dans l'autre. — Voilà pourquoi toujours je suis en quête. — Silence.

Il y avait dans le jardin de mon père une figure de femme, proue de navire. — Envie d'y monter. — Il y grimpe un jour, et lui prend les seins. — Araignées dans le bois pourri. — Premier sentiment de la femme, excitation du péril. — Et toujours j'ai retrouvé la poitrine de bois. — Comment, mais pourtant quand elles jouissent! car je vous vois heureux. — Etonnement de la jouissance (calme avant, calme après), c'est ce qui m'a toujours fait soupçonner qu'il y avait quelque chose au-delà. — Mais non. — Impossibilité d'une communion parfaite, quelque adhérent que soit le baiser. — Quelque chose gêne et de soi fait mur. Silence des pupilles qui se dévorent. Le regard va plus avant que les mots. De là le désir, toujours renouvelé et toujours trompé, d'une adhérence plus intime. (A des places différentes noter :

Jalousie dans le désir = savoir, avoir.
Jalousie dans la possession = regarder dormir, connaître à fond.
Jalousie dans le souvenir = r'avoir, se souvenir bien.)

C'est pourtant toujours la même chose, dit Leporello. — Eh! non, ce n'est jamais la même chose! Autant de femmes et autant d'envies, de jouissances et d'amertumes différentes.

Que le vulgarisme de Leporello fasse ressortir le supériorisme de Don Juan et le pose objectivement en montrant la différence, et pourtant il n'y a de différence que dans l'intensité!

Envie des autres hommes. Vouloir être tout ce que les femmes regardent. — Avoir toute beauté, etc. — Vous avez pourtant bien des femmes. — Qu'est-ce que ça me fait? Le grand nombre de maîtresses, qu'est-ce que c'est comparativement au reste? Combien m'ignorent et pour lesquelles je n'aurai jamais rien été!

Deux espèces d'amour. Celui qui attire à soi, qui pompe, où l'individualisme et les sens prédominent (pas toute espèce de volupté, pourtant). A celui-là appartient la jalousie. Le second, c'est l'amour qui vous tire hors de soi. Il est plus large, plus navrant, plus doux. Il a des effluves à la place où l'autre a des âcretés rentrantes. Don Juan a éprouvé les deux quelquefois à propos de la même femme. Il y a des femmes qui portent au premier, d'autres qui provoquent le second, quelquefois tout à la fois. Cela aussi dépend des moments, des hasards et des dispositions.

104

Don Juan est las et finit par avoir l'envie de crever qui vous prend quand on a trop pensé, sans solution.

On entend la cloche des morts. En voilà un pour qui tout est fini.

Qu'est-ce donc?

Et ils lèvent la tête.

II

Don Juan escalade le mur et voit Anna Maria couchée. — Tableau. — Longue contemplation, — désir, — souvenir. — Elle se réveille. D'abord quelques mots entrecoupés comme faisant suite à sa pensée. Elle n'a pas peur de lui (le moins heurté possible, sans qu'on puisse distinguer le fantastique du réel).

Il y a longtemps que je t'attends. Tu ne venais pas. — Raconte sa maladie et sa mort. — A mesure que le dialogue prend, elle se réveille de plus en plus. — Sueur sur ses bandeaux, se lève lentement, lentement, d'abord sur les coudes, puis assise. — Grands yeux ébahis. Rentrer dans le précis. — Comment?

C'est donc toi dont j'entendais les pas dans les bois, — étouffement des nuits. — Promenade dans le cloître, ombre des colonnes, qui ne remuaient pas comme eussent fait les arbres. Je plongeais mes mains dans la fontaine. — Comparaison symbolique du cerf altéré. — Après-midi d'été.

On nous défendait de raconter nos songes — à propos du crucifix qui domine le lit d'Anna Maria, ce Christ qui veille sur les rêves. — Le crucifix est toujours immobile pendant que le cœur de la jeune fille est agité et saigne souvent.

Ce qu'est le Christ pour Anna Maria, mais il ne me répond pas dans mon amour. — Oh! je l'ai bien prié pourtant! Pourquoi n'a-t-il pas voulu, pourquoi ne m'a-t-il pas écouté? Aspirations de chair et d'amour vrai (complétant l'amour physique), en parallèle avec les aspirations dévergondées de Don Juan, qui a eu, dans ses autres amours, surtout aux moments de lassitude, des besoins mystiques. (Indiquer ceci, quant à Don Juan, dans sa conversation avec Leporello).

Mouvement d'Anna Maria entourant Don Juan de ses deux bras. — Le gras de l'avant-bras porté sur les carotides et les poignets au bout des mains raidies, plus petites pour atteindre à lui; une boucle des cheveux de Don Juan, en se baissant vers elle, se prend dans le bouton de sa chemise.

La nuit animée, — feu de pâtres sur les montagnes. Là aussi on parle d'amour. — C'est l'amour qui les occupe. Tu ne connais pas la joie simple. Le jour vient.

Aspirations de vie d'Anna Maria à l'époque des moissons. Matinées de dimanche les jours de fête dans l'église. — Les directeurs la tourmentent. — J'aimais beaucoup le confessionnal. Elle s'en approchait avec un sentiment de crainte voluptueuse parce que son cœur allait s'ouvrir. — Mystère, ombre. — Mais elle n'avait pas de péchés à dire, elle aurait voulu en avoir. Il y a, dit-on, des femmes à vie ardente, — heureuse.

Un jour elle s'évanouit toute seule dans l'église, où elle venait mettre des fleurs (l'organiste jouait tout seul), en contemplant un vitrail pénétré de soleil.

Désirs fréquents qu'elle a de la communion. Avoir Jésus dans le corps, Dieu en soi! — A chaque nouveau sacrement il lui semblait qu'une soif serait apaisée. — Elle multipliait les œuvres, jeûnes, prières, etc. — Sensualité du jeûne. — Se sentir l'estomac tiraillé, faiblesses de tête. — Elle a peur, elle s'étudie à se donner des peurs, etc. — Mortifications. — Elle aimait beaucoup les bonnes odeurs. — Elle flaire des choses dégoûtantes. — Volupté des mauvaises odeurs. — Elle en est honteuse devant Don Juan, que ça enthousiasme. — Anna Maria s'étonne de son désir. — Qu'est-ce? Comment se fait-il que je désire et qu'elle désire ce qu'elle ne sait pas? La volupté se glisse partout en elle (comme le dégoût chez Don Juan). — J'entendais parler du monde. — Parle-moi! parle-moi!

La lampe s'éteint faute d'huile. — Les étoiles éclairent la chambre (pas de lune). — Puis le jour paraît. — Anna Maria retombe morte. On entend des chevaux brouter et faire sonner leur selle sur leur dos. Don Juan s'enfuit.

Ton du caractère d'Anna Maria : *doux*.

Ne jamais perdre de vue Don Juan. L'objet principal (au moins de la seconde partie) c'est l'union, l'égalité, la dualité, dont chaque terme a été jusqu'ici incomplet, se fusionnant, et que chacun montant graduellement aille se compléter et s'unir au terme voisin.

Gustave Flaubert n'écrivit point d'un seul coup *Bouvard et Pécuchet*. On peut dire que la moitié de sa vie s'est passée à méditer ce livre et qu'il a consacré ses six dernières années à exécuter ce tour de force. Liseur insatiable, chercheur infatigable, il amoncelait sans repos les documents. Enfin, un jour, il se mit à l'œuvre, épouvanté toutefois devant l'énormité de la besogne. « Il faut être fou, disait-il souvent, pour entreprendre un pareil livre. » Il fallait surtout une patience surhumaine et une indéracinable volonté.

Là-bas, à Croisset, dans son grand cabinet à cinq fenêtres, il geignait jour et nuit sur son œuvre. Sans aucune trêve, sans délassements, sans plaisirs et sans distractions, l'esprit formidablement tendu, il avançait avec une lenteur désespérante, découvrant chaque jour de nouvelles lectures à faire, de nouvelles recherches à entreprendre. Et la phrase aussi le tourmentait, la phrase si concise, si précise, colorée en même temps, qui devait renfermer en deux lignes un volume, en un paragraphe toutes les pensées d'un savant. Il prenait ensemble un lot d'idées de même nature et, comme un chimiste préparant un élixir, il les fondait, les mêlait, rejetait les accessoires, simplifiait les principales, et de son formidable creuset sortait des formules absolues contenant en cinquante mots un système entier de philosophie.

Une fois il lui fallut s'arrêter, épuisé, presque découragé, et comme repos il écrivit son délicieux volume intitulé : *Trois Contes*.

On dirait qu'il a voulu faire là un résumé complet et parfait de son œuvre. Les trois nouvelles : *Un Cœur simple, La Légende de saint Julien l'Hospitalier* et *Hérodias,* montrent d'une façon courte et admirable les trois faces de son talent.

S'il fallait classer ces trois bijoux, peut-être mettrait-on au premier rang *Saint Julien l'Hospitalier*. C'est un absolu chef-d'œuvre de couleur et de style, un chef-d'œuvre d'art.

Un Cœur simple raconte l'histoire d'une pauvre servante de campagne honnête et bornée, dont la vie va tout droit jusqu'à la mort, sans qu'une lueur de bonheur vrai l'éclaire jamais. La *Légende de saint Julien l'Hospitalier* nous montre les aventures miraculeuses du saint, comme le ferait un vieux vitrail d'église d'une naïveté savante et colorée.

Hérodias nous dit l'accident tragique de la décollation de saint Jean-Baptiste.

Gustave Flaubert avait encore plusieurs sujets de nouvelles et de romans.

Il comptait écrire d'abord le *Combat des Thermopyles* et il devait accomplir un voyage en Grèce au commencement de l'année 1882 pour voir le paysage réel de cette lutte surhumaine.

Il voulait faire de cela une sorte de récit patriotique simple et terrible, qu'on pourrait lire aux enfants de tous les peuples pour leur apprendre l'amour du pays.

Il voulait montrer les âmes vaillantes, les cœurs magnanimes et les corps vigoureux de ces héros symboliques, et, sans employer un mot technique, ni un terme ancien, dire cette bataille immortelle qui n'appartient pas à l'histoire d'une nation, mais à l'histoire du monde. Il se réjouissait à l'idée d'écrire en termes sonores les adieux de ces guerriers recommandant à leurs femmes, s'ils mouraient dans la rencontre, d'épouser vite des hommes robustes pour donner de nouveaux fils à la patrie. La pensée seule de ce conte héroïque jetait Flaubert dans un enthousiasme violent.

Il songeait encore à une sorte de *Matrone d'Ephèse* moderne, ayant été séduit par un sujet que lui avait raconté Tourgueneff. Enfin, il méditait un grand roman sur le Second Empire, où on aurait vu le mélange et le contact des civilisations orientale et occidentale, le rapprochement de ces Grecs de Constantinople, venus à Paris si nombreux pendant le règne de Napoléon et jouant un rôle important dans la société parisienne, avec le monde factice et raffiné de la France impériale.

Deux personnages principaux l'attiraient, l'homme et la femme, *un ménage parisien,* astucieux avec naïveté, ambitieux et corrompu. L'homme, fonctionnaire supérieur, rêvait d'une haute fortune qu'il atteignait lentement, et, avec une rouerie égoïste et naturelle, il faisait servir sa femme, fort jolie et intrigante, à ses projets.

Malgré les efforts de toute nature de sa compagne, ses désirs n'étaient point satisfaits à son gré. Alors, après de longues années de tentatives, ils reconnaissaient tous deux la vanité de leurs espérances et finissaient leur vie en honnêtes gens déçus, d'une façon tranquille et résignée.

Il voyait encore en projet un autre grand roman sur l'administration, avec ce titre : *Monsieur le Préfet,* et il affirmait que personne n'avait jamais compris quel personnage comique, important et inutile est un préfet.

II

Gustave Flaubert était, avant tout, par-dessus tout, un artiste. Le public d'aujourd'hui ne distingue plus guère ce que signifie ce mot quand il s'agit d'un homme de lettres. Le sens de l'art, ce flair si délicat, si subtil, si insaisissable, si inexprimable, est essentiellement un don des aristocraties intelligentes ; il n'appartient guère aux démocraties.

De très grands écrivains n'ont pas été des artistes. Le public et même la plupart des critiques ne font pas de différence entre ceux-là et les autres.

Au siècle dernier, au contraire, le public, juge difficile et raffiné, poussait à l'extrême ce sens artiste qui disparaît. Il se passionnait pour une phrase, pour un vers, pour une épithète ingénieuse ou hardie. Vingt lignes, une page, un portrait, un épisode, lui suffisaient pour juger et classer un écrivain. Il cherchait les dessous, les dedans des mots, pénétrait les raisons secrètes de l'auteur, lisait lentement, sans rien passer, cherchant, après avoir compris la phrase, s'il ne restait plus rien à pénétrer. Car les esprits, lentement préparés aux sensations littéraires, subissaient l'influence secrète de cette puissance mystérieuse qui met une âme dans les œuvres.

Quand un homme, quelque doué qu'il soit, ne se préoccupe que de la chose racontée, quand il ne se rend pas compte que le véritable pouvoir littéraire n'est pas dans un fait, mais bien dans la manière de le préparer, de le présenter et de l'exprimer, il n'a pas le sens de l'art.

La profonde et délicieuse jouissance qui vous monte au cœur devant certaines pages, devant certaines phrases, ne vient pas seulement de ce qu'elles disent; elle vient d'une accordance absolue de l'expression avec l'idée, d'une sensation d'harmonie, de beauté secrète, échappant la plupart du temps au jugement des foules.

Musset, ce grand poète, n'était pas un artiste. Les choses charmantes qu'il dit en une langue facile et séduisante laissent presque indifférents ceux que préoccupent la poursuite, la recherche, l'émotion d'une beauté plus haute, plus insaisissable, plus intellectuelle.

La foule, au contraire, trouve en Musset la satisfaction de tous ses appétits poétiques un peu grossiers, sans comprendre même le frémissement, presque l'extase que nous peuvent donner certaines pièces de Baudelaire, de Victor Hugo, de Leconte de Lisle.

Les mots ont une âme. La plupart des lecteurs, et même des écrivains, ne leur demandent qu'un sens. Il faut trouver cette âme qui apparaît au contact d'autres mots, qui éclate et éclaire certains livres d'une lumière inconnue, bien difficile à faire jaillir.

Il y a dans les rapprochements et les combinaisons de la langue écrite par certains hommes toute l'évocation d'un monde poétique, que le peuple des mondains ne sait plus apercevoir ni deviner. Quand on lui parle de cela, il se fâche, raisonne, argumente, nie, crie et veut qu'on lui montre. Il serait inutile d'essayer. Ne sentant pas, il ne comprendra jamais.

Des hommes instruits, intelligents, des écrivains même, s'étonnent aussi quand on leur parle de ce *mystère* qu'ils ignorent; et ils sourient en haussant les épaules. Qu'importe! Ils ne savent pas. Autant parler musique à des gens qui n'ont point d'oreille.

Dix paroles échangées suffisent à deux esprits doués de ce sens mystérieux de l'art, pour se comprendre comme s'ils se servaient d'un langage ignoré des autres.

Flaubert fut torturé toute sa vie par la poursuite de cette insaisissable perfection.

Il avait une conception du style qui lui faisait enfermer

dans ce mot toutes les qualités qui font, en même temps, un penseur et un écrivain. Aussi, quand il déclarait : « Il n'y a que le style », il ne faudrait pas croire qu'il entendît : « Il n'y a que la sonorité ou l'harmonie des mots. »

On entend généralement par « style » la façon propre à chaque écrivain de présenter sa pensée. Le style serait donc différent selon l'homme, éclatant ou sobre, abondant ou concis, suivant les tempéraments. Gustave Flaubert estimait que la personnalité de l'auteur doit disparaître dans l'originalité du livre ; et que l'originalité du livre ne doit point provenir de la singularité du style.

Car il n'imaginait pas des « styles » comme une série de moules particuliers dont chacun porte la marque d'un écrivain et dans lequel on coule toutes ses idées ; mais il croyait au *style,* c'est-à-dire à une manière unique, absolue, d'exprimer une chose dans toute sa couleur et son intensité.

Pour lui, la forme, c'était l'œuvre elle-même. De même que, chez les êtres, le sang nourrit la chair et détermine même son contour, son apparence extérieure, suivant la race et la famille, ainsi, pour lui, dans l'œuvre le fond fatalement impose l'expression unique et juste, la mesure, le rythme, toutes les allures de la forme.

Il ne comprenait point que le fond pût exister sans la forme, ni la forme sans le fond.

Le style devait donc être, pour ainsi dire, impersonnel et n'emprunter ses qualités qu'à la qualité de la pensée et à la puissance de la vision.

Obsédé par cette croyance absolue qu'il n'existe qu'une manière d'exprimer une chose, un mot pour la dire, un adjectif pour la qualifier et un verbe pour l'animer, il se livrait à un labeur surhumain pour découvrir, à chaque phrase, ce mot, cette épithète et ce verbe. Il croyait ainsi à une harmonie mystérieuse des expressions, et quand un terme juste ne lui semblait point euphonique, il en cherchait un autre avec une invincible patience, certain qu'il ne tenait pas le vrai, l'unique.

Ecrire était donc pour lui une chose redoutable, pleine

de tourments, de périls, de fatigues. Il allait s'asseoir à sa table avec la peur et le désir de cette besogne aimée et torturante. Il restait là, pendant des heures, immobile, acharné à son travail effrayant de colosse patient et minutieux qui bâtirait une pyramide avec des billes d'enfant.

Enfoncé dans son fauteuil de chêne à haut dossier, la tête rentrée entre ses fortes épaules, il regardait son papier de son œil bleu, dont la pupille, toute petite, semblait un grain noir toujours mobile. Une légère calotte de soie, pareille à celle des ecclésiastiques, couvrant le sommet du crâne, laissait échapper de longues mèches de cheveux bouclés par le bout et répandus sur le dos. Une vaste robe de chambre en drap brun l'enveloppait tout entier; et sa figure rouge, que coupait une forte moustache blanche aux bouts tombants, se gonflait sous un furieux afflux de sang. Son regard ombragé de grands cils sombres courait sur les lignes, fouillant les mots, chavirant les phrases, consultant la physionomie des lettres assemblées, épiant l'effet comme un chasseur à l'affût.

Puis il se mettait à écrire, lentement, s'arrêtant sans cesse, recommençant, raturant, surchargeant, emplissant les marges, traçant des mots en travers, noircissant vingt pages pour en achever une, et, sous l'effort pénible de sa pensée, geignant comme un scieur de long.

Quelquefois, jetant dans un grand plat d'étain oriental rempli de plumes d'oie soigneusement taillées la plume qu'il tenait à la main, il prenait la feuille de papier, l'élevait à la hauteur du regard, et, s'appuyant sur un coude, déclamait d'une voix mordante et haute. Il écoutait le rythme de sa prose, s'arrêtait comme pour saisir une sonorité fuyante, combinait les tons, éloignait les assonances, disposait les virgules avec science comme les haltes d'un long chemin.

Une phrase est viable, disait-il, quand elle correspond à toutes les nécessités de la respiration. Je sais qu'elle est bonne lorsqu'elle peut être lue tout haut.

Les phrases mal écrites, écrivait-il dans la préface des

Dernières Chansons de Louis Bouilhet, ne résistent pas à cette épreuve ; elles oppressent la poitrine, gênent les battements du cœur et se trouvent ainsi en dehors des conditions de la vie.

Mille préoccupations l'assiégeaient en même temps, l'obsédaient et toujours cette certitude désespérante restait fixe en son esprit : « Parmi toutes ces expressions, toutes ces formes, toutes ces tournures, il n'y a qu'une expression, qu'une tournure et qu'une forme pour exprimer ce que je veux dire. »

Et, la joue enflée, le cou congestionné, le front rouge, tendant ses muscles comme un athlète qui lutte, il se battait désespérément contre l'idée et contre le mot, les saisissant, les accouplant malgré eux, les tenant unis d'une indissoluble façon par la puissance de sa volonté, étreignant la pensée, la subjuguant peu à peu avec une fatigue et des efforts surhumains, et l'encageant, comme une bête captive, dans une forme solide et précise.

De ce formidable labeur naissait pour lui un extrême respect pour la littérature et pour la phrase. Du moment qu'il avait construit une phrase avec tant de peines et de tortures, il n'admettait pas qu'on en pût changer un mot. Lorsqu'il lut à ses amis le conte intitulé : *Un Cœur simple,* on lui fit quelques remarques et quelques critiques sur un passage de dix lignes, dans lequel la vieille fille finit par confondre son perroquet et le Saint-Esprit. L'idée paraissait subtile pour un esprit de paysanne. Flaubert écouta, réfléchit, reconnut que l'observation était juste. Mais une angoisse le saisit : « Vous avez raison, dit-il, seulement... il faudrait changer ma phrase. »

Le soir même, cependant, il se mit à la besogne ; il passa la nuit pour modifier dix mots, noircit et ratura vingt feuilles de papier, et, pour finir, ne changea rien, n'ayant pu construire une autre phrase dont l'harmonie lui parût satisfaisante. Au commencement du même conte, le dernier mot d'un alinéa, servant de sujet au suivant, pouvait donner lieu à une amphibologie. On lui signala cette distraction ; il la reconnut, s'efforça de modifier le sens, ne parvint pas à retrouver la sonorité qu'il voulait, et, découragé, s'écria : « Tant pis pour le sens ; le rythme avant tout ! »

Cette question du rythme de la prose le lançait parfois en des dissertations passionnées : « Dans le vers, disait-il, le poète possède des règles fixes. Il a la mesure, la césure, la rime, et une quantité d'indications pratiques, toute une science de métier. Dans la prose, il faut un sentiment profond du rythme, rythme fuyant, sans règles, sans certitude, il faut des qualités innées, et aussi une puissance de raisonnement, un sens artiste infiniment plus subtils, plus aigus, pour changer, à tout instant, le mouvement, la couleur, le son du style, suivant les choses qu'on veut dire. Quand on sait manier cette chose fluide, la prose française, quand on sait la valeur exacte des mots, et quand on sait modifier cette valeur selon la place qu'on leur donne, quand on sait attirer tout l'intérêt d'une page sur une ligne, mettre une idée en relief entre cent autres, uniquement par le choix et la position des termes qui l'expriment ; quand on sait frapper avec un mot, un seul mot, posé d'une certaine façon, comme on frapperait avec une arme ; quand on sait bouleverser une âme, l'emplir brusquement de joie ou de peur, d'enthousiasme, de chagrin ou de colère, rien qu'en faisant passer un adjectif sous l'œil du lecteur, on est vraiment un artiste, le plus supérieur des artistes, un vrai prosateur. »

Il avait pour les grands écrivains français une admiration frénétique ; il possédait par cœur des chapitres entiers des maîtres, et il les déclamait d'une voix tonnante, grisé par la prose ! faisant sonner les mots, scandant, modulant, chantant la phrase. Des épithètes le ravissaient : il les répétait cent fois, s'étonnant toujours de leur justesse, et déclarant : « Il faut être un homme de génie pour trouver des adjectifs pareils. »

Personne ne porta plus haut que Gustave Flaubert le respect et l'amour de son art et le sentiment de la dignité littéraire. Une seule passion, l'amour des lettres, a empli sa vie jusqu'à son dernier jour. Il les aima furieusement, d'une façon absolue, unique.

Presque toujours un artiste cache une ambition secrète, étrangère à l'art. C'est la gloire qu'on poursuit souvent, la gloire rayonnante qui nous place, vivant, dans une apothéose, fait s'exalter les têtes, battre des mains, et captive les cœurs des femmes.

Plaire aux femmes! Voilà aussi le désir ardent de presque tous. Etre, par la toute-puissance du talent, dans Paris, dans le monde, un être d'exception, admiré, adulé, aimé, qui peut cueillir, presque à son gré, ces fruits de chair vivante dont nous sommes affamés! Entrer, partout où l'on va, précédé d'une renommée, d'un respect et d'une adulation, et voir tous les yeux fixés sur soi, et tous les sourires venir à soi. C'est là ce que recherchent ceux qui se livrent à ce métier étrange et difficile de reproduire et d'interpréter la nature par des moyens artificiels.

D'autres ont poursuivi l'argent, soit pour lui-même, soit pour les satisfactions qu'il donne : le luxe de l'existence et les délicatesses de la table.

Gustave Flaubert a aimé les lettres d'une façon si absolue que, dans son âme emplie par cet amour, aucune autre ambition n'a pu trouver place.

Jamais il n'eut d'autres préoccupations ni d'autres désirs ; il était presque impossible qu'il parlât d'autre chose. Son esprit, obsédé par des préoccupations littéraires, y revenait toujours, et il déclarait inutile tout ce qui intéresse les gens du monde.

Il vivait seul presque toute l'année, travaillant sans répit, sans interruption. Liseur infatigable, ses repos étaient des lectures, et il possédait une bibliothèque entière des notes prises dans tous les volumes qu'il avait fouillés. Sa mémoire, d'ailleurs, était merveilleuse, et il se rappelait le chapitre, la page, l'alinéa où il avait trouvé, cinq ou dix ans plus tôt, un petit détail dans un ouvrage presque inconnu. Il savait ainsi un nombre incalculable de faits.

Il passa la plus grande partie de son existence dans sa propriété de Croisset, près Rouen. C'était une jolie maison blanche, de style ancien, plantée tout au bord de la Seine, au milieu d'un jardin magnifique qui s'étendait par-derrière et escaladait, par des chemins rapides, la grande côte de Canteleu. Des fenêtres de son vaste cabinet de travail, on voyait passer tout près, comme s'ils allaient toucher les murs avec leurs vergues, les grands navires qui montaient vers Rouen, ou descendaient vers la mer. Il aimait à regarder ce mouvement muet des bâtiments glissant sur le large fleuve et partant pour tous les pays dont on rêve.

Souvent, quittant sa table, il allait encadrer dans sa fenêtre sa large poitrine de géant et sa tête de vieux Gaulois. A gauche, les mille clochers de Rouen dessinaient dans l'espace leurs silhouettes de pierre, leurs profils travaillés ; un peu plus à droite, les mille cheminées des usines de Saint-Sever vomissaient sur le ciel leurs festons de fumée. La pompe à feu de la Foudre, aussi haute que la plus haute des pyramides d'Egypte, regardait de l'autre côté de l'eau la flèche de la cathédrale, le plus haut clocher du monde.

En face s'étendaient des herbages pleins de vaches rousses et de vaches blanches, couchées ou pâturant debout, et là-bas, à droite, une forêt sur une grande côte fermait l'horizon que parcourait la calme rivière large, pleine d'îles plantées d'arbres, descendant vers la mer et disparaissant au loin dans une courbe de l'immense vallée.

Il aimait ce superbe et tranquille paysage que ses yeux avaient vu depuis son enfance. Presque jamais il ne descendait dans le jardin, ayant horreur du mouvement. Parfois pourtant, quand un ami venait le voir, il se promenait avec lui le long d'une grande allée de tilleuls, plantée en terrasse, et qui semblait faite pour les graves et douces causeries.

Il prétendait que Pascal était venu jadis dans cette maison et qu'il avait dû aussi marcher, rêver et parler sous ces arbres. Son cabinet ouvrait trois fenêtres sur le jardin et deux sur la rivière. Il était très vaste, n'ayant pour ornement que des livres, quelques portraits d'amis et quelques souvenirs de voyages : des corps de jeunes caïmans séchés, un pied de momie qu'un domestique naïf avait ciré comme une botte et demeuré noir, des chapelets d'ambre d'Orient, un bouddha doré, dominant la grande table de travail, et regardant de ses yeux longs, dans son immobilité divine et séculaire, un admirable buste de Pradier, représentant la sœur de Gustave, Caroline Flaubert, morte toute jeune femme, et, par terre, d'un côté un immense divan turc couvert de coussins, de l'autre une magnifique peau d'ours blanc.

Il se mettait à la besogne dès neuf ou dix heures du matin, se levait pour déjeuner, puis reprenait aussitôt son labeur. Il dormait souvent une heure ou deux dans l'après-midi; mais il veillait jusqu'à trois ou quatre heures du matin, accomplissant alors le meilleur de sa besogne, dans le silence calme de la nuit, dans le recueillement du grand appartement tranquille, à peine éclairé par les deux lampes couvertes d'un abat-jour vert. Les mariniers, sur la rivière, se servaient comme d'un phare, des fenêtres de « Monsieur Gustave ». Il s'était fait dans le pays une sorte de légende autour de lui. On le regardait comme un brave homme, un peu toqué, dont les costumes singuliers effaraient les yeux et les esprits. Il était toujours vêtu, pour travailler, d'un large pantalon, noué par une cordelière de soie à la ceinture, et d'une immense robe de chambre tombant jusqu'à terre. Ce vêtement, qu'il avait adopté non par pose, mais à cause de son ampleur commode, était en drap brun l'hiver, et, l'été, en étoffe légère, à fond blanc et à dessins clairs. Les bourgeois de Rouen, allant déjeuner à la Bouille, le dimanche, rentraient déçus dans leur espoir quand ils n'avaient pu voir, du pont du bateau à vapeur, cet original de M. Flaubert, debout dans sa haute fenêtre.

Lui aussi prenait plaisir à regarder passer ce bateau chargé de monde. Il portait à ses yeux une jumelle de théâtre qui traînait toujours au bord de sa table ou sur le coin de sa cheminée et contemplait curieusement tous ces visages tournés vers lui. Leur laideur l'amusait, leur étonnement le dilatait; il lisait sur les figures les caractères, le tempérament, la bêtise de chacun.

On a beaucoup parlé de sa haine contre le bourgeois.

Il faisait de ce mot *bourgeois* le synonyme de *bêtise* et le définissait ainsi : « J'appelle bourgeois quiconque pense bassement. » Ce n'est donc nullement à la classe bourgeoise qu'il en voulait, mais à une sorte particulière de bêtise qu'on rencontre le plus souvent dans cette classe. Il avait, du reste, pour le « bon peuple », un mépris aussi complet. Mais, se trouvant moins souvent en contact avec l'ouvrier qu'avec les gens du monde, il souffrait moins de la sottise populaire que de la sottise mondaine. L'ignorance, d'où viennent les croyances absolues, les principes dits immortels, toutes les conventions, tous les préjugés, tout l'arsenal des opinions communes ou élégantes, l'exaspéraient. Au lieu de sourire, comme beaucoup d'autres, de l'universelle niaiserie, de l'infériorité intellectuelle du plus grand nombre, il en souffrait horriblement. Sa sensibilité cérébrale excessive lui faisait sentir comme des blessures les banalités stupides que chacun répète chaque jour. Quand il sortait d'un salon où la médiocrité des propos avait duré tout un soir, il était affaissé, accablé, comme si on l'eût roué de coups, devenu lui-même idiot, affirmait-il, tant il possédait la faculté de pénétrer dans la pensée des autres.

Vibrant toujours, impressionnable aussi, il se comparait à un écorché que le moindre contact fait tressaillir de douleur, et la bêtise humaine, assurément, le blessa durant toute sa vie, comme blessent les grands malheurs intimes et secrets. Il la considérait un peu comme une ennemie personnelle acharnée à le martyriser ; et il la poursuivit avec fureur ainsi qu'un chasseur poursuit sa proie, l'atteignant jusqu'au fond des plus grands cerveaux. Il avait, pour la découvrir, des subtilités de limier, et son œil rapide tombait dessus, qu'elle se cachât dans les colonnes d'un journal ou même entre les lignes d'un beau livre. Il en arrivait parfois à un tel degré d'exaspération, qu'il aurait voulu détruire la race humaine.

La misanthropie de ses œuvres ne vient pas d'autre chose.

La saveur amère qui s'en dégage n'est que cette constante constatation de la médiocrité, de la banalité, de la sottise sous toutes ses formes. Il la note à toutes les pages, presque à tous les paragraphes, par un mot, par une simple intention, par l'accent d'une scène ou d'un dialogue. Il emplit le lecteur intelligent d'une mélancolie désolée devant la vie. Le malaise inexpliqué qu'ont éprouvé beaucoup de gens en ouvrant l'*Education sentimentale* n'était que la sensation irraisonnée de cette éternelle misère des pensées montrées à nu dans les crânes.

Il disait quelquefois qu'il aurait pu appeler ce livre « les Fruits secs », pour en faire mieux comprendre l'intention. Chaque homme, en le lisant, se demande avec inquiétude s'il n'est pas un des tristes personnages de ce morne roman, tant on retrouve en chacun des choses personnelles, intimes et navrantes.

Après l'énumération de ses lectures effrayantes, il écrivait un jour : « Et tout cela dans l'unique but de cracher sur mes contemporains le dégoût qu'ils m'inspirent! Je vais, enfin, dire ma manière de penser, exhaler mon ressentiment, vomir ma haine, expectorer mon fiel, déterger mon indignation! » Ce mépris d'idéaliste exalté pour la bêtise courante et la banalité commune était accompagné d'une admiration véhémente pour les gens supérieurs, quel que fût le genre de leur talent ou la nature de leur érudition. N'ayant jamais aimé que la pensée, il en respectait toutes les manifestations; et ses lectures s'étendaient aux livres qui semblent ordinairement le plus étrangers à l'art littéraire. Il se fâcha avec un journal ami où on avait maladroitement critiqué M. Renan; le nom seul de Victor Hugo l'emplissait d'enthousiasme; il avait pour amis des hommes comme MM. Georges Pouchet et Berthelot; son salon de Paris était des plus curieux.

Il recevait le dimanche, depuis une heure jusqu'à sept, dans un appartement de garçon, très simple, au cinquième étage. Les murs étaient nus et le mobilier modeste, car il avait en horreur le bibelot d'art.

Dès qu'un coup de timbre annonçait le premier visiteur, il jetait sur sa table de travail, couverte de feuilles de papier éparpillées et noires d'écriture, un léger tapis de soie rouge qui enveloppait et cachait tous les outils de son travail, sacrés pour lui comme les objets du culte pour un prêtre. Puis, son domestique sortant presque toujours le dimanche, il allait ouvrir lui-même.

Le premier venu était souvent Ivan Tourgueneff, qu'il embrassait comme un frère. Plus grand encore que Flaubert, le romancier russe aimait le romancier français d'une affection profonde et rare. Des affinités de talent, de philosophie et d'esprit, des similitudes de goûts, de vie et de rêves, une conformité de tendances littéraires, d'idéalisme exalté, d'admiration et d'érudition, mettaient entre eux tant de points de contact incessants qu'ils éprouvaient, l'un et l'autre, en se revoyant, une joie du cœur plus encore peut-être qu'une joie de l'intelligence.

Tourgueneff s'enfonçait dans un fauteuil et parlait lentement, d'une voix douce, un peu faible et hésitante, mais qui donnait aux choses dites un charme et un intérêt extrêmes. Flaubert l'écoutait avec religion, fixant sur la grande figure blanche de son ami un large œil bleu aux pupilles mouvantes ; et il répondait de sa voix sonore, qui sortait comme un chant de clairon, sous sa moustache de vieux guerrier gaulois. Leur conversation touchait rarement aux choses de la vie courante et ne s'éloignait guère des choses et de l'histoire littéraires. Souvent Tourgueneff était chargé de livres étrangers et traduisait couramment des poèmes de Goethe, de Pouchkine ou de Swinburne.

D'autres personnes arrivaient peu à peu : M. Taine, le regard caché derrière ses lunettes, l'allure timide, apportait des documents historiques, des faits inconnus, toute une odeur et une saveur d'archives remuées, toute une vision de vie ancienne aperçue de son œil perçant de philosophe.

Voici MM. Frédéric Baudry, membre de l'Institut, administrateur de la bibliothèque Mazarine ; Georges Pouchet, professeur d'anatomie comparée au Muséum d'histoire naturelle ; Claudius Popelin, le maître émailleur ; Philippe Burty, écrivain, collectionneur, critique d'art, esprit subtil et charmant.

Puis, c'est Alphonse Daudet, qui apporte l'air de Paris, du Paris vivant, viveur, remuant et gai. Il trace en quelques mots des silhouettes infiniment drôles, promène sur tout et sur tous son ironie charmante, méridionale et personnelle, accentuant les finesses de son esprit verveux par la séduction de sa figure et de son geste et la science de ses récits, toujours composés comme des contes écrits. Sa tête, jolie, très fine, est couverte d'un flot de cheveux d'ébène qui descendent sur les épaules, se mêlant à la barbe frisée dont il roule souvent les pointes aiguës. L'œil, longuement fendu, mais peu ouvert, laisse passer un regard noir comme de l'encre, vague quelquefois par suite d'une myopie excessive. Sa voix chante un peu; il a le geste vif, l'allure mobile, tous les signes d'un fils du Midi.

Emile Zola entre à son tour, essoufflé par les cinq étages et toujours suivi de son fidèle Paul Alexis. Il se jette dans un fauteuil et cherche d'un coup d'œil sur les figures, l'état des esprits, le ton et l'allure de la causerie. Assis un peu de côté, une jambe sous lui, tenant sa cheville dans sa main et parlant peu, il écoute attentivement. Quelquefois, quand un enthousiasme littéraire, une griserie d'artiste emporte les causeurs et les lance en ces théories excessives et paradoxales chères aux hommes d'imagination vive, il devient inquiet, remue la jambe, place de temps en temps un « mais... » étouffé dans les grands éclats; puis, quand la poussée lyrique de Flaubert s'est calmée, il reprend la discussion tranquillement, d'une voix calme, avec des mots paisibles.

Il est de taille moyenne, un peu gros, d'aspect bon-homme et obstiné. Sa tête, très semblable à celles qu'on retrouve dans beaucoup de vieux tableaux italiens, sans être belle, présente un grand caractère de puissance et d'intelligence. Les cheveux courts se redressent sur un front très développé, et le nez droit s'arrête, coupé comme par un coup de ciseau trop brusque, au-dessus de la lèvre ombragée d'une moustache assez épaisse. Tout le bas de cette figure grasse, mais énergique, est couvert de barbe taillée près de la peau. Le regard noir, myope, pénétrant, fouille, sourit, souvent ironique, tandis qu'un pli très particulier retrousse la lèvre supérieure d'une façon drôle et moqueuse.

D'autres arrivent encore : voici l'éditeur Charpentier. Sans quelques cheveux blancs mêlés à ses longs cheveux noirs, on le prendrait pour un adolescent. Il est mince et joli garçon, avec un menton légèrement pointu, nuancé de bleu par une barbe drue soigneusement rasée. Il porte la moustache seule. Il rit volontiers d'un rire jeune et sceptique et il écoute et promet tout ce que lui demande chaque écrivain qui s'empare de lui et le pousse en un coin pour lui recommander mille choses. Voici le charmant poète Catulle Mendès, avec sa figure de Christ sensuel et séduisant, dont la barbe soyeuse et les cheveux légers entourent d'un nuage blond une face pâle et fine. Causeur incomparable, artiste raffiné, subtil, saisissant toutes les plus fugitives sensations littéraires, il plaît tout particulièrement à Flaubert par le charme de sa parole et la délicatesse de son esprit. Voici Emile Bergerat, son beau-frère, qui épousa la seconde fille de Théophile Gautier. Voici José Maria de Hérédia, le merveilleux faiseur de sonnets, qui restera un des poètes les plus parfaits de ce temps. Voici Huysmans, Hennique, Céard, d'autres encore, Léon Cladel le styliste difficile et raffiné, Gustave Toudouze. Alors entre, le dernier presque toujours, un homme de taille élevée et mince, dont la figure sérieuse, bien que souvent souriante, porte un grand caractère de hauteur et de noblesse. Il a de longs cheveux grisâtres, comme décolorés, une moustache un peu plus blanche et des yeux singuliers, envahis par une pupille étrangement dilatée.

Il a l'aspect gentilhomme, l'air fin et nerveux des gens de race. Il est (on le sent) du monde, et du meilleur. C'est Edmond de Goncourt. Il s'avance, tenant à la main un paquet de tabac spécial qu'il garde partout avec lui, tandis qu'il tend à ses amis son autre main restée libre.

Le petit salon déborde. Des groupes passent dans la salle à manger.

C'est alors qu'il fallait voir Gustave Flaubert.

Avec des gestes larges où il paraissait s'envoler, allant

de l'un à l'autre d'un seul pas qui traversait l'appartement, sa longue robe de chambre gonflée derrière lui dans ses brusques élans comme la voile brune d'une barque de pêche, plein d'exaltations, d'indignations, de flamme véhémente, d'éloquence retentissante, il amusait par ses emportements, charmait par sa bonhomie, stupéfiait souvent par son érudition prodigieuse que servait une surprenante mémoire, terminait une discussion d'un mot clair et profond, parcourait les siècles d'un bond de sa pensée pour rapprocher deux faits de même ordre, deux hommes de même race, deux enseignements de même nature, d'où il faisait jaillir une lumière comme lorsqu'on heurte deux pierres pareilles. Puis ses amis partaient l'un après l'autre. Il les accompagnait dans l'antichambre, où il causait un moment seul avec chacun, serrant les mains vigoureusement, tapant sur les épaules avec un bon rire affectueux. Et quand Zola était sorti le dernier, toujours suivi de Paul Alexis, il dormait une heure sur un large canapé avant de passer son habit pour aller chez son amie Mme la princesse Mathilde, qui recevait tous les dimanches.

Il aimait le monde, bien qu'il s'indignât des conversations qu'il y entendait; il avait pour les femmes une amitié attendrie et paternelle, bien qu'il les jugeât sévèrement de loin et qu'il répétât souvent la phrase de Proudhon : « La femme est la désolation du juste »; il aimait le grand luxe, l'élégance somptueuse, l'apparat, bien qu'il vécût on ne peut plus simplement.

Dans l'intimité, il était gai et bon. Sa gaieté puissante semblait descendre directement de la gaieté de Rabelais. Il aimait les farces, les plaisanteries continuées pendant des années. Il riait souvent, d'un rire content, franc, profond; et ce rire semblait même plus naturel chez lui, plus normal que ses exaspérations contre l'humanité. Il aimait recevoir ses amis, dîner avec eux. Quand on allait le voir à Croisset, c'était un bonheur pour lui et il préparait la réception de loin avec un plaisir cordial et visible. Il était grand mangeur, aimait la table fine et les choses délicates.

Cette misanthropie attristée dont on a tant parlé n'était pas innée chez lui, mais venue peu à peu de la constatation permanente de la bêtise; car son âme était naturellement joyeuse et son cœur plein d'élans généreux. Il aimait vivre enfin, et il vivait pleinement, sincèrement, comme on vit avec le tempérament français, chez qui la mélancolie ne prend jamais l'allure désolée qu'elle a chez certains Allemands et chez certains Anglais.

Et puis ne suffit-il pas, pour aimer la vie, d'une longue et puissante passion? Il l'eut, cette passion, jusqu'à sa mort. Il avait donné, dès sa jeunesse, tout son cœur aux lettres, et il ne le reprit jamais. Il usa son existence dans cette tendresse immodérée, exaltée, passant des nuits fiévreuses, comme les amants, frémissant d'ardeur, défaillant de fatigue après ces heures d'amour épuisant et violent, et repris, chaque matin, dès le réveil, par le besoin de la bien-aimée.

Un jour enfin, il tomba, foudroyé, contre le pied de sa table de travail, tué par elle, la Littérature, tué comme tous les grands passionnés que dévore toujours leur passion.

(Gustave Flaubert, *Lettres à George Sand,* précédées d'une étude de Guy de Maupassant. Paris, G. Charpentier et Cie, 1884.)

MÉPRIS ET RESPECTS

Le duel où le lieutenant Chapuis fut tué ne semble être, en somme, qu'un résultat du légendaire mépris du militaire pour le civil.

Si le mot cité par les journaux est vrai : « On ne fait pas d'excuses à ces polissons-là, on leur tire les oreilles », il faut, sans doute, entendre par polissons, tous ces crétins vêtus de drap noir.

De tout temps la culotte rouge a méprisé la culotte de fantaisie. On croirait qu'il y a là une antipathie de race, et pourtant les savants ne sont pas encore parvenus à distinguer un militaire en caleçon de bain d'un pékin dans le même costume. Par contre on reconnaît au premier coup d'œil un militaire en civil.

Mais ce mépris que le militaire français nourrit au fond du cœur pour le bourgeois de sa patrie, on le retrouve encore avec toutes ses nuances dans l'armée elle-même ; car un officier de cavalerie ne se considérera jamais comme l'égal d'un simple officier d'infanterie, et les officiers d'artillerie regardent de haut les sabreurs à cheval.

Or, voilà qu'aujourd'hui les nouvelles couches de citoyens retournent à l'armée ce mépris séculaire que l'armée nourrissait pour l'humble bourgeois. Et on entend dans les cafés des consommateurs à pipe, de simples buveurs de bocks, proclamer que le militaire épuise la sève du pays, boit le sang de la France, vit aux dépens du travail commun.

Ils prétendent, ces citoyens des nouvelles couches, qu'au milieu de l'effort moderne, effort de travail et d'intelligence pour le bien général, l'armée est semblable à la mouche improductive des ruches d'abeilles.

De cet échange de mépris, aussi peu justifié d'un côté que de l'autre, il résultera sans doute avant peu un échange de bons procédés qui auront pour code le livre précieux de notre ami A. Tavernier, *L'Art du duel*. L'auteur a dû être déjà sollicité pour faire de ce traité, aussi amusant qu'utile en ce moment d'ailleurs, une édition de poche pour chemins de fer, une édition populaire et une édition de prix pour collèges. N'entendrons-nous pas bientôt des professeurs en chaire prononcer : « Monsieur Lacroix, veuillez me réciter le chapitre IV du *Duel* de Tavernier : violation des règles », comme on entendait jadis : « Récitez-moi le début du onzième chant de l'*Enéide*. »

Les élèves, assurément, ne s'en plaindraient point, et je n'oserais pas affirmer que le premier de ces ouvrages ne leur fût, dans la vie, infiniment plus utile que le second.

Ce n'est pas seulement du reste entre militaires et civils que le mépris est la seule mesure de l'opinion. Nous avons cette bonne habitude en France de procéder vis-à-vis de nos voisins par mépris et par respect, et jamais par jugement raisonné.

Passons donc une petite revue des hommes et des choses qu'il est de bon goût, de bon ton, ou seulement d'usage de mépriser ou de respecter.

— On méprise les épiciers. — Pourquoi sont-ils inférieurs aux boulangers? Vous ne le savez point, et moi non plus. Mais il est admis qu'il est plus noble de faire du pain que de vendre du sucre. — Passons.

Dans le commerce, d'ailleurs, nous constatons mille nuances de mépris. Et tout le monde vous dira que les maîtres de forges ou les verriers sont l'aristocratie de la fabrication. La fille d'un verrier n'épouserait pas sans déchoir un peu le fils d'un fabricant de drap ou de toile. Passons encore. Qui pourra convaincre un noble portant titre, un noble ruiné, ignorant comme un moine, incapable de tout travail, inutile à tout le monde, qu'il n'est pas d'une autre race que le reste des hommes?

Combien en connaissons-nous de ces hommes du monde à couronnes qui confondent dans le même mépris M. Renan, M. Pasteur, M. Berthelot, et tous les grands ouvriers scientifiques de notre époque, et qui tomberaient à la renverse si on leur disait sous le nez que l'inventeur du tire-bouchon à levier est infiniment plus respectable qu'eux, qu'il a droit à une considération plus grande, à un coup de chapeau plus bas, parce qu'il a fait œuvre utile de son esprit?

Y a-t-il quelque chose de plus drôle que le mépris furieux d'un dévot pour un athée — sinon le mépris frénétique d'un athée pour un dévot?

Pourtant il est possible que l'athée et le dévot s'unissent pour mépriser de toute la puissance de leurs convictions indémontrables, l'humble indifférent qui regarde les étoiles en murmurant : « Je ne sais pas — on ne saura jamais. — Entre la conception d'un Dieu médiocre qui répugne à ma raison et une négation absolue qui répugne à ma pensée, je m'abstiens. »

Le légitimiste d'hier méprisait l'orléaniste, qui méprisait le bonapartiste, qui méprisait le républicain. — Tandis que le bon républicain méprise indifféremment, d'un esprit haineux, le royaliste et l'impérialiste. Mais tous les hommes à convictions politiques se réuniront encore pour mépriser celui qui ne vote pas et qui déclare : « — Le gouvernement d'un seul est une monstruosité. — Le suffrage restreint est une injustice. — Le suffrage universel est une stupidité. »

**

Si nous passons au chapitre des respects, nous y découvrons une logique toute pareille.

On respecte l'Académie — n'en parlons plus.

On respecte l'autorité — mais l'autorité n'est instituée que pour imposer la loi. Or, je refuse de respecter le bâillon qu'on me met sur la bouche. Je crains la loi qui frappe les écrivains; je lui obéis, mais je ne la respecte pas. Si j'avais le malheur d'ouvrir une fois, rien qu'une fois, mais entièrement le robinet de mes pensées, de dire mon sentiment sur tout, mon opinion sur toutes les hypocrisies vénérées, sur toutes les bassesses et les infamies acceptées, glorifiées, saluées, je serais certain d'aller dormir sur la paille humide des cachots. — Non, l'autorité n'est pas respectable.

On respecte les cheveux blancs. — Pourquoi? Parce qu'ils sont blancs? En quoi la couleur d'une tête peut-elle modifier l'honorabilité de celui qui la porte? Qu'on respecte un vieillard respectable, rien de mieux, mais il me semble qu'un fripon ne s'innocente pas en vieillissant et que quatre-vingts ans de canaillerie ne méritent pas un salut plus profond que quarante ans seulement de gredinerie.

Que doit-on aux chauves?

On respecte la force armée. — Les conquérants. — Les grands généraux. — La puissance exterminatrice? — Autant respecter la petite vérole et le choléra.

On respecte les souverains. — Pourquoi? Est-ce parce qu'ils commettent impunément tous les crimes interdits au reste des hommes. — Ils font tuer, pour leur plaisir, dans des guerres stupides, des armées entières. — Ils ont des maîtresses à la face de leur nation. — Quelquefois même ils ont mieux. — Ils sont bigames ou trigames avec bénédiction du pape et approbation de notre sainte mère l'Eglise. Quand ils se grisent, ils sont bons vivants. Quand ils envoient crever en prison les suspects, ils sont fermes. Quand ils sont lâches, on les dit prudents. Quand ils sont stupides, on les suppose réfléchis! Et on les respecte toujours.

On respecte le peuple. — Pourquoi? Parce qu'il est ignorant, brutal, sauvage, grossier, féroce?

On respecte les morts. La religion des morts est même, dit-on, une des délicatesses de Paris. En d'autres pays plus logiques on les traite, au contraire, avec un extrême sans-gêne. Je comprends qu'une infâme crapule mérite un peu de considération à partir de l'instant où son âme de gueux s'évapore. Mais le contraire me paraît juste pour un brave homme. Du moment qu'il n'est plus qu'une charogne en putréfaction, on lui doit juste le même respect qu'aux fumiers.

Que ne respectons-nous pas encore?

— Le succès? Quels que soient les moyens, tandis qu'on devrait au contraire respecter les moyens quel que fût le succès.

Les traditions? C'est-à-dire la bêtise antique. L'ignorance séculaire de nos pères!

Et pour conclure : en France, entre le mépris irraisonné des uns et le respect religieux des autres, il n'y a jamais place pour le bon sens.

(*Gil Blas*, 10 mars 1885.)

FIN DE SAISON

Donc, on rentre à Paris.
— Qui ça?
— Les Parisiens, parbleu.
— Ah! vraiment! Les Parisiens étaient sortis de Paris?
— D'où sortez-vous, vous-même, monsieur, qui ignorez que les vrais Parisiens ne sont jamais à Paris. Ou plutôt ils y passent trois mois par an, avril, mai et juin. En juillet et en août, ils vont aux eaux des Pyrénées, de l'Auvergne ou de l'Allemagne. En septembre, octobre et novembre, ils chassent dans leurs terres. En décembre, ils traversent Paris pour acheter des costumes d'hiver, puis ils repartent bien vite pour la Méditerranée.

La Méditerranée, cela veut dire ce jardin incomparable qui commence à Hyères et qui finit à Menton, pour les Français. On y passe janvier, février et mars, et on part juste au moment où cette terre merveilleuse se met à fleurir. Les champs, oui les champs, les humbles champs sont pleins de fleurs sauvages plus belles que celles des serres. Des armées d'enfants les cueillent pour les vendre.

Les roses grimpent au sommet des arbres, et bientôt les citronniers et les orangers, ouvrant leurs grappes blanches, exhaleront un parfum si fort qu'il grise comme le vin. Leur odeur puissante et délicieuse emplira ce pays, le couvrira, l'endormira, le bercera; et chaque nuit les lucioles, ces mouches de feu, danseront sous les feuillages, dans l'air embaumé, mêlant, par milliers, leurs vols lumineux. On croirait assister à l'éclosion miraculeuse de larves d'étoiles qui s'exercent à voltiger pour monter dans le firmament.

Mais les Parisiens seront partis. Car les Parisiens s'en vont. La saison fut sans grand événement. On a cependant potiné pas mal — car on potine sur la côte — comme partout. Hyères est calme. Sa splendeur est passée. Plus loin dans les sauvages montagnes des Maures inexplorées jusqu'ici, de nouvelles stations se préparent. La grande plage de Cavalaire attend des acheteurs. Tout le long de l'admirable golfe de Grimaud les boulevards ouverts dans les forêts de sapins attendent des villas — Qui vivra verra.

Saint-Raphaël. — Ici tous les propriétaires sont médecins. Ils attendent leurs malades — qui ne viennent pas vite.

On traverse l'Esterel, voici Cannes, l'aristocrate, la ville des princes, des princesses et des duchesses. Calme comme une grande dame, elle fait fi du menu bourgeois qui semble d'ailleurs l'abandonner, car il n'y trouve ni casino, ni promenade fréquentée, ni distraction d'aucune sorte, le théâtre ouvrant sa porte une fois par mois environ. Repoussé par la société altière et fermée de la route de Fréjus, rebuté par la maladresse ignorante de l'autorité locale qui ne fait rien pour lui, le particulier qui cherche à s'amuser s'en va à Nice.

Le merveilleux jardin de M. Doguin montre ce qu'on pourrait obtenir, si on voulait, si on savait, si on avait un peu l'intelligence des choses vraiment intéressantes et utiles.

La grande distraction de Nice et de Cannes au moment du carnaval consiste en des batailles de fleurs. Rien de plus charmant que ce long défilé de voitures chargées de bouquets, au bord de la mer, et que cette lutte à coups de roses, de violettes, d'anémones, de résédas, de tubéreuses, de mimosas.

La chronique, cet hiver, s'est émue de la brusque disparition du prince de Galles, en plein carnaval, en pleine fête. Bien des histoires ont circulé sur ce départ inattendu. D'après les uns, qui paraissent sûrs de leurs renseignements, la police de Londres aurait prévenu celle de Nice qu'un attentat était préparé contre l'Altesse roulante et joyeuse. On a même fait circuler le texte de dépêches confidentielles de grands journaux anglais à leurs correspondants. Ces dépêches disaient : « Un crime horrible a été conçu. Il menace la vie de notre prince héritier. Si le ciel permettait qu'un pareil malheur arrivât, veuillez nous télégraphier immédiatement les circonstances. Nous vous envoyons ci-joint un modèle de dépêche. Vous n'aurez qu'à biffer les mots inutiles :

» S.A.R. le prince de Galles a été attaqué — blessé — assassiné — tantôt — rue... — au moment où il... — Le — ou les — meurtriers ont été — arrêtés — poursuivis — ou... ont échappé grâce à... etc. »

D'après d'autres personnes non moins bien informées, des hommes mal élevés auraient crié deux ou trois fois : « Khartoum! » sur le passage de ce futur monarque sans souci. Enfin, une troisième version circule, d'après laquelle Sa Majesté la reine, la sévère et austère historiographe de John Brown, aurait rappelé son fils, trouvant mauvais qu'il jetât des violettes aux dames de France au bord des eaux bleues de la Méditerranée, tandis que les Arabes infidèles jetaient dans les eaux du Nil les uniformes rouges des soldats anglais.

Quoi qu'il en soit, l'aimable prince est parti si vite que tout le monde a flairé un mystère.

A Nice la vie joyeuse est en permanence comme la guillotine aux jours de la Terreur. Il faut qu'on s'amuse, le jour ou la nuit, du matin au soir et du soir au matin. Et on s'amuse, bon gré mal gré, sans rire et sans plaisir, sans entraînement et sans conviction. On s'amuse parce qu'il faut s'amuser à Nice. C'est la patrie élégante et blanche des rastaquouères et des princesses russes, des pilleurs de bourse de tout sexe. En cette ville du moins on offre aux étrangers tous les plaisirs possibles. On y joue la comédie, l'opérette et l'opéra. Mme Pasca vient d'y obtenir un grand succès dans une reprise de *Séraphine*, l'œuvre magistrale de M. Victorien Sardou, dont l'auteur, qui habite Nice, a dirigé les répétitions.

Voici Villefranche où l'escadre est à l'ancre. Les lourds navires de fer, accroupis sur l'eau, semblent des monstres étranges poussés du fond de la mer.

Mais dans le port, derrière les jetées, on aperçoit trois bateaux minces, longs, peints en gris, pareils à des poissons flottants. Ce sont les torpilleurs, les petites bêtes qui mangeront les grosses. De temps en temps, on voit une voiture venue de Menton s'arrêter sur la route qui domine le golfe. Un jeune homme en descend, regarde longtemps les énormes bâtiments dans la rade et les étroits bateaux dans le port, et il prononce la phrase célèbre de Victor Hugo : « Ceci tuera cela. »

C'est M. Gabriel Charmes, l'éminent rédacteur des *Débats,* qui a abandonné l'Egypte anglaise pour la côte charmante du Midi français, et qui continue ses études si intéressantes sur le rôle de la torpille dans les guerres maritimes.

Voici Beaulieu, le bien nommé. Puis Monaco, Monte-Carlo, dont les noms sonnent comme des sacs d'écus. Admirables villes habitées par la plus odieuse population de la terre. Je parle de la population volante — sans jeu de mots ; — une cour des Miracles, une race de chiffonniers, un quartier peuplé de mendiants sont moins horribles que ce mélange de vieilles femmes à cabas, d'aventuriers et de gens du monde qui entourent les tables de jeu. On n'imagine point ce public interlope, étrange et répugnant.

Mais qu'il est admirable le vieux Monaco, sur son roc au pied de l'énorme montagne où l'on voit poindre, tout en haut, un fort français. Monte-Carlo n'est pas seulement la patrie de la roulette, c'est aussi celle de la musique. On y donne de magnifiques concerts, et on y rencontre tous les artistes du monde : voici Mme Nilsson qui cause avec M. Faure, voici Mme Heilbron, Mme Franck-Duvernoy qui vient d'être acclamée dans le premier acte d'*Hérodiade* chanté par elle en grande artiste.

Et là-bas c'est Menton, le point le plus chaud de la côte, le pays préféré des malades.

**

Donc les Parisiens quittent la Méditerranée et rentrent à Paris.

Mais alors quelles sont les gens qui peuplent Paris en l'absence des vrais Parisiens qui n'y sont jamais? Car la ville est toujours pleine, hiver comme été; et il serait bien difficile à un ignorant de dire si les Parisiens sont ou ne sont pas à Paris.

— Les gens qui restent, monsieur, sont les provinciaux de Paris.

— Ah! très bien, mais à quoi les reconnaît-on?

— On les reconnaît à leurs mœurs. Je veux dire que, ne quittant jamais une ville qu'il est de bon ton de quitter à certaines époques, ils vivent dedans comme des provinciaux encroûtés.

Je dois ajouter qu'il existe à Paris plusieurs sortes de provinciaux parisiens :

1° Ceux pour qui Paris constitue l'univers entier et qui ignorent Argenteuil autant que Londres ou Saint-Pétersbourg. Rien n'existe pour eux en dehors de ce qui se fait dans l'enceinte des fortifications. Ceux-là ne connaissent point d'autres arbres que ceux des boulevards, d'autres nouvelles que celles du boulevard, d'autre chemin de fer que celui de la Ceinture. Ils vivent une vie affairée, mouvementée, étroite et pressée. Ils sont toujours en retard de dix minutes en tout ce qu'ils font; ce qui les empêche de jamais penser longuement à des choses profondes, de jamais entreprendre un travail de grande étendue, de connaître autre chose que les besognes rapides, les plaisirs immédiats, les affaires urgentes de l'existence parisienne. Ils méprisent la province, les voyages, la mer, les bois, les peuples voisins, les mœurs des Anglais, des Allemands, des Russes et des Américains, ces provinciaux du trottoir parisien! Ils se moquent de ce qu'ils ne savent pas, de ce qu'ils ne comprennent pas, de ce qu'ils ne connaissent pas, persuadés d'avance que rien ne vaut leur intelligence harcelée par de menues occupations.

Ils se disent et se croient les Parisiens par excellence, les seuls spirituels des hommes, les seuls connaisseurs en art, les seuls dentistes de la terre.

Les deux pôles de leur préoccupation sont le journal — ou le théâtre. Ils se passionnent pour tout ce qu'on fait à Paris.

2° A côté d'eux vit le peuple innombrable des vrais provinciaux, enfermés dans Paris, comme on le serait dans une prison. Il se divise en tribus nombreuses : tribu des employés, tribu des fonctionnaires, tribu des commerçants, tribu du vieux faubourg. Ils vivent ceux-là entre eux, dans *leur société*. Ils voient leurs connaissances, leur monde, sans se douter que Paris, le vrai Paris est fait de cent mondes différents, et que chacun renferme des mystères étranges. Ils ne se doutent pas que le vrai Parisien, lui, connaît tous ces mondes, les aime et les fréquente, se trouve chez lui partout, parle avec chacun suivant sa langue et sa morale.

Les gens attardés de ce qu'on appelle encore le faubourg Saint-Germain — provinciaux.

La société des Ponts et Chaussées, par exemple, si particulière, fermée, vivant suivant des traditions, si préoccupée de hiérarchies et de convenances, monde honorable entre tous, mais morne et éteint, est-ce autre chose qu'un monde de province à Paris?

Chaque quartier a ses provinciaux différents chez qui on retrouve toujours les traits caractéristiques du provincial. Chaque rue est une province où on voisine, où on potine, où on complote, où on végète comme à Carpentras, où on ignore les choses importantes du jour, de la vraie vie du monde, le mouvement de la ville et des peuples voisins, l'activité de la pensée humaine en travail, les livres, les arts, la science.

Le vrai Parisien, au contraire, qui se trouve dans toutes les classes, dans toutes les professions, dans tous les milieux, ignore son voisinage, ne sait pas les noms des locataires de sa maison, mais connaît ceux de tous les gens célèbres, possède leur histoire et leurs œuvres, pénètre dans tous les salons, s'occupe et se préoccupe de toutes les manifestations de l'esprit, ne se perdrait pas plus dans Nice, dans Florence ou dans Londres que dans Paris. Il vit de la vie générale et non d'une vie cloîtrée comme le provincial. Il n'a guère de morale et guère de croyance, guère d'opinion et guère de religion, bien qu'il en montre par décence et par savoir-vivre; il s'intéresse à tout sans se passionner plus d'une semaine au plus. Son esprit est ouvert à tout, accepte tout, regarde tout, s'amuse de tout et se moque de tout après avoir un peu cru à tout.

(*Gil Blas,* 17 mars 1885.)

LA CHINE DES POÈTES

Allez au pays de Chine
Et sur ma table apportez
Le papier de paille fine
Plein de reflets argentés.

C'est ainsi que parle un poète qui adore la Chine : Louis Bouilhet.

Qu'est-ce au juste que la Chine, dont on parle tant en ce moment, la Chine de M. Ferry? Personne ne le sait, et le président du Conseil pas plus que moi.

Nous avons lu sur elle des livres singuliers, des récits bizarres. Nous nous sommes fatigué les yeux sur des cartes de géographie où sont écrits des milliers de noms invraisemblables, et puis nous avons rêvé. Alors dans un brouillard de songe qui ressemblait à une griserie d'opium, nous est apparu vaguement un immense pays, enfermé par une muraille sans fin, plein de tours de porcelaine, de poteries éclatantes et d'hommes étranges aux yeux longs, au teint jaune, portant au sommet de la tête une tresse de cheveux tombant jusqu'à terre. Il nous a semblé entendre des bruits de clochettes, des cris drôles ; nous nous sommes figuré cette humanité extravagante mangeant des nids sautés au beurre, et des grains de riz au moyen de baguettes de bois, comme feraient les clowns de cirque pour amuser le public.

Nous avons entrevu des dragons d'or sur des soieries

roses, toutes sortes de choses belles ou comiques, d'une fantaisie opulente et burlesque. Et nous avons cru avoir une idée de la Chine.

Or, nous ne savons rien d'elle. — Car il faut avoir vu une terre pour la connaître, une terre surtout si différente de la nôtre.

Nous avons lu les voyageurs. Ils ne nous ont rien enseigné de précis ; ils n'ont fait qu'égarer notre imagination en de confuses images.

Qu'est-ce que la Chine pourtant ?

Ouvrons les poètes et cherchons la Chine qu'ils ont inventée, eux, ces créateurs de régions idéales.

Nous sommes là-bas. — Regardons.

Le long du fleuve jaune, on ferait bien des lieues
Avant de rencontrer un mandarin pareil.
Il fume l'opium, au coucher du soleil,
Sur sa porte en treillis, dans sa pipe à fleurs bleues.

D'un tissu bigarré, son corps est revêtu ;
Son soulier brodé d'or semble un croissant de lune.
Dans sa barbe effilée il passe sa main brune
Et sourit doucement sous son bonnet pointu.

Les pêchers sont en fleur. Une brise légère
Des pavillons à jour fait trembler les grelots ;
La nue, à l'horizon, s'étale sur les flots,
Large et couleur de feu, comme un manteau de guerre.

Nous le connaissons maintenant Tou-Tsong, le lettré, aussi bien que si nous avions passé des heures à ses côtés, alors qu'il cause avec ses amis sous les lanternes peintes.

Mais voici que l'hiver est venu, l'hiver qui a emporté les fleurs des pêchers. Le même poète, Louis Bouilhet, va nous le montrer encore, le tranquille Chinois qu'il a deviné :

Au fond du cabinet de soie,
Dans le pavillon de l'étang,
Pi-pi, po-po le feu flamboie,
L'horloge dit : Ko-tang, Ko-tang.

Au-dehors, la neige est fleurie.
Et le long des sentiers étroits
Le vent qui souffle avec furie
Disperse au loin ses bouquets froids.

Sous le givre qui les pénètre,
Les noirs corbeaux, en manteau blanc,
Frappent du bec à ma fenêtre,
Qu'empourpre le foyer brûlant.

. . . .

Mais, au dos de ma tasse pleine,
Je vois s'épanouir encor
Dans leur jardin de porcelaine
Des marguerites au cœur d'or.

Parmi les fraîches impostures
Des vermillons et des orpins,
Sur le ciel verni des tentures
Voltigent des papillons peints.

Et mille souvenirs fidèles,
Sortant du fond de leur passé,
Comme de blanches hirondelles
Rasent tout bas mon seuil glacé.

La paix descend sur toute chose
Sans amour, sans haine et sans Dieu.
Mon esprit calme se repose
Dans l'équilibre du Milieu.

. . . .

Et nous le voyons, maintenant, fermant ses petits yeux minces, les jambes croisées sous lui, les mains croisées sur son ventre, le sage et prudent mandarin qui a gagné, il nous le dit :

> *Quatre rubis à sa ceinture,*
> *Un bouton d'or à son bonnet,*

et dont l'esprit que le sommeil soulève, suit sur le courant des âges.

> *La feuille rose des pêchers.*

Il a dans sa maison deux épouses. Un parfum de thé flotte dans l'air, mêlé à d'autres senteurs plus vives d'aromates brûlés en de mignons vases de cuivre. Sa tête se penche, son œil se clôt...

> *Cependant la nuit qui s'allonge*
> *Mystérieuse à l'horizon*
> *Dans le filet fleuri d'un songe*
> *Prend son âme comme un poisson.*

Il dort.

*
**

Dans la grande plaine où poussent des fleurs singulières s'élève un monument luisant, pointu, bizarre.

Il est haut comme une tour, percé de petites fenêres. Une tête apparaît dans une des étroites ouvertures. Théophile Gautier nous la montre aussi bien que si nous l'avions aperçue nous-mêmes :

> *Celle que j'aime à présent est en Chine.*
> *Elle demeure, avec ses vieux parents,*
> *Dans une tour de porcelaine fine,*
> *Au fleuve Jaune, où sont les cormorans.*
>
> *Elle a les yeux retroussés vers les tempes,*
> *Le pied petit à prendre dans la main,*
> *Le teint plus clair que le cuivre des lampes,*
> *Les ongles longs et rougis de carmin.*

Par son treillis elle passe la tête
Que l'hirondelle, en volant vient toucher;
Et chaque soir, aussi bien qu'un poète,
Chante le saule et la fleur du pêcher.

A quoi rêve-t-elle, la petite Chinoise qui regarde au loin dans la campagne? Louis Bouilhet va nous le dire:

La fleur Ing-Wha, petite et pourtant des plus belles,
N'ouvre qu'à Ching-tu-fu son calice odorant;
Et l'oiseau Tung-whang-fung est tout juste assez grand
Pour couvrir cette fleur en tendant ses deux ailes.

Et l'oiseau dit sa peine à la fleur qui sourit;
Et la fleur est de pourpre et l'oiseau lui ressemble;
Et l'on ne sait pas trop, quand on les voit ensemble,
Si c'est la fleur qui chante ou l'oiseau qui fleurit.

Et la fleur et l'oiseau sont nés à la même heure;
Et la même rosée avive chaque jour
Les deux époux vermeils gonflés du même amour.
Mais, quand la fleur est morte, il faut que l'oiseau meure!

Alors, sur ce rameau d'où son bonheur a fui,
On voit pencher sa tête et se faner sa plume.
Et plus d'un jeune cœur dont le désir s'allume
Voudrait, aimé comme elle, expirer comme lui!

Dans la chambre de la tour, derrière le paravent de soie, on voit sur la table de laque une petite lune grosse comme une monnaie ronde qui jette ses reflets de nacre dans l'eau d'une rivière pleine de joncs.

Et voici les grandes potiches reluisantes qui montrent sur leurs flancs

La glu d'émail où le soleil s'est pris.

Un dieu pareil aux menus dieux familiers des anciens veille sur la foule fragile des vases précieux.

Il est en Chine un petit dieu bizarre,
Dieu sans pagode et qu'on appelle Pu.

J'ai pris son nom dans un livre assez rare,
Qui le dit frais, souriant et trapu.

Il a son peuple au long des poteries,
Et règne en paix sur ces magots poupins
Qui vont cueillant des pivoines fleuries
Aux buissons bleus des paysages peints.

Il vient à l'heure où commencent les sommes,
Quand sous leurs toits les vivants sont couchés
Pour réjouir tous les petits bonshommes
Que le vernis tient au vase attachés.

Mais quittons la campagne et entrons dans Pékin. Un
bruit léger, argentin, passe dans l'air; un cri régulier
l'accompagne :

Hao! Hao! c'est le barbier
Qui secoue au vent sa sonnette;
Il porte au dos dans un panier
Ses rasoirs et sa savonnette.

Le nez camard, les yeux troussés,
Un sarrau bleu, des souliers jaunes,
Il trotte et fend les flots pressés
Des vieux bonzes quêteurs d'aumônes.

Au bruit de son bassin de fer,
Le barbier qui vient sur sa porte
Sent courir, le long de sa chair,
Une démangeaison plus forte.

Toute la rue est en suspens,
Et les mèches patriarcales
Se dressent comme des serpents
Qu'on agace avec des cymbales.

C'est en plein air, sous le ciel pur,
Que le barbier met sa boutique;
Les bons clients, au pied du mur,
Prennent une pose extatique.

142

Tous, d'un mouvement régulier,
Vont clignant leurs petits yeux louches.
Ils sont là comme un espalier
Sous le soleil et sous les mouches.
. . . .

Cependant, glissant sur la peau,
La lame où le jour étincelle
Court, plus rapide qu'un oiseau
Qui frôle l'onde avec son aile.

Et quand le crâne sans cheveux
Luit comme une boule d'ivoire,
Le maître, sur son doigt nerveux,
Tourne, au sommet, la houppe noire.

Chacun s'arrête. Le barbier
Sait mainte histoire inattendue.
Ni mandarin, ni bachelier,
N'a la langue aussi bien pendue.
. . . .

La foule trépigne à l'entour
Et, par instants, se pâmant d'aise,
Chaque auditeur, comme un tambour,
Frappe, à deux mains, son ventre obèse.

***

Voici plus loin un grand édifice mobile qu'on vient de
monter et qu'on démontera dans quelques heures. C'est
un théâtre.

La pièce qu'on y va jouer est simple. Depuis des siècles
elle ne varie guère. Les mandarins lettrés ne connaissent
pas les querelles des nouvelles écoles. Ils prennent toujours plaisir à ce qui amusait leurs pères. Et le public
ne demande point le luxe d'ornementation, la richesse de
mise en scène, la variété de décors que recherche avec tant
de soin M. Sardou, non sans raison.

Le centre de la salle qui correspond à notre parterre est
gratuit. Y vient qui veut.

La police de la porte est faite par des officiers de police

armés de fouets ; et quand la foule houleuse et compacte empêche d'approcher les litières des belles Chinoises de qualité, il suffit à l'homme de faire siffler sa souple lanière pour qu'un passage s'ouvre aussitôt.

Les pièces représentées ressemblent beaucoup à nos romans du Moyen Age. Des dames enfermées en des tours de porcelaine sont délivrées par des chevaliers qui se livrent d'effrayants combats ; et le mariage a lieu au milieu des tournois, des divertissements et des fêtes.

Le Chinois, en outre, adore la pantomime, ce genre charmant trop délaissé chez nous, et qui prend chez eux une importance considérable.

Les pantomimes chinoises sont remplies d'allégories philosophiques. En voici une.

— L'Océan, à force de rouler ses flots sur le rivage, devint amoureux de la Terre et, pour obtenir ses faveurs, lui offrit en don les richesses de son royaume.

Alors les spectateurs ravis voient sortir du fond des mers des dauphins, des phoques, des crabes monstrueux, des huîtres, des perles, du corail qui marche, des éponges, cent autres bêtes et cent autres choses qui suivent, en dansant un pas bien réglé, une immense et superbe baleine.

La Terre, de son côté, pour répondre à cette galanterie, offre ce qu'elle produit : des lions, des tigres, des éléphants, des aigles, des chèvres, des poules, des arbres de toute espèce ; et un ballet formidable commence, d'une gaieté folle et d'une fantaisie extravagante.

La baleine enfin s'avance vers le public en roulant des yeux, elle semble malade, bâille, ouvre la bouche... et lance sur le parterre un jet d'eau gros comme la source d'un fleuve, une trombe, une inondation.

Et le public trépigne, applaudit, crie : « Charmant, délicieux ! », ce qui, en chinois, s'exprime par « Hao ! Koung-Hao ! », paraît-il.

Les pièces historiques sont aussi très suivies.

Les trois unités que prescrivit Boileau n'y sont pas souvent respectées, car l'action parfois embrasse un siècle entier, ou même toute la durée d'une dynastie. L'auteur n'est point embarrassé pour conduire ses personnages d'un lieu dans un autre.

En voici, par exemple, qui doit entreprendre un long voyage. Comme on ne changera pas le décor, il faut user d'un autre procédé. L'acteur alors monte à cheval sur un bâton, prend un petit fouet, l'agite, fait deux ou trois fois le tour de la scène et chante un couplet pour indiquer quelle route il a parcourue. Puis il s'arrête, remet son bâton dans un coin, son fouet dans un autre, et reprend son rôle.

Les personnages parfois sont la lune et le soleil. Ils se racontent les événements de l'espace, les galanteries des étoiles, les amours vagabondes des comètes. Ils reçoivent de temps en temps la visite d'un prince de la terre qui vient regarder du ciel ce qui se passe en son empire, tandis que le tonnerre, un clown armé d'une double hache, saute, bondit, trépigne, se désarticule.

« Le jeu des acteurs chinois, écrit un voyageur, égale, s'il ne surpasse, le jeu des acteurs européens. Aucun de ceux-ci ne s'applique avec plus d'anxiété à imiter la nature dans toutes ses variations et ses nuances les plus fines et les plus délicates. »

Polichinelle existe en Chine depuis la plus haute antiquité, car rien n'est inconnu à cette singulière nation, demeurée stationnaire peut-être parce qu'elle a marché trop vite, et usé toute son énergie avant même que l'histoire commence pour nous.

(*Gil Blas*, 31 mars 1885.)

PHILOSOPHIE — POLITIQUE

Quand nous avons des accès de patriotisme, ils sont toujours intempestifs. Nous arrachons, un jour de fête nationale, le drapeau d'une nation voisine, et nous le lançons par la fenêtre, parce que cette nation fut en guerre avec nous voici quinze ans écoulés.

En quoi ce drapeau accroché à une fenêtre d'hôtel pouvait-il être blessant pour la France? Sa présence, au contraire, au milieu des couleurs des peuples amis, ne devrait-elle pas être considérée comme un hommage, comme une politesse?

Tout dernièrement encore, quand on enterra Jules Vallès, les socialistes allemands apportèrent leur couronne au cercueil de cet écrivain, pour dire : « Nous ne sommes pas plus allemands que français, nous; nous ne connaissons pas les haines stupides de peuple à peuple, nous ne connaissons pas les frontières qui rendent héroïque l'assassinat, l'égorgement glorieux s'il est pratiqué sur le voisin de gauche et infâme s'il est pratiqué sur le voisin de droite. »

Une meute de patriotes en fureur se jeta sur ces naïfs bien intentionnés qui eurent cependant la simplicité de défendre leur couronne et de la porter jusqu'au cimetière.

Mais il paraît que les susceptibilités de l'honneur national, si excitables quand il s'agit de la Prusse, n'existent plus vis-à-vis de la Chine. La dignité française s'émeut d'une galanterie allemande, mais trouve tout simple qu'on fasse la paix après la pitoyable déroute de notre armée au Tonkin.

On ne parle plus que de paix, le nouveau ministère futur est ravi avant d'être né; M. Grévy est ravi, les journaux sont ravis, la nation tout entière semble enchantée. On annonce la paix, on la proclame, on la célèbre; on se félicite, on se serre les mains.

Où sont donc les patriotes? Que font-ils? A quoi pensent-ils?

Il est honteux d'être vaincu par la Prusse, mais il est presque honorable d'être battu par la Chine!

Il est à craindre que notre attitude de battu satisfait, en face du peuple chinois redoutable de si loin, n'enhardisse à l'extrême nos proches voisins qui attendent une occasion pour agrandir leur territoire insuffisant.

Le président de la République a-t-il prévu une guerre possible avec le prince de Monaco ou la république d'Andorre? Est-il résolu à céder Nice au premier et Bordeaux à la seconde, ou prétend-il lutter contre les armées de ces puissances?

*_**

Et tout cela pour le Tonkin?

Il est donc écrit que nos colonies nous seront toujours fatales.

Les gens compétents s'écrient : « Quoi d'étonnant? Les Français ne sauront jamais coloniser. »

En y réfléchissant bien, j'arrive à croire tout simplement que nous ne savons pas choisir nos colonies. Nous prenons les rossignols, en nous étonnant qu'ils ne rapportent rien.

Si j'étais le gouvernement, comme disent tous ceux qui ont des idées sur la manière de sauver la France, je sais bien ce que je ferais. Je mettrais dans une valise toutes nos colonies, le Sénégal, le Gabon, la Tunisie, la Guyane, la Guadeloupe, la Cochinchine, le Congo, le Tonkin et le reste, et j'irais trouver M. de Bismarck. Je lui dirais : « Monsieur, vous cherchez des colonies, en voici un stock, un tas, un assortiment complet. Il y en a de toutes les sortes, de toutes les nuances. Elles sont habitées par des Arabes, des Nègres, des Indiens, des Chinois, des Annamites, etc. Je vous demande, pour chacune, un kilomètre d'Alsace et un kilomètre de Lorraine. »

Et si le chancelier allemand acceptait, je ferais certes une bonne affaire.

On s'étonne que le budget ne tienne jamais debout et que l'argent de la caisse publique coule comme l'eau d'une fontaine, et on ne réfléchit pas que nous entretenons des troupes et des fonctionnaires dans tous les pays stériles et inhabitables dont la fantaisie ignorante d'un ministre nous a fait prendre possession.

En MATIÈRE de colonisation, il est une loi qu'on devrait, semble-t-il, ne jamais oublier.

Il est inutile de s'emparer d'une terre que l'Européen n'a point peuplée, s'il a pu y accéder depuis longtemps.

La graine humaine pousse comme celle des plantes quand le sol est bon pour elle. L'Amérique n'est-elle pas un exemple décisif? L'Européen l'a envahie, couverte, d'un bout à l'autre. La puissance absorbante de la race blanche devient irrésistible dans les climats qui lui conviennent.

Mais toute tentative de colonisation reste vaine dans les régions où le Blanc ne trouve point les conditions d'air, de salubrité et d'existence qui lui sont indispensables.

Regardons l'Afrique.

L'Européen la connaît depuis le commencement des temps, et il n'a jamais pu s'y installer. Nous l'avons abordée par tous ses rivages, sans pouvoir y faire souche, y prendre racine comme nous avons fait en Amérique. Nous l'avons traversée sans parvenir même à l'explorer. Nous campons sur ses bords, nous n'entrons pas. A quoi nous servent le Sénégal et le Gabon? Sont-ce là des terres opulentes comme celles d'où nous viennent les blés qui tuent la culture française? Que ferons-nous au Congo, que ferons-nous à Tunis? Rien. Nous y dépenserons beaucoup d'argent, pour l'honneur, pour un honneur bien problématique.

Tout ministre a la turlutaine de donner des colonies à la patrie, sans distinguer les colonies utiles des colonies mineures. On envoie un explorateur, un militaire avide d'avancement, un voyageur avide de spéculation. Il fait un rapport en termes pompeux. On s'empare aussitôt du Tonkin, du Congo ou de Madagascar et on l'annonce à grand bruit. Cela fait vingt ou trente millions de plus à inscrire chaque année aux dépenses du budget.

**

A qui la faute? Aux ministres d'abord, et aux députés ensuite. Il n'est en ce moment, d'un bout à l'autre de la France, qu'un cri de colère et de mépris contre la servile majorité qui a suivi M. Ferry en toutes ses fantaisies funestes et qui l'a lâché ensuite en se lavant les mains à la façon de Ponce Pilate.

Cette exécution brutale du chef du pouvoir par ses amis ne contribuera pas peu au mouvement de plus en plus accentué de l'opinion publique, à cette sorte d'envahissement jusqu'au peuple de scepticisme et de dédain pour ses représentants.

Entrez dans les petits restaurants de Paris, dans ceux où mangent les travailleurs; les gens qui causent se moquent de leurs élus, parlent d'eux comme ils feraient de bonnes ganaches amusantes.

Les cochers de fiacre, devant le kiosque de la station, à côté du sergent de ville qui pointe leurs numéros, plaisantent agréablement les délégués populaires.

Dans un salon, lorsqu'on voit entrer quelque monsieur ignoré et qu'on demande : « Qui est celui-là? » si on vous répond : « C'est un député », une vague pitié vous envahit.

La Chambre donne tellement à rire et à s'indigner, offre tant de raisons de la blâmer, de la blaguer, de la bafouer, ses maladresses sont tellement visibles, ses emballements tellement grotesques que le métier de député devient une profession comique qui inspirera bientôt un doux mépris aux petits enfants eux-mêmes.

Et pourtant on rencontre parmi les représentants du pays beaucoup d'hommes distingués, instruits et intelligents, mais ils n'ont pas d'esprit d'ensemble, car il faut une grande pratique de la politique à une assemblée quelconque pour qu'elle devienne intelligente en masse.

Les qualités d'initiative intellectuelle, de libre arbitre, de réflexion sage et même de pénétration de tout homme supérieur isolé, disparaissent en général dès que cet homme est mêlé à un grand nombre d'autres hommes.

Voici un passage d'une lettre de lord Chesterfield à son fils (1751), qui constate avec une rare humilité cette subite élimination des qualités actives de l'esprit dans toute nombreuse réunion.

« Lord Macclesfield qui a eu la plus grande part dans la préparation du bill, et qui est l'un des plus grands mathématiciens et astronomes de l'Angleterre, parla ensuite, avec une connaissance approfondie de la question, et avec toute la clarté qu'une matière aussi embrouillée pouvait comporter. Mais comme ses mots, ses périodes et son élocution étaient loin de valoir les miens, la préférence me fut donnée à l'unanimité, bien injustement, je l'avoue.

» Ce sera toujours ainsi. Toute assemblée nombreuse est *foule;* quelles que soient les individualités qui la composent, il ne faut jamais tenir à une foule le langage de la raison pure. C'est seulement à ses passions, à ses sentiments et à ses intérêts apparents qu'il faut s'adresser.

» Une collectivité d'individus n'a plus de faculté de compréhension, etc... »

Cette profonde observation de lord Chesterfield, observation faite souvent d'ailleurs et notée avec intérêt par les philosophes de l'école scientifique, allemands et anglais, constitue un des arguments les plus sérieux contre les gouvernements représentatifs.

Le même phénomène, phénomène surprenant, se produit chaque fois qu'un grand nombre d'hommes est réuni. Toutes ces personnes, côte à côte, distinctes, différentes d'esprit, d'intelligence, de passions, d'éducation, de croyances, de préjugés, tout à coup, par le seul fait de leur réunion, forment un être spécial, doué d'une âme propre, d'une manière de penser nouvelle, commune, et qui ne semble nullement formée de la moyenne des opinions individuelles. C'est une foule, et cette foule est quelqu'un, un vaste individu collectif, aussi distinct d'une autre foule qu'un homme est distinct d'un autre homme.

Un dicton populaire affirme que « la foule ne raisonne pas ». Or pourquoi la foule ne raisonne-t-elle pas, du moment que chaque particulier dans la foule raisonne? Pourquoi une foule fera-t-elle spontanément ce qu'aucune des unités de cette foule n'aurait fait? Pourquoi une foule a-t-elle des impulsions irrésistibles, des volontés féroces, des entraînements stupides que rien n'arrête, et emportée par ces entraînements irréfléchis accomplit-elle des actes qu'aucun des individus qui la composent n'accomplirait?

Dans une foule un inconnu jette un cri, et voilà qu'une sorte de frénésie s'empare de tous, et tous, d'un même élan auquel personne n'essaye de résister, emportés par une même pensée qui instantanément leur devient commune, malgré les castes, les opinions, les croyances, les mœurs différentes, se précipiteront sur un homme, le massacreront et le noyeront sans raison, presque sans prétexte, alors que chacun, s'il eût été seul, se serait précipité, au risque de sa vie, pour sauver celui qu'il tue.

Et le soir, chacun rentré chez soi, se demandera quelle rage, quelle folie l'ont saisi, l'ont jeté brusquement hors de sa nature et de son caractère, comment il a pu céder à cette impulsion féroce?

C'est qu'il avait cessé d'être un homme pour faire partie d'une foule. Sa volonté individuelle s'était mêlée à la volonté commune comme une goutte d'eau se mêle à une fleur.

Sa personnalité avait disparu, devenant une infime parcelle d'une vaste et étrange personnalité, celle de la foule. Les paniques qui saisissent une armée et ces ouragans d'opinions qui entraînent un peuple entier, et la folie des danses macabres, ne sont-ils pas encore des exemples saisissants de ce même phénomène?

En somme, il n'est pas plus étonnant de voir les

individus réunis former un tout que de voir des molécules rapprochées former un corps.

Et voilà pourquoi votre fille est muette. C'est-à-dire : voilà pourquoi la majorité dont les votes répétés nous ont jetés dans l'aventure de Chine a noyé férocement celui qui n'avait pu commettre tant de maladresses que grâce à l'approbation du Parlement.

(*Gil Blas*, 7 avril 1885.)

VENISE

Venise! Est-il une ville qui ait été plus admirée, plus célébrée, plus chantée par les poètes, plus désirée par les amoureux, plus visitée et plus illustre?

Venise! Est-il un nom dans les langues humaines qui ait fait rêver plus que celui-là? Il est joli, d'ailleurs, sonore et doux : il évoque d'un seul coup dans l'esprit un éclatant défilé de souvenirs magnifiques et tout un horizon de songes enchanteurs.

Venise! Ce seul mot semble faire éclater dans l'âme une exaltation, il excite tout ce qu'il y a de poétique en nous, il provoque toutes nos facultés d'admiration. Et quand nous arrivons dans cette ville singulière, nous la contemplons infailliblement avec des yeux prévenus et ravis, nous la regardons avec nos rêves.

Car il est presque impossible à l'homme qui va par le monde de ne pas mêler son imagination à la vision des réalités. On accuse les voyageurs de mentir et de tromper ceux qui les lisent. Non, ils ne mentent pas, mais ils voient avec leur pensée bien plus qu'avec leur regard. Il suffit d'un roman qui nous a charmés, de vingt vers qui nous ont émus, d'un récit qui nous a captivés pour nous préparer au lyrisme spécial des coureurs de route, et quand nous sommes ainsi excités, de loin, par le désir d'un pays, il nous séduit irrésistiblement. Aucun coin de la terre n'a donné lieu, plus que Venise, à cette conspiration de l'enthousiasme. Lorsque nous pénétrons pour la première fois dans la lagune tant vantée il est presque impossible de réagir contre notre sentiment anticipé, de subir une désillusion. L'homme qui a lu, qui a rêvé, qui sait l'histoire de la cité où il entre, qui est pénétré par toutes les opinions de ceux qui l'ont précédé, emporte avec lui ses impressions presque toutes faites ; il sait ce qu'il doit aimer, ce qu'il doit mépriser, ce qu'il doit admirer.

Le train traverse d'abord une plaine, criblée de flaques d'eau bizarres. On dirait une sorte de carte de géographie, avec les océans et les continents ; puis le sol disparaît peu à peu ; le convoi court, sur un talus d'abord et bientôt il s'élance sur un pont démesuré jeté dans la mer et qui s'en va vers la ville aperçue là-bas, élevant ses clochers et ses monuments au-dessus de la nappe immobile et illimitée des eaux. Quelques îlots portant des fermes apparaissent de temps en temps, à droite ou à gauche.

Nous entrons en gare. Des gondoles attendent le long du quai. Longue, mince et noire, dressant les pointes de ses extrémités et portant à l'avant une proue étrange et jolie, en acier luisant, la fine gondole mérite sa gloire. Un homme, debout derrière les voyageurs, la gouverne avec une seule rame que porte et que soutient une sorte de bras en bois tordu, fixé sur le bord droit de l'embarcation. Elle a un air coquet et sévère, amoureux et guerrier, et elle berce d'une façon délicieuse le promeneur étendu sur une sorte de chaise longue. La douceur de ce siège, le balancement exquis de ces barques, leur allure vive et calme, nous donnent une inattendue et adorable sensation. On ne fait rien et on va, on se repose et on voit, on est caressé par ce mouvement, caressé dans l'esprit et dans la chair, pénétré par une subite et continue jouissance physique et par un profond bien-être de l'âme. Quand il pleut, on ajuste au milieu de ces embarcations une petite chambre en bois sculpté, orné de cuivres, et couverte de drap noir. Les gondoles alors glissent, impénétrables, sombres et closes, cercueils flottants vêtus de crêpe. Elles semblent porter des mystères de mort ou d'amour, et elles montrent parfois une jolie figure de femme derrière leur étroite fenêtre.

Nous descendons le grand canal. On est surpris d'abord par l'aspect de cette ville dont les rues sont des rivières... des rivières ou plutôt des égouts à ciel ouvert.

C'est là vraiment l'impression que donne Venise après le premier étonnement passé. Il semble que des ingénieurs facétieux aient fait sauter la voûte de maçonnerie et de pavés qui recouvre ces courants d'eaux malpropres dans toutes les autres villes du monde, pour forcer les habitants à naviguer sur leurs égouts.

Et cependant quelques-uns de ces canaux, les plus étroits, sont parfois délicieusement bizarres. Les vieilles maisons rongées par la misère y reflètent leurs murailles déteintes et noircies, y trempent leurs pieds sales et crevassés, comme des pauvres en guenilles qui se laveraient dans des ruisseaux. Les ponts de pierre enjambent cette eau et renversant dedans leur image l'encadrent d'une double voûte dont l'une est fausse et l'autre vraie. On a rêvé une vaste cité aux immenses palais, tant est grande la renommée de cette antique reine des mers. On s'étonne que tout soit petit, petit, petit! Venise n'est qu'un bibelot, un vieux bibelot d'art charmant, pauvre, ruiné, mais fier d'une belle fierté de gloire ancienne.

Tout semble en ruine, tout semble sur le point de s'écrouler dans cette eau qui porte une ville usée. Les palais ont des façades ravagées par le temps, tachées par l'humidité, mangées par la lèpre qui détruit les pierres et les marbres. Quelques-uns sont vaguement inclinés sur le côté, prêts à tomber, fatigués de rester depuis si longtemps debout sur leurs pilotis. Tout à coup l'horizon grandit, la lagune s'élargit; là-bas, à droite, apparaissent des îles couvertes de maisons, et, à gauche, un admirable monument de style mauresque, une merveille de grâce orientale et d'élégance imposante, c'est le palais des Doges.

Je ne raconterai pas Venise dont tout le monde a parlé. La place Saint-Marc ressemble à celle du Palais-Royal, la façade de cette église a l'air d'une devanture de café-concert en carton-pâte, mais l'intérieur est tout ce qu'on peut concevoir de plus absolument beau. La pénétrante harmonie des lignes et des tons, les reflets des vieilles mosaïques d'or aux lueurs adoucies, au milieu des marbres sévères, les merveilleuses proportions des voûtes et des lointains, un je-ne-sais-quoi de divinement trouvé dans l'ensemble, dans l'entrée calme du jour qui devient religieux autour de ces piliers, dans la sensation jetée à l'esprit par les yeux, font de Saint-Marc la chose la plus complètement admirable qui soit au monde.

Mais en contemplant cet incomparable chef-d'œuvre de l'art byzantin, on se met à songer en le comparant à un autre monument religieux, sans égal lui aussi, si différent pourtant, chef-d'œuvre de l'art gothique, bâti encore au milieu des flots gris des mers du Nord, à ce bijou monstrueux de granit qui se dresse tout seul dans l'immense baie du Mont-Saint-Michel.

Ce qui fait Venise absolument sans égale, c'est la Peinture. Elle fut la patrie, la mère de quelques maîtres de premier ordre qu'on ne peut connaître que dans ses musées, ses églises et ses palais. Le Titien, Paul Véronèse ne se révèlent vraiment qu'à Venise dans leur splendeur géniale. Ceux-là, du moins, possèdent la gloire dans toute sa puissance et toute son étendue. Il en est d'autres que nous ignorons trop en France et qui atteignent presque la valeur de ces artistes, tels Carpaccio et surtout Tiepolo, le premier des plafonniers passés, présents et futurs. Personne comme lui n'a su répandre sur un mur la grâce des lignes humaines, la séduction des nuances qui grisent sensuellement le regard, et le charme des choses rêvées dans cette sorte d'ivresse étrange que l'art communique à l'esprit. Elégant et coquet comme Watteau ou Boucher, Tiepolo possède surtout un admirable et invincible pouvoir de charmer. On peut en admirer d'autres plus que lui, d'une admiration raisonnée, mais on le subit plus que personne. L'ingéniosité de ses compositions, l'imprévu puissant et joli de son dessin, la variété de son ornementation, la fraîcheur inaltérable et unique de son coloris font naître en nous un besoin singulier de vivre toujours sous un de ces plafonds inestimables qu'orna sa main.

Le palais Labbia, une ruine, montre peut-être la plus admirable chose qu'ait laissée ce grand artiste. Il a peint une salle entière, une salle immense. Il a tout fait, le plafond, les murailles, la décoration et l'architecture, avec son pinceau. Le sujet, l'histoire de Cléopâtre, une Cléopâtre vénitienne du XVIIIe siècle, se continue sur les quatre faces de l'appartement, passe à travers les portes, sous les marbres, derrière les colonnes imitées. Les personnages sont assis sur les corniches, appuient leurs bras ou leurs pieds sur les ornementations, peuplent ce lieu de leur foule charmante et colorée. Le palais qui contient ce chef-d'œuvre est à vendre, dit-on! Comme on vivrait là-dedans!

(*Gil Blas,* 5 mai 1885.)

157

ISCHIA

Naples s'éveille sous un éclatant soleil. Elle s'éveille tard, comme une belle fille du Midi endormie sous un ciel chaud. Par ses rues, où jamais on ne voit un balayeur, où toutes les poussières, faites de tous les débris, de tous les restes des nourritures mangées au grand jour, sèment dans l'air toutes les odeurs, commence à grouiller la population remuante, gesticulante, criante, toujours excitée, toujours enfiévrée, qui rend unique cette ville si gaie. Le long des quais, les femmes, les filles, vêtues de robes roses ou vertes, dont le bas grisâtre est limé par le frottement des trottoirs, la gorge enveloppée de foulards rouges, bleus, de toutes les couleurs les plus vives, les plus criardes et les plus inattendues, appellent le passant pour lui offrir des huîtres fraîches, des oursins, tous les fruits de la mer comme on dit (*frutti di mare*), ou des boissons de toute nature, ou des oranges, des nèfles du Japon, des cerises, les fruits de la terre. Elles piaillent, s'agitent, lèvent les bras, et leurs visages aux plis mobiles expriment dans une mimique amusante et naïve les qualités des choses qu'elles vous proposent.

Les hommes, en guenilles, vêtus d'innommables loques, causent avec furie ou bien sommeillent sur le granit chaud du port. Des gamins, pieds nus, nous suivent en poussant le cri national : « Macaroni »; et les cochers qui vous voient passer lancent sur vous leurs chevaux comme s'ils voulaient vous écraser, en faisant claquer leurs fouets de toute leur force. Ils hurlent : « Un bon voiture, mousieu », et, après dix minutes de marchandage, ils consentent à faire pour dix sous une promenade pour laquelle ils avaient demandé cinq francs. Les petites voitures à deux places vont comme le vent, font briller au soleil le cuivre coquet dont le harnais est couvert; et le cheval, qui n'a point de mors, mais dont les naseaux sont étreints par les deux grandes branches d'une sorte de levier, galope, bat la terre du pied, piaffe, fait semblant de s'emporter, de se fâcher, de vouloir vous briser contre les murs, car il est exubérant, paradeur et bon enfant, comme son maître. Les bêtes qui traînent des charrettes, ou toute voiture de service, portent sur le dos un vrai monument de cuivre, une selle géante à trois sommets, avec sonnettes, girouettes, ornements de toute espèce qui font penser aux baraques des bateleurs, aux mosquées d'Orient, aux pompes d'église et de foire. Cela est joli, vaniteux, amusant, clinquant, un peu mauresque, un peu byzantin, un peu gothique, et tout à fait napolitain.

Et là-bas, dominant la ville, la mer, les plaines et les montagnes, le cône immense du Vésuve, de l'autre côté de la baie, souffle d'une façon lente et continue sa lourde fumée de soufre, qui monte tout droit, comme un panache énorme, sur sa tête pointue, puis se répand par tout le ciel bleu qu'il voile d'une brume éternelle.

Mais un affreux petit vapeur dépeint, avec des nuances de torchon sale, siffle coup sur coup pour appeler les voyageurs qui veulent visiter les tristes ruines d'Ischia. Il part lentement, car il lui faudra trois heures et demie pour accomplir cette courte traversée, et son pont, qui ne doit être lavé que par l'eau des pluies, est certainement plus malpropre que le pavé poudreux des rues.

On suit la côte de Naples couverte de maisons. On passe devant le tombeau de Virgile. Là-bas, en face, de l'autre côté du golfe, Caprée lève sa double croupe rocheuse au-dessus de la mer bleue. Le bateau s'arrête à Procida. La petite cité est jolie, dégringolant en cascade sur la montagne. On se remet en route.

Enfin, voici Ischia. Un château bizarre, perché sur un roc, forme la pointe de l'île et domine la ville avec qui il communique par une longue digue.

Ischia a peu souffert; on ne voit aucune trace de la catastrophe qui ruina pour toujours peut-être sa voisine. Le bateau repart pour ce qui fut Casamicciola. Il suit la rive qui est charmante. Elle s'élève doucement, couverte de verdure, de jardins, de vignes, jusqu'au sommet d'une grande côte. Un ancien cratère, qui fut ensuite un lac, forme maintenant un port où les navires se mettent à l'abri. Le sol que la mer baigne a le brun foncé des laves, toute cette île n'étant qu'une écume volcanique.

La montagne s'élève, devient énorme, se déroulant comme un immense tapis de verdure douce. Au pied de ce grand mont on aperçoit des ruines, des maisons écroulées, pendues, entrouvertes, des maisons roses d'Italie.

C'est ici. L'entrée dans cette ville morte est effrayante. On n'a rien refait, rien réparé, rien. C'est fini. On a seulement changé de place les décombres pour chercher les morts. Les murs éboulés dans les rues y forment des vagues de débris; ce qui reste debout est crevassé de toutes parts; les toits sont tombés dans les caves. On regarde avec terreur dans ces trous noirs, car il y a encore des hommes là-dessous. On ne les a pas tous retrouvés. On va dans cette horrible ruine qui serre le cœur, on passe de maison en maison, on enjambe des tas de maçonnerie émiettée dans les jardins qui ont refleuri, libres, tranquilles, admirables, pleins de roses. Un parfum de fleurs flotte dans cette misère. Des enfants qui errent par cette étrange Pompéi moderne, par cette Pompéi qui semble saignante, à côté de l'autre momifiée par les cendres, des enfants, des orphelins mutilés, qui montrent les cicatrices affreuses de leurs petites jambes écrasées, vous offrent des bouquets cueillis sur cette tombe, dans ce cimetière qui fut une ville, et demandent l'aumône en racontant la mort de leurs parents.

Un garçon de vingt ans nous guide. Il a perdu tous les siens et il est demeuré lui-même deux jours enseveli sous les murs de son logis. Si les secours étaient venus plus tôt, dit-il, on aurait pu sauver deux mille personnes de plus. Mais les soldats ne sont arrivés que le troisième jour.

Le nombre des morts fut de quatre mille cinq cents environ. Il était à peu près dix heures un quart du soir quand la première secousse eut lieu. Le sol s'est soulevé, affirment les habitants, comme s'il allait sauter en l'air. En moins de cinq minutes la ville fut par terre. Le même phénomène se reproduisit, assure-t-on, les deux jours suivants, à la même heure, mais il ne restait plus rien à détruire.

Voici le grand hôtel des Etrangers, qui ne montre plus que ses murs rouges, déteints et pâlis, gardant encore son nom écrit en lettres noires. Cinquante-cinq personnes furent ensevelies dans la salle de bal, en pleine fête, jeunes filles et jeunes hommes, écrasés en dansant, enlacés, unis ainsi par la surprise de cette mort foudroyante, dans un mariage étrange et brutal qui mêla leurs chairs broyées.

Plus loin, on trouva quarante cadavres, ici vingt, là six seulement, dans une cave. Le théâtre étant construit en bois, les spectateurs furent épargnés. Voici les bains : trois grands établissements écroulés, où s'agitent toujours, au milieu des machines élévatoires disloquées, les sources chaudes venues du foyer souterrain, si proche qu'on ne peut plonger le doigt dans cette eau bouillante. La femme qui garde ces ruines perdit son mari et ses quatre filles sous les murs de la maison. Comment peut-elle vivre encore?

Dans les débris de l'hôtel du Vésuve on retrouva cent cinquante cadavres; sous les ruines de l'hôpital, dix enfants; ici un évêque, là une famille très riche disparue tout entière en quelques secondes.

Nous montons et nous redescendons les rues en dos d'âne, car la ville était bâtie sur une suite de mamelons pareils à des vagues de terre. Et chaque fois que nous atteignons une hauteur, nous découvrons un large et superbe paysage. En face, la mer calme et bleue; là-bas, dans une brume légère, la côte d'Italie, la côte classique aux rochers corrects; le cap Misène la termine au loin, tout au loin. Puis, à droite, entre deux monticules, on

161

aperçoit toujours la tête fumante et pointue du Vésuve. Il semble être le maître menaçant de toute cette côte, de toute cette mer, de toutes ces îles qu'il domine. Son panache s'en va lentement vers le centre de l'Italie, traversant le ciel d'une ligne presque droite qui se perd à l'horizon.

Puis, autour de nous, derrière nous, jusqu'au sommet de la côte, des vignes, des jardins, des vignes fraîches d'un vert si tendre, si doux! La pensée de Virgile vous envahit, vous possède, vous obsède. Voilà bien la terre charmante qu'il aima, qu'il chanta, la terre où ont germé ses vers, ces fleurs du génie. De son tombeau, qui domine Naples, on voit Ischia.

Nous sortons enfin des ruines et voici la ville nouvelle où s'est réfugiée ce qui reste des habitants. C'est une pauvre cité de planches, une suite de cabanes en bois, de baraquements misérables. Cela rappelle les ambulances ou les installations hâtives des premiers colons débarqués sur une terre neuve. Dans tous les passages qui servent de rues entre ces cases, on voit grouiller beaucoup d'enfants.

Mais l'affreux petit vapeur nous appelle à coups de sifflet; nous repartons pour rentrer dans Naples à la nuit tombante. C'est l'heure où les équipages vont quitter la promenade élégante de la Chiaia.

Elle s'étend, le long de la mer, bordée de l'autre côté par les hôtels riches et par un beau jardin plein d'arbres fleuris. Quatre lignes de voitures s'y croisent, s'y mêlent, comme au bois de Boulogne dans ses beaux jours, avec moins de luxe sérieux, mais avec plus de clinquant, de pétulance méridionale. Les chevaux ont toujours l'air de s'emporter, les cochers des fiacres et des corricoles à deux roues font toujours claquer leurs fouets. De fort jolies femmes brunes se saluent avec une grâce sérieuse de mondaines, des cavaliers caracolent, des gommeux napolitains, debout sur le trottoir, regardent le défilé et jettent des coups de chapeau aux dames souriantes des équipages.

Puis soudain tout se débande; la foule des voitures s'élance vers la ville comme si une barrière qui les arrêtait s'était rompue tout à coup. Tous les chevaux galopent, luttant de vitesse, excités par les cochers, soulevant des flots de poussière, de cette poussière aux mille odeurs, si spéciale à Naples.

C'est fini, la promenade est vide. Les étoiles paraissent peu à peu dans l'espace obscurci. Virgile a dit :

Majoresque cadunt altis de montibus umbrae.

Mais là-bas, un phare colossal s'allume, au milieu du ciel, un phare étrange qui jette de moment en moment des lueurs sanglantes ; de grandes gerbes de clarté rouge s'élancent en l'air et retombent comme une écume de feu. C'est le Vésuve. Les orchestres ambulants commencent à jouer sous les fenêtres des hôtels. La ville s'emplit de musique. Et des hommes, qu'on prendrait ailleurs pour d'honnêtes bourgeois, tant leur tenue est correcte, vous poursuivent en vous proposant les plus bizarres divertissements. Et si vous passez avec indifférence, ils multiplient à l'infini leurs offres aussi singulières que répugnantes. Vous vous efforcez de les fuir ; alors ils cherchent par quels appas invraisemblables ils éveilleront votre désir. L'arche de Noé contenait moins d'animaux qu'ils n'ont de propositions. Leur imagination s'enflamme par la difficulté de la victoire ; et ces Tartarins du vice, ne connaissant plus d'obstacle, vous offriraient le volcan lui-même, pour peu qu'on parût le désirer.

(*Gil Blas*, 12 mai 1885.)

AUX CRITIQUES DE « BEL-AMI »

UNE RÉPONSE

Nous recevons de notre collaborateur. Guy de Maupassant, la lettre suivante, que nous nous empressons de publier :

Rome, 1er juin 1885.

Mon cher Rédacteur en chef,

Au retour d'une très longue excursion qui m'a mis fort en retard avec le *Gil Blas,* je trouve à Rome une quantité de journaux dont les appréciations sur mon roman *Bel-Ami* me surprennent autant qu'elles m'affligent.

J'avais déjà reçu à Catane un article de Montjoyeux, à qui j'ai écrit aussitôt. Il me semble nécessaire de donner quelques explications dans le journal même où a paru mon feuilleton. Je ne m'attendais guère, je l'avoue, à être obligé de raconter mes intentions, qui ont été fort bien comprises, il est vrai, par quelques confrères moins susceptibles que les autres.

Donc les journalistes, dont on peut dire comme on disait jadis des poètes : *Irritabile genus,* supposent que j'ai voulu peindre la Presse contemporaine tout entière, et généraliser de telle sorte que tous les journaux fussent fondus dans *La Vie française,* et tous leurs rédacteurs dans les trois ou quatre personnages que j'ai mis en mouvement. Il me semble pourtant qu'il n'y avait pas moyen de se méprendre, en réfléchissant un peu.

J'ai voulu simplement raconter la vie d'un aventurier pareil à tous ceux que nous coudoyons chaque jour dans Paris, et qu'on rencontre dans toutes les professions existantes.

Est-il, en réalité, journaliste? Non. Je le prends au moment où il va se faire écuyer dans un manège. Ce n'est donc pas la vocation qui l'a poussé. J'ai soin de dire qu'il ne sait rien, qu'il est simplement affamé d'argent et privé de conscience. Je montre dès les premières lignes qu'on a devant soi une graine de gredin, qui va pousser dans le terrain où elle tombera. Ce terrain est un journal. Pourquoi ce choix, dira-t-on? Pourquoi? Parce que ce milieu m'était plus favorable que tout autre pour montrer nettement les étapes de mon personnage; et aussi parce que le journal mène à tout comme on l'a souvent répété. Dans une autre profession, il fallait des connaissances spéciales, des préparations plus longues. Les portes pour entrer sont plus fermées, celles pour sortir sont moins nombreuses. La Presse est une sorte d'immense république qui s'étend de tous les côtés, où on trouve de tout, où on peut tout faire, où il est aussi facile d'être un fort honnête homme que d'être un fripon. Donc, mon homme, entrant dans le journalisme, pouvait employer facilement les moyens spéciaux qu'il devait prendre pour parvenir.

Il n'a aucun talent. C'est par les femmes seules qu'il arrive. Devient-il journaliste, au moins? Non. Il traverse toutes les spécialités du journal sans s'arrêter, car il monte à la fortune sans s'attarder sur les marches. Il débute comme reporter, et il passe. Or, en général, dans la Presse, comme ailleurs, on se cantonne dans un coin, et les reporters, nés avec cette vocation, restent souvent reporters toute leur vie. On en cite devenus célèbres. Beaucoup sont de braves gens, mariés, qui font cela comme ils seraient employés dans un ministère. Duroy devient le chef des Echos : autre spécialité fort difficile et qui garde aussi ses gens quand ils y sont passés maîtres.

Les Echos font souvent la fortune d'un journal, et on connaît dans Paris quelques échotiers dont la plume est aussi enviée que celle d'écrivains connus. De là Bel-Ami arrive rapidement à la chronique politique. J'espère, au moins, qu'on ne m'accusera pas d'avoir visé MM. J.-J. Weiss ou John Lemoinne? Mais comment me suspecterait-on d'avoir visé quelqu'un?

Les rédacteurs politiques, plus que tous les autres, peut-être, sont des gens sédentaires et graves qui ne changent ni de profession, ni de feuille. Ils font toute leur vie le même article; selon leur opinion, avec plus ou moins de fantaisie, de variété et de talent dans la forme. Et quand ils changent d'opinion, ils ne font que changer de journal. Or, il est bien évident que mon aventurier marche vers la politique militante, vers la députation, vers une autre vie et d'autres événements. Et s'il est arrivé par la pratique, à une certaine souplesse de plume, il n'en devient pas pour cela un écrivain, ni un véritable journaliste. C'est aux femmes qu'il devra son avenir. Le titre : *Bel-Ami,* ne l'indique-t-il pas assez?

Donc, devenu journaliste par hasard, par le hasard d'une rencontre, au moment où il allait se faire écuyer, il s'est servi de la Presse comme un voleur se sert d'une échelle. S'ensuit-il que d'honnêtes gens ne peuvent employer la même échelle? Mais j'arrive à un autre reproche. On semble croire que j'ai voulu dans le journal que j'ai inventé, *La Vie française,* faire la critique ou plutôt le procès de toute la presse parisienne. Si j'avais choisi pour cadre un grand journal, un vrai journal, ceux qui se fâchent auraient absolument raison contre moi; mais j'ai eu soin, au contraire, de prendre une de ces feuilles interlopes, sorte d'agence d'une bande de tripoteurs politiques et d'écumeurs de bourses, comme il en existe quelques-uns, malheureusement. J'ai eu soin de la qualifier à tout moment, de n'y placer en réalité que deux journalistes, Norbert de Varenne et Jacques Rival, qui apportent simplement leur copie, et demeurent en dehors de toutes les spéculations de la maison.

Voulant analyser une crapule, je l'ai développée dans

un milieu digne d'elle afin de donner plus de relief à ce personnage. J'avais ce droit absolu comme j'aurais eu celui de prendre le plus honorable des journaux pour y montrer la vie laborieuse et calme d'un brave homme.

Or, comment a-t-on pu supposer une seconde que j'aie eu la pensée de synthétiser tous les journaux de Paris en un seul? Quel écrivain ayant des prétentions, justes ou non, à l'observation, à la logique et à sa bonne foi, qui croirait pouvoir créer un type rappelant en même temps *La Gazette de France, Le Gil Blas, Le Temps, Le Figaro, Les Débats, Le Charivari, Le Gaulois, La Vie parisienne. L'Intransigeant,* etc., etc. Et j'aurais imaginé *La Vie française* pour donner une idée de l'*Union* et des *Débats,* par exemple!... Cela est tellement ridicule que je ne comprends pas vraiment quelle mouche a piqué mes confrères! Et je voudrais bien qu'on essayât d'inventer une feuille qui ressemblerait à l'*Univers* d'un côté et de l'autre aux papiers obscènes qu'on vend à la criée, le soir, sur les boulevards! Or elles existent, ces feuilles obscènes, n'est-ce pas? Il en existe aussi d'autres qui ne sont en vérité que des cavernes de maraudeurs financiers, des usines à chantage et à émissions de valeurs fictives.

C'est une de celles-là que j'ai choisie.

Ai-je révélé leur existence à quelqu'un? Non. Le public les connaît; et que de fois des journalistes de mes amis se sont indignés devant moi des agissements de ces usines de friponnerie!

Alors, de quoi se plaint-on? De ce que le vice triomphe à la fin? Cela n'arrive-t-il jamais et ne pourrait-on citer personne parmi les financiers puissants dont les débuts aient été aussi douteux que ceux de Georges Duroy?

Quelqu'un peut-il se reconnaître dans un seul de mes personnages? Non. — Peut-on affirmer même que j'aie songé à quelqu'un? Non. — Car je n'ai visé personne.

J'ai décrit le journalisme interlope comme on décrit le monde interlope. Cela était-il donc interdit?

Et si on me reproche de voir trop noir, de ne regarder que des gens véreux, je répondrai justement que ce n'est pas dans le milieu de mes personnages que j'aurais pu rencontrer beaucoup d'êtres vertueux et probes. Je n'ai pas inventé ce proverbe : « Qui se ressemble, s'assemble. »

Enfin, comme dernier argument, je prierai les mécontents de relire l'immortel roman qui a donné un titre à ce journal : *Gil Blas,* et de me faire ensuite la liste des gens sympathiques que Le Sage nous a montrés, bien que dans son œuvre il ait parcouru un peu tous les mondes.

Je compte, mon cher rédacteur en chef, que vous voudrez bien donner l'hospitalité à cette défense, et je vous serre bien cordialement la main.

(Gil Blas, 7 juin 1885.)

ALMA MATER

...Autant mettre, morbleu,
La mouche en pension chez une tarentule!

On connaît ces vers de Victor Hugo. Ils visent, il est vrai, les directeurs des collèges religieux, mais ne peut-on les appliquer justement aujourd'hui à ces établissements de torture morale et d'abrutissement physique qu'on appelle lycées, collèges et institutions?

Ne reste-t-on pas confondu devant le jugement du tribunal de la Seine qui vient de débouter M. Lagrange de Langle de sa demande d'indemnité contre le collège de Sainte-Barbe, alors qu'il a été reconnu exact et indiscutable que la mort de son enfant était due à la négligence de l'administration?

Les faits, tout nets, se passent de commentaires.

Arrivés à Carlsruhe avec ses compagnons de lycée, Jacques Lagrange de Langle fut atteint d'une fièvre violente. Le médecin appelé la jugea sans gravité et on conduisit l'enfant aux courses. Un orage survint qui le trempa. Il rentra glacé et le mal prit soudain des proportions inquiétantes.

Le maître qui accompagnait la division informa pendant plusieurs semaines le directeur de Sainte-Barbe de l'état alarmant de cet élève.

Or, les parents ne furent pas prévenus. Mais la famille à qui le jeune Lagrange de Langle était confié à Carlsruhe prit peur et l'enfant fut renvoyé seul — vous lisez bien : *seul* — dans un wagon de seconde classe à Paris où il arriva mourant.

Les parents furent enfin avertis par des amis. On réunit aussitôt plusieurs médecins en consultation. Le mal fut reconnu sans remède et la mort imminente.

Or, le tribunal ne *reconnaît* pas que la responsabilité du directeur se trouve engagée. Il *constate,* il est vrai, que l'enfant est demeuré vingt jours malade sans qu'on ait appelé ou prévenu les parents ; il *regrette* que, sans leur autorisation, on ait fait accomplir ce voyage mortel ; mais il *juge* que la responsabilité du directeur est couverte par *celle* du médecin qui ne pensait pas l'enfant en danger.

C'est aux parents, à un tribunal de pères de famille qu'il faudrait poser les questions suivantes, et non pas aux premiers juges venus.

Un directeur peut-il sans être coupable devant la loi, coupable devant l'Etat, coupable devant la famille, laisser des parents ignorer, pendant plusieurs jours et même plusieurs semaines, que leur enfant est malade ?

A-t-il le droit d'agir ainsi ? Et ne demeure-t-il pas responsable, absolument responsable envers la famille et même envers l'Etat, qui doit veiller sur l'existence de tous ?

Suffit-il de l'avis d'un médecin inconnu à la famille, d'un médecin bon ou mauvais, soucieux ou indifférent, intelligent ou incapable, pour décider que la santé d'un pauvre petit être qui souffre depuis longtemps ne mérite aucune attention spéciale ?

Et quand l'élève d'un lycée ou d'une pension quelconque se trouve assez indisposé pour qu'on juge utile de le renvoyer à Paris, n'est-il pas odieux et criminel de l'enfermer seul dans un wagon, à destination du collège sans qu'on ait appelé au moins deux médecins pour l'examiner ?

Et si ce voyage devient mortel pour le petit malade, qu'une série de négligence et d'âneries a poussé au bord de la tombe, qui est responsable ?

Le directeur se lave les mains et répond : « C'est la faute du médecin. »

Eh bien! puisqu'il ne vous convient pas de condamner le directeur pour des raisons que je ne devine pas ou que je ne veux pas deviner, condamnez le médecin!

***

Le jour où le premier docteur venu sera responsable de ses sottises ou de son ignorance, on pourra goûter enfin quelque sécurité dans la vie.

N'est-il pas, en effet, aussi invraisemblable que révoltant qu'un monsieur, parce qu'il a dans son armoire un diplôme constatant certaines connaissances élémentaires dans une science qui n'existe guère comme science, mais qui demande avant tout de la conscience et des dons naturels d'intelligence et d'observation, qu'un monsieur, dis-je, parce qu'il paye patente, ait le droit de martyriser, d'empoisonner et de tuer à son gré le public?

Les médecins sceptiques sourient de leurs maladresses et murmurent : « Un de plus », les médecins indifférents se contentent de faire payer la note à la famille. Les médecins imbéciles ne comptent plus leurs trépassés; mais les médecins curieux, intelligents, et laborieux, les plus redoutables de tous, passent leur vie à expérimenter des médicaments dans le ventre de leurs malades qui crèvent en nombre pour le plus grand bien des suivants.

Les âmes sensibles s'indignent que les savants platoniques comme Claude Bernard ou M. Paul Bert cherchent pour guérir les hommes les secrets de l'organisme dans le corps de pauvres bêtes ouvertes vivantes, mais personne ne se révolte contre des centaines de médecins qui pratiquent à domicile ou dans les hôpitaux l'empoisonnement expérimental.

Les hôpitaux? Qu'est-ce que cela, s'il vous plaît, sinon de grands établissements de vivisection humaine? Que fait-on là-dedans sinon essayer des remèdes nouveaux, des méthodes nouvelles et des instruments nouveaux sur les misérables, sur les pauvres, sur tous ceux qui vont mourir dans ces charniers publics parce que leur bourse est vide?

Ne fait-on pas des folles en certains lieux, comme on fait du pain chez les boulangers!

A un ami qui lui demandait s'il n'avait jamais eu d'accidents en essayant de nouveaux procédés opératoires, un illustre oculiste répondit en riant : « On emplirait ce salon avec tous les yeux que j'ai crevés. »

J'ai la faiblesse de préférer que tous ces yeux crevés soient des yeux de chats ou de chiens plutôt que des yeux d'hommes! Mais si tout médecin convaincu d'avoir tué un malade par une maladresse ou une sottise flagrante, de l'avoir laissé mourir par négligence ou indifférence, était condamné sévèrement à l'amende ou à la prison, le nombre des décès prématurés diminuerait sensiblement.

Il n'est pas de jour où un fait de cette nature ne vienne à la connaissance de l'un ou de l'autre, indiscutable, reconnu et affirmé par d'autres médecins dignes de foi.

Pourquoi l'homme patronné par l'Etat et patenté, qui remplit une fonction publique, n'est-il pas responsable de la vie confiée à son savoir breveté, à son intelligence diplômée, à sa capacité garantie, à sa sollicitude recommandée, au même titre qu'un capitaine qui prend le commandement d'un navire pour entreprendre un voyage dangereux?

*
* *

J'ai appelé les lycées, collèges et pensions des établissements de torture morale et d'abrutissement physique.

Et si la race humaine est chétive, poussive, malade; si tous nos organes débilités sont atteints de dix mille sortes de lésions qui nous tuent avant quarante ans, nous le devons à l'abominable système d'éducation adopté sur la terre entière et qui étiole le corps en surmenant l'intelligence embryonnaire des enfants.

Si la coutume antique, la tradition séculaire ne nous aveuglaient point, nous nous indignerions, nous nous révolterions contre l'abominable méthode employée.

172

A l'âge où la pensée n'existe pas encore, où elle n'est qu'à l'état de germe dans le cerveau humain, de germe qui va grandir et qu'il faudrait laisser se développer en paix, on la force à travailler déjà, à réfléchir, à retenir, à comprendre, on l'use avant qu'elle soit faite. Qu'arrive-t-il? Que les études élémentaires que termine le baccalauréat durent huit ou dix ans, tandis qu'elles devraient durer deux ans. Est-ce un avantage?

Mais cela n'est rien encore?

On prend l'enfant, le petit enfant dont la croissance commence, et au moment où il aurait le plus besoin de liberté, de grand air, de mouvement, d'exercices de toutes sortes, on l'enferme entre quatre murs pour qu'il demeure tout le jour courbé sur des livres qui l'épuisent prématurément au moral et au physique.

On lui laisse deux heures par jour pour jouer, dans une cour, au milieu d'une ville, tandis qu'on devrait le faire courir dans les champs et les bois, monter à cheval, nager pendant huit ou dix heures et ne lui laisser que deux heures pour l'étude, jusqu'à ce que son corps et son esprit soient devenus robustes, capables de supporter les accablantes fatigues du travail intellectuel.

C'est juste pendant les années où l'on devrait uniquement s'occuper du développement du corps afin de justifier le proverbe ancien : « *Mens sana in corpore sano* », qu'on s'efforce d'arrêter la libre expansion des forces, de comprimer la sève humaine, de *violenter la loi naturelle* qui impose le mouvement et la liberté à tous les êtres jeunes, et qui leur a donné l'instinct du jeu, afin qu'ils aident à l'épanouissement de toute leur force animale.

N'est-ce point là une chose atroce et monstrueuse, aussi illogique que révoltante?

C'est de dix à vingt ans que l'être physique grandit. Donc on va emprisonner le corps et le priver de tout ce qui pourrait favoriser sa croissance et sa vigueur. Et on profitera de ces mêmes années pour courbaturer par un amas de connaissances compliquées un esprit qui n'est point formé, qu'on devrait laisser s'affermir et qui ne sera apte à recevoir la science, à la comprendre, à la raisonner qu'après le développement complet et parfait du corps et de tous les organes qui constituent l'intelligence, dont elle dépend, grâce auxquels elle fonctionne, car il est aussi insensé de forcer au travail l'esprit des enfants qu'il le serait de vouloir marier ces mêmes gamins avant l'âge où ils sont nubiles.

(Gil Blas, 9 juin 1885.)

LES GRANDS MORTS

Maintenant qu'est un peu calmée l'effervescence des esprits, ne peut-on se demander si cette décision de déposer au Panthéon le corps de Victor Hugo, décision prise dans un premier transport d'enthousiasme, était vraiment une bonne manière d'honorer l'illustre poète?

Certes les peuples ne font jamais de trop belles funérailles à leurs grands hommes, et celui-là, qui méritait toutes les admirations, méritait aussi toutes les pompes. Mais n'est-ce pas une étrange façon d'honorer un mort que de violer, à peine a-t-il fermé les yeux, ses dernières volontés qui devraient être sacrées pour tous?

N'avait-il pas demandé à être enseveli dans un simple cimetière auprès de ses enfants?

Comment, un moribond, un être qui va quitter cette terre, à l'heure dernière où son âme semble ne plus être qu'une lueur de pensée dans le corps épuisé, ce moribond trouve la force, la volonté, la puissance d'esprit d'exprimer son désir suprême; il le formule nettement, puis il expire, et, sous prétexte que ce mort est un grand homme, un peuple entier, pour célébrer sa gloire, méconnaît aussitôt son dernier vœu. C'est là presque une profanation, une profanation d'autant plus regrettable que pour tous ceux qui ont vraiment aimé le génie de ce grand rêveur, tous ceux qui ont cherché à pénétrer la pensée intime de son âme, ce quelque chose qui semble la source de l'inspiration, elle paraît blesser la religion même de son esprit, toute la religion de son cœur de poète.

Victor Hugo croyait en Dieu.

Il croyait en Dieu, par cette raison qu'il se considérait certainement comme une émanation importante et directe de Dieu.

Il n'était point de ces philosophes positifs pour qui les croyances ne sont qu'une question de logique, de science et de raisonnement; et jamais il n'aurait admis que, la valeur d'un homme n'étant que relative, la terre n'étant qu'un insignifiant grain de poussière, le génie n'étant que la pensée un peu moins brute chez certains êtres (alors que la pensée de tous les hommes n'est qu'une lueur confuse à peine plus claire que l'intelligence des bêtes), le plus grand des humains pour un œil qui pourrait voir la création illimitée demeurerait aussi insignifiant ou aussi inaperçu que le plus petit des microbes.

C'est là d'ailleurs un des caractères les plus curieux des convictions religieuses que chacun constitue des formules suivant les tendances poétiques de son esprit, en prenant pour point de départ l'importance de l'homme, alors que l'importance de la Terre elle-même semble tout à fait négligeable dans l'ensemble des univers.

Cela revient à dire que chacun rêve son Dieu ou son Néant suivant sa nature. Les uns suivant leurs désirs confus et leurs aspirations, les autres suivant une logique un peu moins égoïste, mais tous avec l'impuissance de conception radicale de l'esprit humain, qui ne peut rien connaître en dehors de ce que lui ont révélé ses sens. Nous ne faisons jamais que combiner l'inconnu comparable au connu. Nous voyons le monde, les événements éternels ou passagers, les faits politiques ou particuliers, notre Dieu et nos amis, les objets, les choses, tout enfin, suivant la couleur de nos désirs et de nos espérances. Aussi les peuples ont toujours conçu leurs divinités selon le tempérament de leur race, selon leurs mœurs et les tendances de leur constitution cérébrale.

Ne pouvant rien connaître de certain, ne pouvant rien savoir de précis, il faut donc respecter ces rêves, et ne pas

176

estimer le nôtre plus juste que celui du voisin, puisque ce ne sont là que des songes d'aveugles.

***

Cherchons donc comment Victor Hugo avait aperçu son créateur.

Poète admirable, inimitable poète, mais rien que poète, étranger à la science minutieuse autant qu'à la philosophie moderne, il concevait par grandes images un peu vagues, et son déisme paraît avoir été une sorte de panthéisme poétique. Il devait parler à son Dieu comme à un frère aîné. Il le voyait s'occupant des petites bêtes et des petites fleurs, comme il s'en occupait lui-même ; et l'amour extrême qu'il avait pour les plantes, les sèves, les animaux, les enfants, pour toutes les productions et toutes les reproductions de la nature, n'était-il pas un signe bien certain de cette tendance panthéiste, de cette manière de concevoir Dieu comme un autre lui-même, plus grand, plus vaste, éternel, mais de même essence, et attendri comme lui sur les choses qu'il avait créées.

Parmi tous ses superbes poèmes, les plus beaux peut-être sont ceux qui expriment ses croyances confuses et puissantes à la grande et universelle transformation, aux printemps fleuris faits de la sève des morts, aux brises parfumées qui portent en elles quelque chose de divin, de léger et d'insaisissable comme une émanation des âmes envolées.

Qu'on relise *Pan* et tant d'autres vers magnifiques, toutes les *Contemplations,* toute la *Légende des Siècles,* et on verra bien qu'il croyait à la transfusion de l'homme disparu dans la campagne reverdie, aux roses faites avec la chair décomposée, au génie des poètes émietté par la grande nature dans le gosier des oiseaux. S'il aimait tant les bois, les sources, les nuages, les arbres, les plantes, les insectes, tout ce qui vit obscurément, ce grand attendri, c'est qu'il sentait tout cela fait en partie avec la substance des hommes d'autrefois. Sur cette terre toute petite, rien ne disparaît, rien ne se perd, tout se transforme.

Pas un atome de matière, pas une parcelle de mouvement, pas une vibration de vie ne sont anéantis, mais tout cela forme sans cesse d'autre matière, d'autre mouvement et d'autre vie, et les éléments ne sont pas nombreux qui constituent toutes les choses du monde.

Voilà pourquoi il attendait la mort sans crainte, avec sérénité. Il ne se nommerait plus Victor Hugo, qu'importe! Il serait un peu de parfum des fleurs, de la verdure des forêts et de l'air si doux des soirs d'été.

Et on l'a enfermé dans un cercueil de plomb, au fond d'un caveau noir, sous un énorme monument!

***

Mais toute son œuvre, tous ses vers crient qu'il voulait être mis dans la terre nue, à peine séparé d'elle par une planche légère, afin que les racines des herbes et des arbres vinssent le chercher, le prendre, le reprendre, le ramener sur la terre, l'emporter de nouveau dans le soleil et dans les brises.

Il est dans un cercueil de plomb, et le Panthéon pèse sur lui! Et jamais il ne se mêlera, comme les autres, à l'éternelle et incessante résurrection des germes. Voilà ce qu'on appelle : honorer les grands morts!

Elle sera donc vraie pour lui, la plainte de la Momie, que nous a contée Louis Bouilhet :

> *Aux bruits lointains ouvrant l'oreille,*
> *Jalouse encor du ciel d'azur,*
> *La momie en tremblant s'éveille*
> *Au fond de l'hypogée obscur.*
> ....
> *Oh, dit-elle, de sa voix lente,*
> *Etre mort, et durer toujours.*
> *Heureuse la chair pantelante*
> *Sous l'ongle courbe des vautours.*
> ....
> *Pour plonger dans ma nuit profonde*
> *Chaque élément frappe en ce lieu.*

Nous sommes l'air! nous sommes l'onde!
Nous sommes la terre et le feu!

Viens avec nous, la steppe aride
Veut son panache d'arbres verts.
Viens sous l'azur du ciel splendide,
T'éparpiller dans l'univers.

Nous t'emporterons par les plaines,
Nous te bercerons à la fois
Dans le murmure des fontaines
Et le bruissement des bois.

Viens. La nature universelle
Cherche peut-être en ce tombeau
Pour le soleil une étincelle!
Pour la mer une goutte d'eau!

. . . .

Et dans ma tombe impérissable
Je sens venir avec effroi
Les siècles lourds comme du sable
Qui s'amoncelle autour de moi.

Ah! sois maudite, race impie,
Qui de l'être arrêtant l'essor
Gardes ta laideur assoupie
Dans la vanité de la mort.

***

Elle serait curieuse souvent à dire, l'histoire des corps des grands hommes. Et quelle ballade ferait un poète, un poète comme Victor Hugo, ou plutôt un conteur comme Edgar Poe, avec l'étrange aventure du cadavre de Paganini.

Quiconque a parcouru les côtes de la Méditerranée connaît ces deux îles charmantes qui séparent le golfe de Cannes du golfe Juan, et qu'on nomme les îles de Lérins.

Elles sont petites, basses, couvertes de pins et de fourrés. La première, Sainte-Marguerite, porte à son extrémité, vers la terre, la lourde forteresse où furent enfermés le Masque de Fer et Bazaine; la seconde, Saint-Honorat, dresse dans les flots, à son extrémité, vers la pleine mer, un antique et superbe château crénelé, un vrai château de conte poétique, bâti dans la vague même, et où les moines autrefois se défendirent contre les Sarrasins, car Saint-Honorat appartint toujours à des moines, sauf pendant la Révolution; elle fut achetée alors par une actrice des Français.

A quelques centaines de mètres au sud-est de l'île on aperçoit un îlot tout nu, presque à fleur d'eau, Saint-Ferréol. Ce récif est singulier, hérissé comme une bête furieuse, si couvert de pointes de roc, de dents et de griffes de pierre qu'on peut à peine marcher dessus : il faut poser le pied dans les creux, entre ces défenses, et aller avec précaution.

Un peu de terre venue on ne sait d'où s'est accumulée dans les trous et les fissures de la roche; et là-dedans ont poussé des sortes de lis et de charmants iris bleus dont la graine semble tombée du ciel.

C'est sur cet écueil bizarre, en pleine mer, que fut enseveli et caché pendant cinq ans le corps de Paganini.

L'aventure est digne de la vie de cet artiste génial et macabre, qu'on disait possédé du diable, si étrange d'allures, de corps, de visage, dont le talent surhumain et la maigreur prodigieuse firent un être de légende, une espèce de personnage d'Hoffmann.

Comme il retournait à Gênes, sa patrie, accompagné de son fils, qui, seul maintenant, pouvait l'entendre tant sa voix était devenue faible, il mourut à Nice, du choléra, le 27 mai 1840.

Donc, son fils embarqua sur un navire le cadavre de son père et se dirigea vers l'Italie. Mais le clergé génois refusa de donner la sépulture à ce démoniaque. La cour de Rome, consultée, n'osa point accorder son autorisation. On allait cependant débarquer le corps lorsque la municipalité s'y opposa sous prétexte que l'artiste était mort du choléra. Gênes était alors ravagée par une épidémie de ce mal, mais on argua que la présence de ce nouveau cadavre pouvait aggraver le fléau.

Le fils de Paganini revint alors à Marseille, où l'entrée du port lui fut interdite pour les mêmes raisons. Puis, il se dirigea vers Cannes où il ne put pénétrer non plus.

Il restait donc en mer, berçant sur la vague le cadavre du grand artiste bizarre que les hommes repoussaient de partout. Il ne savait plus que faire, où aller, où porter ce mort sacré pour lui, quand il vit cette roche nue de Saint-Ferréol au milieu des flots. Il y fit débarquer le cercueil qui fut enfoui au milieu de l'îlot.

C'est seulement en 1845 qu'il revint avec deux amis chercher les restes de son père pour les transporter à Gênes, dans la villa Gajona.

N'aimerait-on pas mieux que l'extraordinaire violoniste fût demeuré sur l'écueil perdu, sur l'écueil hérissé où chante la vague dans les étranges découpures du roc?

(*Le Figaro,* 20 juin 1885.)

LES ENFANTS

J'ai signalé dans une récente chronique les dangers de l'odieux système d'éducation suivi en France dans tous les établissements où l'on enferme la jeunesse.

J'ai reçu depuis ce jour tant de lettres sur ce sujet, que je m'y vois forcé d'y revenir. J'en ai reçu de médecins, d'hommes politiques, de mères, et enfin d'hommes connus et riches qui demandent si on ne pourrait former une sorte d'association, une ligue, et même une société pour fonder en France un établissement d'instruction où l'on s'occuperait au moins autant du corps que de l'esprit.

Un médecin m'écrit : « Il est incroyable, en effet, qu'on s'efforce, par tous les moyens les plus antinaturels, d'arrêter la croissance physique de l'homme. C'est ainsi qu'on arrive promptement à l'étiolement complet d'une race. La vie de l'enfant, depuis le jour où on l'emprisonne dans ces établissements malsains jusqu'au jour où il en sort, est une vraie torture pour lui. Voilà ce qu'il faudrait montrer à tout le monde, faire comprendre à toutes les familles. »

Et mon correspondant suit heure par heure, mois par mois, année par année l'existence de l'être, du petit être faible, au commencement de sa croissance, au moment où tout son corps subit le travail mystérieux du développement, où le sang a besoin de tous les éléments fortifiants qui donneront à la chair, aux muscles et aux organes la vigueur et la santé. Il le montre mal nourri, mal soigné, à peine lavé, presque jamais baigné, enfermé jour et nuit, étiolé par une besogne inutile que son esprit n'est pas encore apte à accomplir. Cet enfant a deux heures de liberté par jour, de liberté captive dans une cour entourée de murs, au milieu d'une ville, alors qu'il devrait jouer à son gré, à son aise, suivant le désir de la nature qui a mis en lui le besoin impérieux du jeu. Il devrait courir dans les bois, nager dans les fleuves, grimper des côtes, faire des armes, monter à cheval. Car tous les mouvements, tous les exercices sont nécessaires pour la formation complète de tous les membres, pour la solidification de tous les os, et aussi pour la fortification du courage viril.

Le lycée, le collège, la pension, tels que nous les comprenons, constituent le plus grand mal, la plus grande cause d'affaiblissement, de décadence de notre société moderne. Ils ne sont en réalité que des établissements publics d'étiolement, où on courbature l'âme trop jeune en surmenant ses organes en formation, où on comprime la sève humaine en violentant la nature, en imposant à l'être qui grandit un esclavage stérile et épuisant, en arrêtant, pendant les seules années qui lui sont nécessaires, l'épanouissement de la force animale.

**
*

Un autre correspondant m'engage à regarder passer les gens dans la rue. « Sont-ce là des hommes, dit-il, tels qu'ils devraient être, de grands hommes, de beaux hommes aux bras forts, à la taille haute, à la poitrine large dont la vigueur apparaît à chaque mouvement? Non. Ce sont des chétifs, des petits, des affaiblis, des tortus, des crochus, des ventrus, des bossus, des étiques. On n'en voit pas un sur dix qui ait la stature ou l'allure normales. Voyez-les marcher. Ils ont les jambes trop minces, ou le torse trop long, ou les bras démesurés, ou le cou de travers. Prenez-en vingt, mettez-les en face de vous, côte à côte, alignés et vous aurez une collection de caricatures à faire pleurer de rire car l'homme d'aujourd'hui n'est plus en réalité que la caricature de l'humanité. »

Il y a beaucoup de vrai là-dedans. La race est certainement faible et malade. Certes les gens qu'on rencontre dans les rues ne font pas songer aux hercules. On sent, à leur démarche, à la gaucherie visible de leurs mouvements, que ces bonshommes-là n'ont pas été développés, entraînés, fortifiés, exercés à toutes les besognes corporelles. D'où vient cela? Du collège, de la pension, de l'enfance affaiblie dans les classes, entre les grands murs tristes de la cour, de l'immobilité de l'étude, qui a fait dévier le cou, le dos, qui a remonté l'épaule droite, qui a fait s'allonger les bras au détriment des jambes, et qui a détruit lentement l'équilibre naturel de toutes les parties du corps en croissance.

Et pourquoi tant de lunettes et de pince-nez? Parce que l'œil est fatigué trop jeune, fatigué par les livres, par les veilles, par le gaz, parce que tout l'appareil si délicat de la vision est surmené avant que la croissance soit achevée.

Et tout cela pour rien, pour le plaisir d'abâtardir une race, car l'enfant ne peut profiter de ces connaissances accumulées, irraisonnées, jetées pêle-mêle, entassées dans un esprit trop faible. Cela entre dans la pensée, la fatigue, puis s'efface, disparaît sans profit. Il faut que les organes de l'intelligence soient complètement formés pour qu'elle puisse travailler avec profit, et sans danger. La nubilité est indispensable pour les fonctions cérébrales, comme pour les fonctions animales.

**

On m'écrit encore : « N'est-ce pas à ce déplorable système qu'est due la décroissance constante de la stature humaine en France? Remarquez qu'il faut abaisser tous les dix ans la taille réglementaire des soldats. »

Oui, assurément, et puisqu'on parle tant de patriotisme, ce serait certes une œuvre patriotique que d'élever les enfants de telle sorte qu'ils devinssent des hommes vigoureux. Or, le patriotisme, chez nous, est surtout de parade et de démonstration. Quand il est sincère, il se produit par élans impétueux et souvent intempestifs. Mais ce patriotisme muet, effectif et persévérant qui s'attacherait surtout à améliorer, dès le bas âge, une race entière, n'est guère dans la nature française.

Voyons les Anglais, pourtant dont la valeur intellectuelle se manifeste avec assez d'éclat et de succès pour qu'on ne la puisse contester : ils s'occupent d'abord des muscles et du corps. Ils ont des hommes de vingt ans capables d'étrangler des bœufs, une aristocratie qui boxe les lutteurs, plus fière de ses biceps que de sa noblesse, qui aime les jeux corporels comme on aime, chez nous, les plaisirs des sens!

Il existe chez nos voisins de grands collèges en pleine campagne, où l'on enseigne l'équitation, la natation et le reste avec autant de soin que les langues, l'histoire ou les mathématiques. L'enfant, là-dedans, ne fait travailler son esprit que jusqu'à l'heure du déjeuner. A partir de midi, la classe est fermée et la récréation commence pour durer jusqu'à la nuit. Cette méthode n'est-elle pas logique et sage? Elle fait des soldats, des êtres au corps puissant dont l'esprit aussi est alerte et vigoureux, grâce à l'équilibre de toutes fonctions animales, des êtres capables de toutes les fatigues, de toutes les productions, et d'engendrer à leur tour des enfants sains et bien portants.

*
* *

Une mère m'écrit encore qu'elle a bien songé à tous les inconvénients du collège et pourtant elle se voit forcée d'y enfermer son enfant âgé de douze ans seulement, parce qu'elle est contrainte, par les nécessités de l'existence, à voyager sans cesse avec son mari, leur profession exigeant des déplacements continuels.

« Que faire? dit-elle. Je souffre sans cesse à la pensée de mon fils emmuré dans ces affreuses prisons. Mais je ne puis le garder près de moi. J'ai songé à l'envoyer dans une des grandes pensions d'Angleterre; mon mari s'y est opposé. Nous sommes Français et nous voulons faire un

Français de notre fils. Et soyez persuadé, Monsieur, qu'il y a en notre pays des milliers de familles dans notre cas! »

Certes, il existe en France d'innombrables familles qui ne peuvent élever elles-mêmes leurs enfants, qui sont même forcées de se séparer d'eux de fort bonne heure pour mille raisons. Les officiers mariés, les boutiquiers, tous les petits ménages ne peuvent garder longtemps leurs garçons. Et combien de gens souffrent à la pensée de l'enfant qui grandit péniblement enfermé dans la boîte au latin, dans la boîte aux haricots, dans la boîte malpropre entre deux rues de Paris.

Mais que feraient-elles? Il n'existe pas en France une seule maison où l'on ait vraiment songé au développement physique de l'homme.

Il existe, il est vrai, un comité d'hygiène qui se réunit périodiquement dans une salle du ministère. On y discute, on y prend des résolutions et on y formule des vœux qu'on soumet au ministre. Le ministre les transmet aux commissions d'enseignement où siègent de vieux savants malingres qui haussent avec mépris leurs épaules bossues, en murmurant : « Si on tenait compte de tout ça, on ne pourrait pas seulement apprendre à lire. »

Et on ne tient pas compte de tout ça, en effet; et les jeunes gens ne sont pas jolis, jolis, les jeunes gens myopes et poussifs qui se présentent au baccalauréat, après avoir emmagasiné, en dix ans d'études, moins de connaissances que n'en peut acquérir en dix mois un homme fait, maître de son intelligence.

*
* *

Enfin on m'écrit ceci : « Si quelqu'un se mettait à la tête du mouvement, beaucoup d'hommes sont prêts à le suivre, à aider par tous les moyens en leur pouvoir, par leur influence et leur argent à la formation d'une ou de plusieurs grandes écoles, sur le modèle des écoles anglaises. »

C'est fort bien. Mais qui se mettrait à la tête du

mouvement? Il faudrait un homme mûr, sage, respecté, considérable?

Le trouvera-t-on?

(Gil Blas, 23 juin 1885.)

LES AMATEURS D'ARTISTES

Dans un charmant petit livre qui vient de paraître et qui s'appelle *Sagesse de poche,* l'auteur, Daniel Darc, nous dit entre autres mille vérités gaies ou sévères :

— « Beaucoup de gens prétendent aimer les artistes, tandis qu'ils en ont seulement la curiosité. »

Certes, cela est d'une profonde et saisissante exactitude pour quiconque se mêle un peu à la vie mondaine du jour.

Comme nous avions déjà les amateurs de tableaux, les amateurs de bibelots, d'émaux, de faïences, d'ivoires, de tapisseries, etc., etc., nous avons aussi les amateurs d'artistes. Le mot « amateur » est excellent pour exprimer ceux ou celles dont parle Daniel Darc. L'amateur n'aime pas ; il pose pour aimer, il se fait gloire d'aimer telle chose, il en tire vanité ou profit, mais il n'en éprouve pas la jouissance profonde et secrète que donne le véritable amour. Il a sa galerie, sa collection, ses objets uniques qu'il montre avec orgueil, mais dont il ne se soucie, au fond, qu'en raison du plaisir ou de la réputation d'homme éclairé qu'ils lui donnent.

Donc, à côté des amateurs de peinture, de musique ou de littérature, nous avons la classe nombreuse, variée et délicieuse des amateurs de peintres, de musiciens et d'écrivains. Ces amateurs-là sont généralement des femmes, les unes vieilles, les autres jeunes.

Elles se subdivisent à l'infini.

Occupons-nous des principaux genres qu'on rencontre par la ville.

Les plus recherchés parmi les artistes sont assurément les musiciens. Certaines maisons en possèdent des collections presque complètes. Ces artistes ont d'ailleurs cet avantage inestimable d'être utiles dans les soirées. Mais les personnes qui tiennent à l'objet rare ne peuvent guère espérer en réunir deux sur le même canapé. Les maîtres ne s'aiment pas entre eux. Ajoutons qu'il n'est pas de bassesse dont ne soit capable une femme connue, une femme en vue pour orner son salon d'un compositeur illustre. Les petits soins qu'on emploie d'ordinaire pour attacher un peintre ou un simple homme de lettres deviennent tout à fait insuffisants quand il s'agit d'un fabricant de sons. On emploie vis-à-vis de lui des moyens de séduction et des procédés de louange complètement inusités. On lui baise les mains comme à un roi, on s'agenouille devant lui comme devant un Dieu quand il a daigné exécuter lui-même son « Regina Cœli ». On porte dans une bague un poil de sa barbe ; on se fait une médaille, une médaille sacrée gardée entre les seins au bout d'une chaînette d'or, avec un bouton tombé un soir de sa culotte après un vif mouvement du bras qu'il avait fait en achevant son « Doux Repos ».

Les peintres sont un peu moins prisés, bien que fort recherchés encore. Ils ont en eux moins de divin et plus de bohème. Leurs allures n'ont pas assez de moelleux et surtout pas assez de sublime. Ils remplacent souvent l'inspiration par la gaudriole et par le coq-à-l'âne. Ils sentent un peu trop l'atelier, enfin, et ceux qui, à force de soins, ont perdu cette odeur-là, se mettent à sentir la pose. Et puis ils sont changeants, volages, blagueurs. On n'est jamais sûr de les garder, tandis que le musicien fait un nid dans la famille.

Depuis quelques années on recherche assez l'homme de lettres. Il a d'ailleurs de grands avantages ; il parle, il parle longtemps, il parle beaucoup, il parle pour tout le monde : et comme il fait profession d'intelligence, on peut l'écouter et l'admirer avec confiance.

Les femmes l'ont en grande faveur, en public et dans l'intimité. Il se divise en plusieurs classes.

L'écrivain sérieux, moraliste et philosophe est cantonné dans un certain nombre de salons dont il ne sort guère. Ces salons eux-mêmes sont de trois natures bien accentuées. Ils ont le ton Père de l'Eglise, le ton physiologie anglo-française, ou le ton voltairien modernisé. Dans ce monde-là on pontifie. Pour plus amples renseignements, s'adresser à M. Pailleron, bureau de la Comédie-Française.

Il est aussi dans Paris toute une série de femmes un peu arriérées qui s'attardent aux académiciens. L'académicien triompha sur tous ses rivaux voici quelques années. Aujourd'hui, on le trouve vieilli. Il passe de mode. Ses mots sont usés, sa verve sent l'Institut ; il a des plaisanteries de professeur en classe et des grâces pleines de latin. Puis, il ne procède pas à la manière moderne ; il se prodigue, ce qui est une faute capitale. Il est de vingt maisons, de vingt groupes, de vingt femmes ; il va de l'une à l'autre, voulant être aimable avec toutes, de sorte qu'aucune ne l'adopte ; et il est indispensable d'être adopté dans l'état actuel de la société parisienne.

On pourrait citer cependant trois ou quatre académiciens qui ne passent pas, qui ne passeront jamais, qui ne blanchissent pas en vieillissant, qui plaisent toujours comme ils plaisent et comme ils ont plu, grâce à de grandes qualités d'esprit, de gracieuseté, de courtoisie, de galanterie et de gaieté vraie.

Mais ils se prodiguent, c'est un danger. N'oublions jamais ce proverbe : « Qui trop embrasse, mal étreint. »

Ils se réunissent surtout chez de vieilles dames qui ont de la littérature comme on a des bonnets de douairière. En ces demeures à dissertations on traite toutes les questions imaginables avec une gravité qui donne à chaque discours l'allure d'une réception académique. On y livre autour de la table ou du guéridon de grands combats d'éloquence sur des sujets connus, éternellement les mêmes ; et les mêmes effets portent toujours.

Mais c'est là la vieille école. La jeune est plus astucieuse.

Toute femme connue, aujourd'hui, s'efforce d'avoir un écrivain, comme on avait jadis son singe.

Elle a le choix, d'abord, entre les poètes et les romanciers. Les poètes ont plus d'idéal, et les romanciers plus d'imprévu. Les poètes sont plus sentimentaux, les romanciers plus positifs. Affaire de goût et de tempérament. Le poète a plus de charme intime, le romancier plus d'esprit souvent. Mais le romancier présente des dangers qu'on ne rencontre pas chez le poète, il ronge, pille et exploite tout ce qu'il a sous les yeux. Avec lui on ne peut jamais être tranquille, jamais sûre qu'il ne vous couchera point, un jour, toute nue, entre les pages d'un livre. Son œil est comme une pompe qui absorbe tout, comme la main d'un voleur toujours en travail. Rien ne lui échappe ; il cueille et ramasse sans cesse ; il cueille les mouvements, les gestes, les intentions, tout ce qui passe et se passe devant lui ; il ramasse les moindres paroles, les moindres actes, les moindres choses. Il emmagasine du matin au soir des observations de toute nature dont il fait des histoires à vendre, des histoires qui courent au bout du monde, qui seront lues, discutées, commentées par des milliers et des milliers de personnes. Et ce qu'il y a de terrible, c'est qu'il fera ressemblant, le gredin, malgré lui, inconsciemment, parce qu'il voit juste et raconte ce qu'il a vu. Malgré ses efforts et ses ruses pour déguiser les personnages on dira : « Avez-vous reconnu M. X... et Mme Y...? Ils sont frappants. »

Certes il est aussi dangereux pour les gens du monde de choyer et d'attirer les romanciers, qu'il le serait pour un marchand de farine d'élever des rats dans son magasin.

Et pourtant ils sont en faveur.

Donc, quand une femme a jeté son dévolu sur l'écrivain qu'elle veut adopter, elle en fait le siège au moyen de compliments, d'attentions et de gâteries. Comme l'eau qui, goutte à goutte, perce le plus dur rocher, la louange tombe, à chaque mot, sur le cœur sensible de l'homme de lettres. Alors, dès qu'elle le voit attendri, ému, gagné par cette constante flatterie, elle l'isole, elle coupe, peu à peu les attaches qu'il pouvait avoir ailleurs, et l'habitue insensiblement à venir sans cesse chez elle, à s'y plaire, à y installer sa pensée. Pour le bien acclimater dans la maison, elle lui ménage et lui prépare des succès, le met en lumière, en vedette, lui témoigne devant tous les anciens habitués du lieu une considération marquée, une admiration sans égale.

Alors, se sentant idole, il reste dans ce temple. Il y trouve d'ailleurs tout avantage, car les autres femmes essayent sur lui leurs plus délicates faveurs pour l'arracher à celle qui l'a conquis. Mais s'il est habile, il ne cédera point aux sollicitations et aux coquetteries dont on l'accable. Et plus il se montrera fidèle, plus il sera poursuivi, prié, aimé. Oh! qu'il prenne garde de se laisser entraîner par toutes ces sirènes de salon; il perdrait aussitôt les trois quarts de sa valeur s'il tombait dans la circulation.

Il forme bientôt un centre littéraire, une église dont il est le Dieu, le seul Dieu; car les véritables religions n'ont jamais plusieurs divinités. On ira dans la maison pour le voir, l'entendre, l'admirer, comme on vient de très loin, en certains sanctuaires. On l'enviera, lui, et on l'enviera, elle! Ils parleront des lettres comme les prêtres parlent des dogmes, avec science et gravité; on les écoutera l'un et l'autre, et on aura, en sortant de ce salon lettré, la sensation de sortir d'une cathédrale!

Ite, missa est.

* * *

Que de choses encore on verrait en regardant de tout près ces amateurs d'artistes dont parle Daniel Darc. Mais puisque j'ai nommé ce charmant écrivain, je veux dire deux mots d'une question littéraire soulevée à son sujet.

Il publia, voilà cinq ans à présent, un remarquable roman, étude profonde et subtile de femme, histoire poignante d'une de ces redoutables créatures pour qui l'homme n'est qu'un être à exploiter et à vaincre. Le livre eut un grand succès.

Or, M. Adolphe Belot, ignorant l'existence de cette œuvre, vient de mettre en vente un roman sous le même titre : *La Couleuvre*. Il est certain qu'on ne pouvait exiger que M. Belot connût l'ouvrage de son confrère, mais on peut du moins s'étonner que l'éditeur n'ait point signalé à l'auteur cette regrettable coïncidence. Une de ces couleuvres assurément doit disparaître, car elles s'entre-dévoreraient. Mais laquelle doit rentrer dans la nuit ; la dernière venue sans aucun doute, la première ayant pour elle les droits inviolables du premier occupant en librairie. Le fait s'est d'ailleurs déjà produit et a toujours amené le même résultat : le changement de nom du dernier venu. En tout cas, cela est fort désagréable pour M. Daniel Darc, d'abord, et pour M. Belot ensuite. Un simple coup d'œil sur la liste des titres mis en vente depuis dix ans pourrait éviter tous ces ennuis, et toutes les contestations qui en résultent.

(*Gil Blas*, 30 juin 1885.)

LES JUGES

Voici le Salon fermé. Adieu, tableaux, critiques sont faites! Bien faites, affirment les journalistes; mal faites, affirment les peintres qui le prennent de haut avec leurs juges. Nous assistons en effet, chaque année, à la grande colère des jugés contre les jugeants.

Les peintres récusent absolument l'autorité des critiques, et leurs raisons ne sont point sans valeur.

Ils proclament que pour comprendre un art, il faut l'avoir pratiqué. La peinture, disent-ils, n'est point un art d'impression, un art à idées, un art à grands effets appréciables par tous, mais un art profond, délicat, voilé, compréhensible seulement pour les initiés, pour ceux qui en ont appris la science compliquée, ou pour ceux à qui la nature a donné un œil d'artiste, un œil doué de cette finesse si particulière et si rare qui le fait s'émouvoir et émouvoir l'esprit rien qu'à la vue de deux tons voisins, de ce qu'on appelle des valeurs, en argot de métier. Un bout d'étoffe peint par Rembrandt, dix centimètres carrés de couleur posés par un maître sur une planche, quel que soit le sujet, peuvent être un chef-d'œuvre plus absolu qu'un immense tableau du même peintre.

Le sujet, en effet, ne signifie rien. Que de portraits sont des merveilles, vilains portraits de vieilles gens faits par les artistes réalistes flamands, portraits de bourgeois communs, portraits qui feraient rire si on ne regardait que l'expression de la figure représentée et qui remuent en nous quelque chose d'inconnu, qui éveillent un sentiment d'admiration mystérieuse et profonde parce qu'ils sont l'expression complète d'un art et non l'expression d'une tête.

L'artiste, en effet, soit qu'il représente une chose qu'on est convenu de trouver belle, soit qu'il représente une chose qu'on est convenu de trouver laide, doit simplement découvrir et dégager le sens et toute la valeur de son sujet, de telle sorte qu'il produise une œuvre d'art, soit avec cette beauté, soit avec cette laideur. Car le beau artistique diffère absolument de ce que nous jugeons conventionnellement beau ou laid dans la vie ordinaire.

Il ne faut pas confondre la sensation directe qu'un objet quelconque produit sur nos sens avec la sensation complète que nous donne un art représentant et interprétant cet objet. La chose la plus affreuse et la plus répugnante peut devenir admirable sous le pinceau ou sous la plume d'un grand artiste.

Il serait long et superflu d'analyser ici cette double émotion, d'en marquer la nature et les origines différentes. Il suffit de la constater et de l'affirmer.

Donc les peintres, jugeant insuffisante l'éducation artiste des critiques, refusent d'admettre leur jugement. Du moment qu'on ne fait pas de peinture, disent-ils, on ignore toute la science de la couleur et du dessin, et, d'un autre côté si on ne s'est pas adonné à cet art, cela prouve qu'on n'est pas né avec la vocation, avec l'œil qui fait le peintre.

Admettons absolument cette manière de voir; car il est indubitable que les écrivains, en général, jugent la peinture avec des idées et des tendances d'hommes de lettres, et que cette façon de juger a eu, depuis le commencement du siècle, la plus fâcheuse influence sur le public, et par ricochet, sur les peintres.

Récusons donc ces juges — je l'admets. — Alors, qui jugera? — Le public?

Certes non. Si les critiques sont relativement incompétents, les passants le sont radicalement. La foule ne s'occupe que du sujet, car pour comprendre, pour pénétrer cet art, il faut une longue et patiente éducation de l'œil, il faut avoir vu, analysé et comparé des milliers de tableaux de toutes les époques et de toutes les écoles, il faut avoir réfléchi indéfiniment sur cette singulière sensation de la joie artiste communiquée par le regard au cerveau; et tout cela manque à la foule. Elle sent naïvement, en sauvage; et la peinture est un plaisir subtil de civilisé et de raffiné. Il se trouve cependant, dans le public, des hommes que la nature a doués pour être d'excellents juges, et ceux-là finissent par imposer leurs avis; mais ils sont rares, perdus dans le nombre, et leur voix n'est entendue que plus tard, bien plus tard. Est-il utile de citer les exemples de grands peintres méconnus jusqu'à leur vieillesse, comme Millet ou Corot?

Alors qui donc est compétent?

— Les peintres?

— Pas davantage.

— Pourquoi donc?

— Parce qu'ils sont aveuglés justement par leur extrême éducation spéciale. Ils pourront juger excellemment ceux qui voient, comprennent, composent et exécutent comme eux; mais ils nieront avec fureur, avec passion et avec une autorité redoutable, soit les novateurs, soit les attardés, ceux enfin qui n'appartiendront pas à leur école, à leur famille intellectuelle. Quiconque apporte, en art, des idées nouvelles sera toujours nié et combattu violemment par tous les défenseurs des idées anciennes, de même que tous les représentants des idées anciennes sont et seront toujours infiniment méprisés par les novateurs.

J'ai cité Millet et Corot. Ajoutons à ces deux noms illustres celui de Delacroix, et nous nous demanderons comment il se fait que ces trois maîtres de l'art moderne aient été, pendant un si grand nombre d'années, repoussés et contestés par la plupart de leurs confrères.

Comment se fait-il aussi qu'une partie des peintres actuels proclame Manet comme son maître, tandis que l'autre partie le traite avec le dernier dédain?

Les artistes, admirateurs de M. Bouguereau, reconnaissent-ils Bastien Lepage comme le plus fort des maîtres récents? Les fanatiques de M. Meissonier ne méprisent-ils pas M. Puvis de Chavannes que d'autres déclarent le plus grand génie du siècle?

Et toutes ces opinions, cependant, sont logiquement défendues et raisonnées par les spécialistes compétents, motivées en vertu de principes inflexibles, mais différents, et affirmées irréfutables par les uns comme par les autres.

D'où il résulte que tout est encore pour le mieux dans le meilleur des mondes, ou plutôt que, si tout va mal, tout pourrait aller pis, que les critiques incompétents valent encore mieux que les spécialistes infaillibles qui n'admettent que ceci, par haine de cela, et qui, jugeant admirablement ceci, seront les plus injustes, les plus aveugles, les plus incompétents des hommes condamnant cela.

*
**

Quand donc verrons-nous un critique commencer ainsi son premier article sur le Salon :

« Mesdames et messieurs, je n'entends rien à la peinture; vous non plus d'ailleurs, et mes confrères n'en savent pas davantage. J'ai néanmoins cet avantage sur eux d'avouer mon ignorance et de la proclamer, bien plus, de m'en servir. Je ne vous parlerai donc jamais du côté technique de ce métier; je ne vous analyserai pas l'exécution de chacun au moyen de ces termes incompréhensibles dont on se fait une force pour juger des choses qu'on ignore.

» Admettons, selon le sage dicton, que « des goûts et des couleurs on ne discute point. » Nous ne parlerons donc ni couleurs ni dessin, mais nous irons visiter le Salon en braves bourgeois que nous sommes, nous regarderons et nous jugerons avec notre jugeote d'imbéciles.

» Laissons les artistes se chamailler sur le faire et le savoir-faire, sur les tendances et les réminiscences, sur le jour de plein air et le jour d'atelier, sur les conventions de l'ombre et de la perspective, sur les modifications que les voisinages font subir aux tons, sur les valeurs et les taches. Peu nous importent ces disputes. Nous sommes des naïfs qui allons regarder des images, rien de plus.

» Oui, nous regarderons des images, mais à travers ces images nous regarderons aussi le peintre qui les a conçues ; et voilà ce qui sera la partie vraiment intéressante de notre promenade ; nous ferons ensemble un petit voyage d'agrément dans l'esprit des artistes et dans leurs intentions. Cela, c'est notre droit.

» Entendons-nous bien. Je ne les chicanerai pas, je l'ai dit, sur leur école ni sur leur mérite artistique, mais je mettrai à nu leurs idées, leurs croyances, les raisons qui les ont déterminés dans le choix de leurs sujets, toute la banale poésie des Orientales couchées, toute la bêtise des scènes attendrissantes, tout le grotesque historique et pompeux du Gaulois aux longues moustaches. Je dévoilerai leurs niaises combinaisons pour vous émouvoir, simples gens. Nous constaterons, en regardant les gestes outrés ou faux des personnages peints, l'enfantillage des procédés, toute la mauvaise littérature que les peintres mettent dans leur peinture, enfin.

» Si vous saviez, si vous saviez, comme c'est abominable à voir, quand on regarde avec la pensée, toute cette peinture à esprit, et à sentiments, cette peinture à émotions tendres, dramatiques ou patriotiques, cette peinture larme à l'œil et romanesque, cette peinture anecdotique, historique, faits divers, familiale ou polissonne, cette peinture qui raconte, qui déclame, qui enseigne, qui moralise ou qui pervertit. Donc, quand nous aurons considéré ce tableau, mes amis, nous regarderons l'homme qui peint, nous constaterons chacune de ses intentions indiquées dans chacun de ses gestes, nous verrons ses ficelles et ses machinations, toute la complication de sa banalité. Ce ne sera pas joli, mais *nous rirons.* »

Reste à savoir si MM. les artistes peintres seraient tous enchantés de cette nouvelle manière de *faire le Salon.*

Donc, au point de vue absolu et technique, personne n'a le droit de juger, car les uns sont incompétents et les autres prévenus par éducation et par profession.

Ainsi dans les lettres.

Si quelqu'un, par exemple, voulait avoir une opinion autorisée sur la valeur réelle d'une œuvre, à qui pourrait-il s'adresser, parmi les écrivains connus ou diplômés?

M. Leconte de Lisle est considéré par le plus grand nombre des jeunes rimeurs et des lettrés comme le plus remarquable des poètes depuis la mort de Victor Hugo. Or l'Académie l'a repoussé plusieurs fois avec un mépris évident. Si M. Théodore de Banville s'était présenté au suffrage des Immortels, il est vraisemblable qu'on l'eût traité de la même façon, car parmi les Quarante eux-mêmes, s'il en est beaucoup sans talent, il en est peu sans passion.

On en pourrait peut-être trouver quatre ou cinq, mais pas dix assurément, dégagés de tout parti pris.

On a raconté que M. Octave Feuillet, le romancier élégant et mondain qu'on connaît, avait déclaré à plusieurs reprises *Germinal,* l'œuvre la plus grande et la plus géniale née en France depuis vingt ans.

Si vraiment M. Feuillet apprécie ainsi ce livre colossal, il montre un rare et admirable exemple d'indépendance artistique.

Mais après lui lequel nommer? M. Caro peut-être, lettré classique, éclectique et fin qui aime la langue française partout où il la trouve avec une haute sérénité.

Et puis encore? M. Renan? un maître prosateur qui a le droit de donner son opinion? Mais a-t-il une opinion?

Et puis encore?...

Je ne parle pas des poètes, comme MM. Sully Prudhomme et Coppée que les prosateurs pourraient estimer trop poètes; ni des auteurs dramatiques dont l'avis, en matière de style, est récusable.

Après eux qui voyons-nous? Quelques écrivains très

respectables, mais pleins de partialité, gens d'école et de coterie.

Et en dehors de l'Académie? M. de Goncourt, le maître des subtils et des nerveux? Mais un chef d'école, tout remarquable qu'il soit, peut-il demeurer impartial?

M. Alphonse Daudet? Oui, peut-être; c'est un indépendant libre de toute attache.

Et puis après?

M. Emile Zola conteste Théophile Gautier et méprise *Mademoiselle de Maupin;* M. Barbey d'Aurevilly a toujours nié avec violence Gustave Flaubert!

Et que d'autres exemples on pourrait apporter!

J'ai cité M. de Goncourt. Beaucoup le proclament le premier des prosateurs vivants, et je sais des écrivains de talent qui grincent des dents en l'entendant nommer.

En qui donc pouvons-nous avoir confiance pour apprécier un homme ou une œuvre? Hélas! en personne. Nous avons le droit tout au plus de constater les choses grossièrement haïssables et fausses, les fautes de français et les fautes d'orthographe! Seul, le temps prononce une sentence infaillible et définitive.

(Gil Blas, 7 juillet 1885.)

200

LETTRE A UN PROVINCIAL

UN DIMANCHE
AU GRENIER D'EDMOND DE GONCOURT

Hier, j'ai passé l'après-midi chez Edmond de Goncourt qui a repris les dimanches de Gustave Flaubert.

Ces dimanches étaient célèbres parmi les lettrés. On y voyait Tourgueneff, Daudet, Georges Pouchet, Zola, Claudius Popelin, Burty, Frédéric Baudry, Catulle Mendès, Bergerat, qui fait en ce moment des chroniques d'une drôlerie tout à fait amusante, Huysmans, José Maria de Hérédia, Hennique, Céard, Gustave Toudouze, Cladel, Alexis, Charpentier, Taine, etc., etc.

Flaubert mort, on eût dit que le lien qui unissait tous ces hommes s'était brisé. Puis, l'an dernier, la poste distribua un matin dans Paris une cinquantaine ou une centaine de petites lettres annonçant que le *grenier de Goncourt* était ouvert tous les dimanches. Le maître qui habite, à Auteuil, l'adorable et admirable maison dont il a pris soin de nous décrire lui-même tous les détails, avait fait abattre une cloison entre deux chambres du second étage, afin d'avoir une pièce assez grande pour y recevoir tous ses amis.

On entre dans un beau vestibule et on aperçoit à droite dans la salle à manger d'exquises tapisseries du dernier siècle. Puis on monte. Les appartements du premier sont fermés. Ils enferment les collections chinoise et japonaise, et la bibliothèque du patron, plus une partie des dessins, pastels, gouaches, peintures de Watteau, Van Loo, Boucher, Fragonard, etc., etc., qui font unique dans Paris cette demeure d'artiste.

Au second étage, une porte s'ouvre. Les murs sont tendus d'étoffe rouge qu'éclairent des lampes voilées, dont la clarté douce semble plutôt un reflet qu'une lumière.

Le maître vient, la main tendue, souriant et grave. Il n'a point changé depuis dix ans. Il semble immuable. Il a toujours cet air hautain et bienveillant qui m'avait frappé jadis.

Une douzaine d'hommes debout ou assis causent doucement. On les reconnaît un à un dans la demi-ombre de la pièce. Les dimanches de Goncourt semblent plus calmes que les dimanches de Flaubert. Voici Daudet, un peu pâle encore, car il vient d'être malade. Il parle à mi-voix, plus gai et plus spirituel que jamais. Il parle des gens et des choses avec cette malice méridionale qui prend dans sa voix une saveur incomparable. Sa manière de voir la vie, les êtres et les événements colore d'une exquise façon tout ce qu'il dit.

Dans un coin Huysmans, l'étonnant écrivain d'*A Rebours,* Bonnetain, qui revient du Japon, Abel Hermant, qu'on félicite pour ce livre singulier, bizarre, œuvre d'artiste et d'observateur minutieux : *La Mission de Cruchod,* les deux Caze, Robert, grand, maigre, pâle et brun, figure de grand caractère, Jules, plus blond, portant longs ses cheveux, un peu selon la mode oubliée des poètes parnassiens, regardent des images japonaises rapportées par Bonnetain.

Céard plus loin cause avec Charpentier, Alexis et Robert de Bonnières. Hérédia parle de vers avec le comte Primoli, Toudouze écoute. Et Goncourt va d'un groupe à l'autre, se mêle à toutes les causeries, revient s'asseoir, allume une cigarette, se relève, montre des bibelots admirables, des dessins de vieux maîtres, des terres de Clodion.

Puis l'on s'en va lorsque arrivent six heures, en se disant : « A dimanche. »

Et voilà, certes, mon cher, ce qu'on peut voir de plus intéressant à Paris, en ce moment.

(*Gil Blas*, 24 novembre 1885.)

L'ARÉTIN

Les gens qui ne savent pas grand-chose, c'est-à-dire les neuf dixièmes de la société dite intelligente, rougissent d'indignation quand on prononce ce seul mot, l'Arétin. Pour eux l'Arétin est une espèce de marquis italien qui a rédigé, en trente-deux articles, le code de la luxure. On prononce son nom tout bas ; on dit : « Vous savez, le Traité de l'Arétin. » Et on s'imagine que ce fameux traité traîne sur les cheminées des maisons de débauche, qu'il est consulté par les vicieux comme le code Napoléon par les magistrats et qu'il révèle de ces choses abominables qui font juger à huis clos certains procès de mœurs.

D'autres, plus simples encore, se figurent que l'Arétin était un peintre à qui on doit ces petites images impures que des gens mal vêtus nous proposent, le soir, dans les rues, sous forme de cartes transparentes.

Détrompons quelques-uns de ces naïfs. Pierre l'Arétin fut tout simplement un journaliste, un journaliste italien du XVIe siècle, un grand homme, un admirable sceptique, un prodigieux contempteur de rois, le plus surprenant des aventuriers, qui sut jouer, en maître artiste, de toutes les faiblesses, de tous les vices, de tous les ridicules de l'humanité, un parvenu de génie doué de toutes les qualités natives qui permettent à un être de faire son chemin par tous les moyens, d'obtenir tous les succès, et d'être redouté, loué et respecté à l'égal d'un Dieu, malgré les audaces les plus éhontées.

Ce compatriote de Machiavel et des Borgia semble être le type vivant de Panurge qui réunit en lui toutes les bassesses et toutes les ruses, mais qui possède à un tel point l'art d'utiliser ces défauts répugnants qu'il impose le respect et commande l'admiration.

J'ai dit que l'Arétin fut un journaliste, ainsi que le constate l'historien Cantu, par l'analyse de ses œuvres qui ne sont, en effet, pour la plupart, que des articles de journal, des pamphlets, des écrits au jour le jour, des polémiques de presse, des portraits. L'influence de cet écrivain n'en fut pas moins plus étendue que celle de n'importe quel poète ; et sa renommée plus grande que celle des plus célèbres artistes.

Ses commencements furent misérables et honteux.

Né d'une fille dans l'hôpital d'Arezzo, il débuta dans cette ville par des satires violentes qui le firent chasser en peu de temps. Il vint alors à Rome à pied, s'engagea comme valet chez Augustin Chigi, le protecteur de Raphaël, et quitta bientôt cette maison après y avoir commis des indélicatesses. Il se fit alors capucin, puis voleur, puis insulteur de tout ce qui était puissant et riche. Il attaquait brutalement, avec une impudence sans borne et une audace irrésistible. Ayant acquis promptement la connaissance des hommes, sachant bien que l'hypocrisie est presque toujours la seule vertu des plus respectés, que tous ont des vices et que tous ont peur du scandale, il se dit qu'en bravant tout on pouvait arriver à tout. Libertin à l'excès, étalant son libertinage, il osait écrire : « Moi, je ne sais ni danser ni chanter, mais faire l'amour comme un âne. » Prodiguant les outrages dans un style emporté, puissant, brûlant, il plut à quelques grands seigneurs, qui le patronnèrent dans le monde.

Mais comme il savait louer aussi bien qu'insulter, il flatta Léon X, ainsi qu'il fallait pour lui plaire, puis se présenta devant lui avec un bel habit qu'il avait escroqué, en reçut une poignée de ducats, et conquit de la même façon Julien de Médicis.

Dès lors, sa fortune devint surprenante.

Les princes l'appelaient à eux, le flattaient, le couvraient de présents autant par désir de ses éloges que par terreur de ses attaques.

Les évêques à leur tour le recherchèrent, lui envoyant des bijoux, des habits de satin pour le parer, et de l'or pour ses plaisirs.

Les mœurs de cette époque troublée et magnifique étaient telles qu'on peut à peine se les figurer aujourd'hui. Ainsi Pierre l'Arétin, ayant fait seize sonnets pour décrire seize attitudes voluptueuses gravées par Marc Antoine Raimondi, d'après seize peintures de Jules Romain, il obtint par cette œuvre licencieuse les bonnes grâces de Clément VII et le pardon des deux artistes qu'il avait ainsi commentés.

Chassé par les uns, recueilli par les autres, il va de prince en prince, flatteur, mendiant et insolent. Tantôt il brave et outrage, tantôt il caresse et loue, car on le paye également pour les deux. Il se livre à tous les excès dans le camp de Jean des Bandes Noires dont il partage même la couche; il devient une sorte de favori de François Ier qui le traite avec toutes espèces d'égards; Charles Quint l'appelle, le place à sa droite, lui paie une pension; Henry VIII lui donne trois cents couronnes d'or, Jules III, mille couronnes avec la bulle de chevalier de Saint-Pierre. On frappe des médailles en son honneur; une d'elles portait comme inscription : « Les princes qui reçoivent les tributs des peuples paient tribut à leur serviteur. » Charles Quint le traite de *Divin;* le peuple l'appelle « le fléau des princes »; les plus grands artistes veulent faire son portrait. Il écrit : « Tant de seigneurs me rompent continuellement la tête avec leurs visites, que mes escaliers sont usés par le frottement répété de leurs pieds, comme le pavé du Capitole par les roues des chars de triomphe... Il me semble à cause de cela être devenu l'oracle de la vérité, puisque chacun vient me raconter le tort qu'il a éprouvé de tel prince, de tel prélat; je me trouve donc être le secrétaire du Monde; et vous n'aurez qu'à me dénommer ainsi sur les lettres que vous m'adresserez. »

Sa langue est non moins terrible que sa plume redoutable; et si les présents qu'on lui envoie ne lui paraissent point suffisants il a des remerciements féroces. Il répond au chancelier de France qui lui comptait une somme d'or : « Ne vous étonnez pas si je me tais. J'ai consumé ma voix pour demander; il ne m'en reste plus pour remercier. »

Charles Quint, après une défaite, lui ayant envoyé un riche collier, afin d'éviter ses railleries, l'Arétin déclara en le soupesant lentement : « Il est bien léger pour une aussi lourde sottise. »

François Ier lui avait offert un bracelet formé de langues entrelacées et portant pour devise : « *Lingua ejus loquetur mendacium.* »

Quand on ne lui donne pas assez vite il menace; si les cadeaux sont insuffisants il les refuse : « Il est certain qu'il convient à ceux qui achètent la gloire de la payer ce qu'elle vaut, non pas selon leur propre valeur, mais selon la condition de celui qui la leur décerne; car les pauvres plumes ont grand mal à soulever de terre un nom pesant comme du plomb par son défaut de mérite. »

Il écrit à François Ier : « Ne savez-vous donc pas, sire, qu'il ne convient pas au rang de Votre Altesse de ne pas vous souvenir de six cents écus que, du propre mouvement de votre langue royale, vous dîtes à mon envoyé devoir m'être payés par votre ambassadeur. »

Sa grande force a été surtout d'exciter entre les princes d'ardentes rivalités et de haineuses jalousies en les louant et dénigrant tour à tour, au détriment les uns des autres : « Il faut faire en sorte que les voix de mes écrits rompent le sommeil de l'avarice. »

Les grands artistes de son temps apprécièrent d'ailleurs son prodigieux esprit et son incomparable adresse. Arioste le place parmi les grands hommes de l'Italie; Titien fit plusieurs fois son portrait; Michel-Ange se proclamait son ami.

Du reste, si sa profession d'écrivain donna un immense

retentissement à ses audaces et à ses écrits, sa vie ne fait pas une exception dans un pays et dans un temps où Benvenuto Cellini assassinait ses ennemis et ceux mêmes qui contestaient son génie, fraudait le pape sur l'or qu'il employait pour lui, volait sans vergogne, violait des jeunes filles et se vantait de ces actions comme de hauts faits, car : « Les hommes comme moi, uniques dans leur profession, doivent être affranchis des lois. »

C'était le siècle où les prélats romains élevaient publiquement leurs enfants auprès d'eux, où les innombrables courtisans des princes servaient, disait-on, « de bouffons dans leur bas âge, de femmes dans leur enfance, de maris dans leur adolescence, de compagnons dans leur jeunesse, de proxénètes dans leur vieillesse et de diables dans leur décrépitude ». Le poignard et le poison étaient en usage dans les relations sociales comme les coups de chapeau et les poignées de main à notre époque. La mort de Pierre Arétin est vraiment surprenante et bien digne de sa vie.

Il était arrivé à un tel éclat de renommée que son portrait se trouvait accroché dans toutes les maisons des pauvres et des princes, des prélats et des courtisanes, dans les tavernes, dans les palais et dans les lieux de débauche publique. Ferdinand d'Adda, recteur de l'université de Padoue, le mettait au-dessus de Charles Quint et de François Ier. La ville d'Arezzo le fit noble et gonfalonier honoraire. On le surnomma même le *Cinquième Evangéliste*.

Car il avait composé non seulement des livres d'une extrême impudicité, des lettres, des satires, des comédies, des libelles, mais aussi des sermons, des ouvrages pieux, des vies des saints pleins d'une ironie profonde et cachée.

S'étant retiré à Venise où la liberté était absolue, il y retrouva ses sœurs qui menaient en cette ville une vie de plaisir.

Or, un jour, comme elles étaient venues lui raconter une aventure obscène dont elles se vantaient, il se mit à rire si violemment qu'il tomba de sa chaise à la renverse et se tua sur le carreau...

***

En commençant le récit de la vie de cet homme surprenant, j'ai écrit le nom de Panurge. Il me semble, en effet, que Pierre Arétin fut la personnification absolue du personnage imaginé par Rabelais. Si on ajoute que l'Arétin, brave par moments comme Panurge, fut aussi lâche que lui en d'autres instants, sut respecter les intraitables, plier devant les menaces de mort du Tintoret et de Pierre Strozzi qu'il avait raillé, reçut des coups qu'il oublia, des bastonnades qu'il pardonna « en remerciant Dieu de lui accorder cette force », on verra que la ressemblance est absolue entre le pamphlétaire italien et le type du roman français.

Si on constate encore que l'Arétin est mort en 1556, et Rabelais en 1553, on verra que cette sorte d'être était bien dans les mœurs et dans l'air du temps.

(*Gil Blas*, 8 décembre 1885.)

209

HISTOIRE DE MANON LESCAUT
ET DU CHEVALIER DES GRIEUX

I

Malgré l'expérience des siècles qui ont prouvé que la femme, sans exception, est incapable de tout travail vraiment artiste ou vraiment scientifique, on s'efforce aujourd'hui de nous imposer la femme médecin et la femme politique.

La tentative est inutile, puisque nous n'avons pas encore la femme peintre ou la femme musicienne, malgré les efforts acharnés de toutes les filles de concierges et toutes les filles à marier en général qui étudient le piano et même la composition avec une persévérance digne d'un meilleur succès, ou qui gâchent de la couleur à l'huile et de la couleur à l'eau, travaillent la bosse et même le nu sans parvenir à peindre autre chose que des éventails, des fleurs, des fonds d'assiette ou des portraits médiocres.

La femme sur la terre a deux rôles, bien distincts et charmants tous deux : l'amour et la maternité.

Nos admirables maîtres, les Grecs, qui avaient sur l'existence des idées plus sages et plus nettes qu'on ne semble le croire aujourd'hui, comprenaient bien cette double mission de la compagne de l'homme. Comme leur intelligence claire n'aimait pas les confusions, ils avaient établi nettement, d'une façon absolue, ces deux attitudes de la femme dans la vie.

Celles qui devaient leur donner des enfants, choisies

avec soin, saines et fortes, étaient enfermées dans la maison, tout occupées de leur devoir sacré, de la sainte et naturelle besogne d'enfanter et d'élever leurs fils qui seraient des hommes, des Grecs, et leurs filles qui seraient des mères.

Celles qui devaient leur donner de l'amour, rendre charmantes, spirituelles et tendres les heures de repos, vivaient libres, entourées d'hommages, de soins et de galanteries. C'étaient les grandes courtisanes, dont le devoir consistait à être belles et séduisantes, à ravir les yeux, à captiver l'esprit et à troubler les cœurs.

On ne leur demandait, à celles-là, que de plaire, d'employer toutes les adresses et tous les artifices à apprendre et à pratiquer l'art subtil et mystérieux de la séduction et des caresses. On respectait tant leur beauté qu'un navire alla chercher Hippocrate en Afrique, parce qu'une grossesse menaçait une d'elles.

Les grands hommes, artistes, philosophes, généraux, vivaient dans la maison de ces courtisanes, écoutaient leurs conseils, trouvaient dans leur intimité cette grâce délicate que les femmes portent en elles, et cherchaient dans leur amour ce quelque chose de presque divin, cette griserie sensuelle et poétique qu'elles versent de leurs lèvres et de leurs yeux. Il a été donné à la femme, en effet, de dominer et d'enchanter l'homme rien que par la forme de son corps, le sourire de sa lèvre et la puissance de son regard. Sa domination irrésistible s'échappe d'elle, nous enveloppe et nous asservit sans que nous puissions résister, lutter, lui échapper, quand elle appartient à la race des grandes victorieuses et des grandes séductrices.

Quelques-unes de celles-là dominent l'histoire du monde, répandent sur leur siècle un charme poétique et troublant. Mais si nous subissons de loin la grâce disparue de celles qui ont vécu, si nous sommes presque amoureux d'elles encore à travers les âges, comme Victor Cousin le fut de Mme de Longueville, combien davantage nous passionnent celles qu'ont rêvées et créées les poètes.

Autrefois, les adorables vivantes dont la beauté nous émeut de si loin s'appelaient Cléopâtre, Aspasie, Phryné,

Ninon de Lenclos, Marion Delorme, Mme de Pompadour, etc.

Et quand nous pensons à ces mortes charmantes, à celles de l'histoire ancienne, vêtues d'étoffes flottantes, à celles du Moyen Age coiffées du grand hennin et que Michelet nous montre « graves dans la sécurité du péché », à celles qui firent si galante la cour de nos rois, nous murmurons, émus malgré nous, la si triste et si douce ballade de Villon :

> Dictes-moi où, ne en quel pays,
> Est Flora la belle Romaine ;
> Archipiada, ne Thaïs,
> Qui fut sa cousine germaine ?
> Echo parlant quant bruyt on maine
> Dessus rivière, ou sus estan ;
> Qui beauté eut trop plus qu'humaine ?
> Mais où sont les neiges d'antan ?
> . . . .
> La Royne Blanche comme ung lys,
> Qui chantoit à voix de sirène ;
> Berthe au grand pied, Biétris, Allys,
> Harembouges, qui tint le Mayne
> Et Jehanne la bonne Lorraine
> Qu'Angloys bruslèrent à Rouen ;
> Où sont-ilz, Vierge Souveraine ?...
> Mais où sont les neiges d'antan ?

II

Mais si l'histoire des peuples est embellie par quelques figures de femmes qui rayonnent comme des étoiles, l'histoire de la pensée humaine, de la pensée artiste, est éclairée aussi par quelques images féminines rêvées par les écrivains, dessinées par les peintres ou taillées dans le marbre par les sculpteurs.

Le corps de la Vénus de Milo, la tête de la Joconde, la figure de Manon Lescaut hantent notre âme et l'émeuvent, et vivront toujours dans le cœur de l'homme, et troubleront toujours tous les artistes, tous les songeurs, tous ceux qui désirent et poursuivent une forme entrevue et insaisissable. Les écrivains nous ont laissé seulement trois ou quatre de ces types de grâce qu'il nous semble avoir connus, qui vivent en nous comme des souvenirs, de ces visions si palpables qu'elles ont l'air de réalités.

D'abord, c'est Didon, la femme qui aime dans la maturité de son âge, avec toute l'ardeur de son sang, toute la violence des désirs, toute la fièvre des caresses. Elle est sensuelle, emportée, exaltée, avec une bouche où frémissent des baisers qui mordent quelquefois, avec des bras toujours ouverts pour enlacer, des yeux hardis qui demandent l'étreinte, dont la flamme est impudique.

C'est Juliette, la jeune fille chez qui s'éveille l'amour, l'amour déjà brûlant, chaste encore, qui brise et tue déjà.

C'est Virginie, plus candide, plus naïve, divinement pure, aperçue là-bas, dans cette île verte. Elle fait rêver, elle fait pleurer, celle-là, elle n'éveille aucun désir brutal. C'est la vierge et martyre de l'amour poétique.

Puis voici Manon Lescaut, plus vraiment femme que toutes les autres, naïvement rouée, perfide, aimante, troublante, spirituelle, redoutable et charmante.

En cette figure si pleine de séduction et d'instinctive perfidie, l'écrivain semble avoir incarné tout ce qu'il y a de plus gentil, de plus entraînant et de plus infâme dans l'être féminin. Manon, c'est la femme tout entière, telle qu'elle a toujours été, telle qu'elle est, et telle qu'elle sera toujours.

Ne retrouvons-nous point en elle l'Eve du paradis perdu, l'éternelle et rusée et naïve tentatrice, qui ne distingue jamais le bien du mal, et entraîne par la seule puissance de sa bouche et de ses yeux l'homme faible et fort, le mâle éternel.

Adam, d'après la légende ingénieuse de l'Ecriture, mange la pomme que lui présente sa compagne. Des Grieux, dès qu'il a rencontré cette fille irrésistible, devient sans le savoir, sans le comprendre, par la seule contagion de l'âme féminine, par le seul contact de la nature dépravante de Manon, un fripon, un gredin, l'associé presque inconscient de cette inconsciente et délicieuse gredine.

Sait-il ce qu'il fait? non. La caresse de cette femme a troublé ses yeux et engourdi son âme. Il le sait si peu, il agit avec tant de sincérité, que nous ne sentons plus nous-mêmes l'infamie naïve de ses actes; nous subissons comme lui la grâce entraînante de Manon, comme lui nous l'aimons, nous aurions trompé comme lui peut-être!

Nous le comprenons, nous ne nous indignons plus ainsi que nous le ferions pour un autre, nous l'absolvons presque, nous lui pardonnons assurément à cause d'elle, parce que nous nous sentons faibles aussi devant cette image ravissante, devant cette unique évocation de la créature d'amour.

Et c'est une chose étrange à remarquer que l'indulgence si complète du lecteur en face des actions honteuses du chevalier Des Grieux et de sa perfide maîtresse.

C'est qu'aucune création artiste n'a jamais parlé plus fortement aux sens de l'homme que cette exquise drôlesse dont le charme subtil et malsain semble s'échapper comme une odeur légère et presque insaisissable de toutes les pages de ce livre admirable, de chaque phrase, de chaque mot qui parle d'elle. Et comme elle est sincère, pourtant, cette gueuse, sincère dans ses roueries, franche dans ses infamies. Des Grieux nous la montre lui-même en quelques lignes qui contiennent plus de la femme que la plupart des gros romans ayant des prétentions à la psychologie : — « Jamais fille n'eut moins d'attachement qu'elle pour l'argent, mais elle ne pouvait être tranquille un moment avec la crainte d'en manquer. Elle n'eût jamais voulu toucher un sou si l'on pouvait se divertir sans qu'il en coûte. Elle ne s'informait pas même quel était le fond de nos richesses... Mais c'était une chose si nécessaire pour elle d'être ainsi occupée par le plaisir qu'il n'y avait pas le moindre fond à faire sans cela sur son honneur et sur ses inclinations. »

Combien de femmes sont racontées jusqu'au fond du cœur par ces courtes phrases!

Mais son frère, qui calcule et compte, a découvert un financier qu'il met en relations avec sa sœur. Elle accepte avec bonheur la fortune qui lui vient ainsi et elle écrit à Des Grieux, dans toute la sincérité, dans toute la naïve infamie de son cœur : « Je travaille pour rendre mon chevalier riche et heureux. » C'est une bête d'amour, une bête aux instincts rusés à qui manque radicalement toute délicatesse ou plutôt toute pudeur de sentiments. Elle aime pourtant, elle aime « son chevalier », mais de quelle étrange façon, avec quelle inconscience de fille. Comme elle a trouvé le luxe, la richesse, tout le bien-être dans la maison et dans la tendresse d'un autre, elle craint que Des Grieux s'ennuie et lui envoie, pour le distraire, une fillette au baiser facile; puis elle s'étonne qu'il n'en ait point voulu, car elle n'a jamais compris l'amour véhément de cet homme : « C'était sincèrement que je souhaitais qu'elle pût servir à vous désennuyer quelques moments, car la fidélité que je souhaite de vous est celle du cœur. » Et quand le chevalier suit, éperdu, la charrette qui emporte sa maîtresse, elle ne parvient pas à comprendre quelle puissance inconnue attache ce misérable à ses pas, elle qui trouvait si simple de l'abandonner aux heures de pauvreté, elle pour qui l'argent et l'amour n'étaient au fond qu'une seule et même chose.

C'est par ces traits subtils et si profondément humains que l'abbé Prévost a fait de Manon Lescaut une inimitable création. Cette fille diverse, complexe, changeante, sincère, odieuse et adorable, pleine d'inexplicables mouvements de cœur, d'incompréhensibles sentiments, de calculs bizarres et de naïveté criminelle, n'est-elle pas admirablement vraie? Comme elle diffère des modèles de vice ou de vertu présentés sans complications, par les romanciers sentimentalistes, qui imaginent des types invariables, sans comprendre que l'homme a toujours d'innombrables faces.

Mais si nous la connaissons au moral, nous la voyons encore avec nos yeux, cette Manon; nous la voyons aussi bien que si nous l'avions rencontrée et aimée. Nous connaissons ce regard clair et rusé, qui semble toujours sourire et toujours promettre, qui fait passer devant nous des images troublantes et précises ; nous connaissons cette bouche gaie et fausse, ces dents jeunes sous ces lèvres tentantes, ces sourcils fins et nets, et ce geste vif et câlin de la tête, ces mouvements charmeurs de la taille, et l'odeur discrète de ce corps frais sous la toilette pénétrée de parfums.

Aucune femme n'a jamais été évoquée comme celle-là, aussi nettement, aussi complètement ; aucune femme n'a jamais été plus femme, n'a jamais contenu une telle quintessence de ce redoutable féminin, si doux et si perfide !

Et puisqu'on parle toujours d'écoles littéraires, n'est-il pas curieux et instructif de voir comment ce livre a survécu et demeure et demeurera par la seule force de la sincérité, par l'éclatante vraisemblance des personnages qu'il fait apparaître.

Combien d'autres romans de la même époque, écrits avec plus d'art peut-être, ont disparu ! Tout ce que les écrivains ingénieux ont inventé et combiné pour amuser leurs contemporains s'est émietté dans l'oubli ! On sait à peine les titres des livres les plus célèbres ; on n'en pourrait pas dire les sujets. Seule, cette nouvelle immorale et vraie, si juste qu'elle nous indique à n'en pouvoir douter l'état de certaines âmes à ce moment précis de la vie française, si franche qu'on ne songe pas même à se fâcher de la duplicité des actes, reste comme une œuvre de maître, une de ces œuvres qui font partie de l'histoire d'un peuple.

N'est-ce point là un éclatant enseignement, plus puissant que toutes les théories et que tous les raisonnements, pour ceux qui ont choisi l'étrange profession d'écrire sur du papier blanc des aventures qu'ils inventent ?

> (Prévost, *Histoire de Manon Lescaut et du Chevalier des Grieux,* préface de Guy de Maupassant. Paris, H. Launette, 1885.)

UN PROPHÈTE

En lisant *Le Prêtre de Nemi,* drame religieux et philosophique, histoire bizarre d'une sorte de prophète qui prêche sous la plume de M. Renan, la sagesse et la justice, sept cents ans avant l'ère chrétienne, en voyant surtout les paysages charmants dans lesquels le grand écrivain français a enveloppé son étrange sujet, le souvenir m'est venu d'un livre lu à Rome au printemps dernier et qui contient aussi l'histoire saisissante d'un prophète.

M. le professeur Barzellotti raconte dans son intéressante étude la vie singulière d'un illuminé, d'un fondateur de religion, né en 1835 à Arcidosso, province de Grosseto (Toscane), et mort en martyr, il y a quelques années à peine. On se rappellera sans doute le fait de cette mort dont nous avons ignoré jusqu'ici les détails.

Si cet inspiré était venu à une époque de foi, il est probable qu'il aurait entraîné des peuples et converti à sa doctrine une succession de générations, car on retrouve en lui les traits originaux des grands semeurs de croyances, et ce singulier mélange de franchise et de charlatanisme qu'il faut pour séduire les hommes.

Né en 1835, sur les confins des Etats pontificaux, David Lazzaretti montra dès son enfance une sensibilité et une imagination tellement remarquables, que les habitants du pays l'avaient surnommé *Mille idées.*

N'est-ce point là une marque qu'on retrouve chez tous les fondateurs de religions?

Il fit preuve de très bonne heure d'une tendance à l'exaltation religieuse dont on signala, paraît-il, des traces héréditaires dans sa famille; et il eut, à l'âge de treize ans, une apparition.

C'était pendant les événements de 1848. Un personnage mystérieux le rencontra et lui prédit tous les événements futurs de son existence.

Mais sa vie active et pénible dut arrêter le développement de sa vocation d'illuminé. Il fut dans sa jeunesse une sorte de barde célèbre déjà par ses poèmes rustiques, par ses chants, par sa beauté et par sa force physique.

Comme il transportait d'ordinaire du charbon et de la terre de Sienne sur le dos de ses trois mulets, les habitants des pays qu'il traversait se réunissaient autour de lui pendant ses haltes pour l'écouter déclamer les chants du Tasse ou de l'Arioste, et parfois aussi ses propres vers.

Il avait les yeux bleus, les cheveux et la barbe noirs, la taille haute, et sa vigueur était telle qu'il se débarrassa, un jour de foire, de trois colosses qui l'attaquaient, en leur lançant un tonneau plein de vin qu'il souleva comme un panier vide.

Son adresse à manier le bâton et sa vie aventureuse le rendaient populaire. Des légendes commençaient à courir sur lui, comme il s'en forme toujours sur ceux qui ont ou qui doivent avoir de l'action sur les foules; et il exerçait déjà une influence personnelle singulière sur tous ceux qui l'entouraient ou qui l'approchaient.

A cette époque, cependant, sa vocation de prophète semble subir un arrêt, car il se mit à blasphémer; mais ses blasphèmes, loin de lui nuire, accrurent encore sa réputation, augmentèrent son autorité. Le blasphème, d'ailleurs, n'est-il pas une des formes de la foi? Nier violemment, n'est-ce pas attester qu'on peut croire avec passion? Insulter un dieu, c'est presque lui rendre hommage; c'est montrer qu'on le craint, puisqu'on le brave, c'est affirmer qu'on croit à sa puissance puisqu'on l'attaque. Entre blasphémer et croire, il y a juste la même différence qu'entre aimer et haïr. Ceux-là seuls qui peuvent aimer ardemment sont capables de haine furieuse; et si l'on passe de la haine à l'amour, l'amour alors devient excessif.

A vingt-deux ans, David Lazzaretti se maria et il devint père.

En 1860, il s'engagea comme volontaire. Il prit part au combat de Castelfidardo et composa des hymnes patriotiques que ses amis répétaient en chœur.

Au mois d'avril 1868, David eut une nouvelle apparition qui détermina la direction de sa vie, et il se retira, en solitaire, sur une montagne déserte et sauvage de la Sabine, non loin de Rome. Il vécut là en ermite errant, changeant sans cesse de retraite, se contentant des moindres nourritures.

Au cours de cette vie vagabonde, il rencontra un Prussien, Ignace Micus, qui vivait depuis quinze ans dans l'ermitage de Sainte-Barbe et qui paraît avoir été un homme bizarre et supérieur.

Il est à remarquer comme cette terre italienne est bien une terre religieuse qui appelle les ermites et les fait éclore ainsi qu'un fruit naturel de ce sol miraculant.

Micus eut sur les idées de Lazzaretti une influence profonde et peut-être décisive. C'est lui qui semble avoir mis en son esprit cette graine étrange du mysticisme qui envahit une âme, comme la folie. Jusque-là, en effet, David n'était qu'un exalté; à partir de sa rencontre avec Ignace Micus, il devint un mystique. Ignace s'attacha à son nouvel ami, quitta pour lui sa retraite, l'accompagna plus tard en son pays natal, où il mourut au milieu des disciples de David. Il fut assisté à ses derniers moments par un médecin qui déclara au professeur Barzellotti que ce Prussien était un homme vraiment remarquable et très mystérieux.

*_**

Le séjour de Lazzaretti sur la montagne de la Sabine fut rempli de visions. Il reçut d'abord la visite d'un guerrier qui lui indiqua, dans la grotte même habitée par David, l'endroit où étaient enfouis ses os. Lazzaretti appela à son aide l'archiprêtre voisin, et tous deux, s'étant mis à creuser, découvrirent en effet des ossements humains qu'ils enterrèrent en lieu saint.

Le guerrier, satisfait, apparut une seconde fois au solitaire mais il n'était plus seul, s'étant fait accompagner de la Sainte Vierge et de saint Pierre. Comme remerciement du service rendu, il raconta à David sa très curieuse histoire, qu'on trouvera tout au long dans l'étude du professeur Barzellotti.

C'est ici que, pour la première fois, nous allons constater chez le prophète italien une de ces supercheries familières aux faiseurs de miracles. Saint Pierre, avant de remonter au ciel, lui imprima sur le front le signe bizarre que voici :)+(. A partir de ce moment, il deviendra bien difficile de démêler exactement ce qui se passe dans l'esprit de cet illuminé, de faire la part de la bonne foi, du mysticisme exalté et sincère, et, en même temps, la part de la ruse naïve et native, de la ruse campagnarde du paysan toscan ingénument crédule et roué, aussi simple que pratique. Il a passé, sans doute, par une série d'évolutions et de transformations, par une suite d'étapes où tantôt il se croyait vraiment envoyé du ciel, et tantôt s'ingéniait à se faire prendre pour un apôtre, sans être lui-même absolument certain de sa mission.

Peu à peu, il s'est mis à jouer son rôle, employant tous les moyens que lui suggéraient sa finesse et son intelligence, convaincu parfois que ce rôle lui était imposé par Dieu, et comprenant parfois aussi qu'il en imposait à ses concitoyens. Puis il est entré lentement dans la peau du personnage, ainsi qu'on dit au théâtre; il s'est pris pour un messie; la conscience de la comédie jouée s'est noyée dans l'acclamation de la foule, dans la popularité grandissante, dans l'admiration générale, pour ne plus lui laisser que l'orgueil de son triomphe et la certitude de sa mission. L'exaltation se développant en lui comme une ivresse qui grandit l'a mené sûrement à la folie mystique aiguë.

Le souvenir des apparitions du guerrier, de la Sainte Vierge et de saint Pierre a été fixé par un tableau appelé

« la Madone de la Conférence », nom que Lazzaretti avait donné à son entretien avec ces personnages célestes; et ce tableau fut exposé dans une chapelle érigée *ad hoc* dans le voisinage de la grotte par l'archiprêtre de Montorio.

Les reproductions de ce tableau sont pieusement conservées dans les demeures des paysans disciples de David.

Précédé par le récit de ces visions miraculeuses, le prophète rentra dans son pays natal où il devint l'objet de la vénération de tous. On l'appelait *l'homme du mystère;* et de très loin des fervents accouraient pour le voir et l'écouter.

Sa renommée s'étendit de jour en jour, favorisée même par le clergé. L'archiprêtre d'Arcidosso le promenait par le pays en le montrant comme *l'homme de Dieu.*

David alors établit sa demeure sur l'une des montagnes les plus élevées autour du Monte Amiato, le Monte Labro que les lazzarettistes appellent aujourd'hui Monte Labaro (Drapeau). Sur ce sommet désert et inculte, la population voulut ériger, sous sa direction, une tour, un ermitage et une petite église dont les ruines subsistent encore. On vit plus de 300 hommes travailler sous les ordres du saint. Cet ermitage devint bientôt le centre de réunion des adeptes du prophète qui fonda entre eux plusieurs sociétés.

Dans tout fondateur de religion, il y a un législateur et souvent un socialiste. C'est à ce moment de la vie de David Lazzaretti que se développèrent ces deux tendances de son esprit.

Il fit donc des lois et des règlements, établit une association de secours mutuels et une autre association tout à fait communiste dont faisaient partie plus de 80 familles. Ces familles de paysans et de petits propriétaires mirent en commun tous leurs biens. On crut même à ce moment en Italie que le mouvement lazzarettiste était un mouvement agraire, tandis qu'il n'était en réalité qu'une évolution religieuse à laquelle prenaient part des petits propriétaires plutôt que des prolétaires.

Cependant le prophète, comprenant que tout prestige finit par s'affaiblir, que toute influence finit par s'user, voulut redonner une force nouvelle à son autorité, et il tenta d'autres aventures, avec cet instinct de la mise en scène qui ne lui fit jamais défaut.

Le 5 janvier 1870, après avoir soupé avec ses disciples, vêtus comme lui de robes étranges, et avoir prédit même que l'un d'eux l'avait trahi, il partit subitement et alla vivre en solitaire dans l'île de Monte-Cristo.

A son retour, après quarante jours d'absence, il reçut une véritable ovation.

Mais son nouveau séjour à Monte-Labro dura peu. Il partit alors pour la France, où il demeura huit années, à la Chartreuse de Grenoble d'abord, et puis dans les environs de Lyon, où il retrouva un de ses fervents disciples, M. Léon Duvachat, ancien magistrat qui l'avait connu en Italie et lui avait donné 14000 francs pour la tour de Monte-Labro.

M. Duvachat l'accueillit avec sa famille et le logea, se chargea de l'éducation de ses enfants Turpino et Bianca, et fit traduire et imprimer à ses frais les ouvrages du prophète : *Les Fleurs célestes, Ma lutte avec Dieu* et *le Manifeste aux Princes chrétiens* (Lyon, librairie Pitrat aîné).

Dans le *Manifeste aux Princes chrétiens,* David prédisait à l'Europe les successives apparitions de sept têtes de l'Antéchrist dont chacune signifierait un ennemi du parti légitimiste français et du pouvoir temporel des papes — Il y avait le cardinal Hohenlohe, le père Hyacinthe, Bismarck, etc.

Il résulta, d'ailleurs, du procès intenté à Sienne aux lazzarettistes en 1879, et qui se termina par leur acquittement, qu'un accord existait entre les disciples français et italiens de David, pour favoriser une aventure politique combinée entre les partis cléricaux des deux pays.

Une chose curieuse à noter dans les écrits de David, et qui rattache, selon M. Barzellotti, les utopies de ce prophète à la tradition mystique du Moyen Age, c'est la prédiction du prochain règne du Saint-Esprit. Cette prédiction fait partie, en effet, de la doctrine de Joachim de Fiore, cité par Dante et étudié par M. Renan.

***

L'histoire de David aurait ressemblé à celle de beaucoup d'illuminés si une mort tragique n'était venue consacrer sa mémoire et transformer le prophète en martyr.

Après avoir été encouragé par le clergé de son pays, il vit ses ouvrages condamnés par les autorités ecclésiastiques. Puis on l'invita lui-même à se soumettre, ainsi que les deux prêtres qui dirigeaient la petite communauté de Monte-Labro.

Exaspéré par cette opposition et n'espérant plus pouvoir exécuter la réforme politique et religieuse qu'il avait rêvée avec l'appui de l'Eglise, il devint un révolté et il imagina aussitôt un nouveau plan de réforme qui tendait à une République universelle appelée *le Règne de Dieu,* le siège de la papauté ayant été transporté par lui de Rome à Lyon.

Son exaltation toucha alors à la folie. Après avoir quitté la France pour se rendre à Rome où il se disait appelé par le Saint-Office, il déclara qu'il était le Christ lui-même, chef et juge revenu au monde, et il prédisait la modification prochaine de l'univers entier.

A Rome, il parut se soumettre, mais à peine revenu sur sa montagne, il se mit à prêcher violemment sa réforme, en réclamant le partage des terres.

Il transforma les rites de sa petite église et vit chaque jour augmenter le nombre de ses disciples.

L'opposition du clergé et de la partie riche de la population devint alors passionnée. D'un autre côté, son parti exigeait la réalisation de ses prophéties; et David se résolut à frapper un grand coup sur les esprits.

Ayant réuni tous ses disciples sur sa montagne, il les tint en prière pendant quatre jours et quatre nuits, puis, quand il les eut exaltés par toutes sortes d'exercices pieux et de pénitences, il se mit à leur tête et descendit vers la plaine.

Ils étaient plusieurs centaines d'hommes et de femmes, vêtus de robes symboliques et chantant des psaumes au son des fanfares.

Les paysans accouraient sur leur passage et se joignaient à eux, s'attendant à des miracles, à des choses surprenantes et surhumaines. Et le cortège grossi sans cesse allait, traversait les villages en poussant des clameurs de piété sauvage.

Alors, le bruit se répandit dans le pays que cette horde de gens exaltés pillait et ravageait les demeures. Beaucoup d'hommes prirent les armes; d'autres s'enfuirent.

C'était au lendemain de l'attentat de Passanante sur le roi Humbert; les esprits étaient inquiets et troublés; on prenait peur pour un rien.

Le chef de police de la contrée, surpris par la descente de cette procession de fanatiques, ne sachant guère à quelle sorte de gens il avait affaire, alla à leur rencontre avec les quelques carabiniers dont il pouvait disposer.

A la vue des soldats, les lazzarettistes, sans armes d'ailleurs, poussèrent des vociférations et lancèrent quelques pierres, comme il arrive toujours quand le peuple soulevé se trouve en face de la troupe.

Les carabiniers, effrayés à leur tour et se croyant menacés firent feu; et le prophète, atteint d'une balle, tomba mort au milieu de ses disciples, dont plusieurs avaient été blessés.

Cette fin tragique mit l'auréole du martyre sur le front de l'illuminé, consacra sa doctrine et fortifia la foi de ses adeptes.

Ses disciples, encore assez nombreux aujourd'hui, attendent toujours la réalisation de ses promesses.

L'étude de ces derniers croyants termine l'ouvrage du professeur Barzellotti, qui montre vraiment d'une façon saisissante la figure de ce paysan. Prophète égaré dans notre siècle, figure bizarre du Moyen Age qui apparaît étrangement au milieu des mœurs, des coutumes et des costumes modernes dans un paysage presque biblique, un de ces paysages latins où les grands peintres de la Renaissance italienne nous ont accoutumés à voir des miracles.

(*Le Figaro*, 1ᵉʳ janvier 1886.)

(Le Figaro, 1er janvier 1886.)

NOS OPTIMISTES

Le pessimisme n'a qu'à bien se tenir. Voici que
M. Ludovic Halévy, du haut de l'Académie française, dit
son fait à Schopenhauer.

Musset avait crié à Voltaire :

> *Dors-tu content, Voltaire, et ton hideux sourire*
> *Voltige-t-il encor sur tes os décharnés?*

M. Ludovic Halévy renouvelle cette imprécation contre
l'admirable et tout-puissant philosophe allemand dont le
génie domine et gouverne, aujourd'hui, presque toute la
jeunesse du monde.

Le sourire satisfait de l'heureux académicien s'indigne
contre le sourire diabolique du prodigieux sceptique qui
méprisa la vie autant que l'homme et nous apprit, après
beaucoup d'autres d'ailleurs, que l'une et l'autre ne valent
pas grand-chose.

La gaieté aimable du spirituel écrivain, du charmant
fantaisiste à qui nous devons les Cardinal, s'efface devant
la gaieté sournoise et terrible du grand ironique de ce
siècle.

Ils n'étaient pas créés pour se comprendre en effet.

M. Halévy, homme heureux, auteur heureux, à qui
tous les succès arrivent, et qui *les mérite,* juge excellente
l'existence, et ses voisins de l'Académie, des êtres excep-

tionnels, d'où il conclut que tous les hommes sont parfaits et toutes les choses à souhait.

Nous avons déjà vu, je crois, dans un conte de Voltaire, un certain docteur de cet avis.

Mais pourquoi les gens contents qui entrent à l'Académie, après l'avoir beaucoup désiré, veulent-ils empêcher les autres d'avoir un idéal différent, plus difficile, même inaccessible? Peu importe d'ailleurs! Ce qui importe, c'est d'empêcher à tout prix qu'on nous parle plus longtemps du pessimisme qui devient la grande scie de notre Troisième République. Nous lisions déjà l'autre jour, dans la *Revue bleue,* une conférence, fort remarquable du reste, de M. Ferdinand Brunetière, sur le même sujet, que le rédacteur de la *Revue des Deux Mondes* a traité avec une science, une hauteur de vue et une compétence absentes dans le discours élégant du glorieux académicien.

Mais qu'on soit pour ou qu'on soit contre, ne nous parlez plus de pessimisme; par grâce, n'en parlez plus.

Le seul moyen pratique pour obtenir ce résultat serait de prier nos députés, qui ne font pas grand-chose de bon, de nous voter une loi rédigée à peu près ainsi :

LOI
Tendant à réprimer le pessimisme contemporain

Article premier — Il est rigoureusement interdit à tout Français sachant lire et écrire de rien lire ou de rien écrire sur le pessimisme contemporain.

Art. 2 — Il est rigoureusement interdit sous peine de deux ans à vingt ans de travaux forcés d'être ou de paraître malheureux, malade, difforme, scrofuleux, etc., etc., de perdre un membre dans un accident de voiture, de chemin de fer ou autre, à moins qu'on ne se déclare aussitôt satisfait de cet événement.

Art. 3 — Il est défendu à tout Français, majeur ou non, de mourir de faim.

Art. 4 — Ceux qui n'ont pas de domicile et qui sont forcés de passer sur des bancs ou sous des ponts les nuits glaciales devront chanter des chansons plaisantes et honnêtes de six heures du soir à six heures du matin pour bien prouver leur satisfaction aux gens qui rentrent chez eux.

Art. 5 — Tout homme riche qui se dirait pessimiste sera immédiatement mis à mort.

Art. 6 — Une exception sera faite en faveur de ceux qui, ayant moins de mille francs de rentes, auront plus de dix enfants.

Art. 7 — Une autre exception en faveur des gens atteints par cas extraordinaire d'une maladie chronique du cœur, de l'estomac, du foie ou du cerveau, affections qui sont de nature à déterminer un mauvais caractère.

Art. 8 — Il est interdit à tout Français riche et bien portant de s'apitoyer sur le sort des misérables, des vagabonds, des infirmes, des vieillards sans ressources, des enfants abandonnés, des mineurs, des ouvriers sans travail et en général de tous les souffrants qui forment en moyenne les deux tiers de la population, ces préoccupations pouvant jeter les esprits sains dans la déplorable voie du pessimisme.

Art. 9 — Quiconque parlera de Decazeville ou de *Germinal* sera puni de mort.

Art. 10 — Quiconque sera convaincu d'avoir acheté ou de posséder chez soi *Germinal* devra payer à l'Etat une amende de 1 000 francs. Une enquête sera faite à domicile dans ce but, par les gendarmes sur qui il est défendu de tirer.

Art. 11 — La tendance au pessimisme, provenant d'une manière de penser défectueuse de la nouvelle génération, le gouvernement, grâce au précieux concours des trente-six membres toujours vivants de l'Académie française, réunis sous la présidence de M. Ludovic Halévy, croit devoir rectifier de la façon suivante quelques idées défectueuses et dangereuses qui ont cours dans le public.

Le malheur n'existant pas, et ne provenant que d'un vice d'appréciation, il suffira, pour être toujours et constamment très heureux, de se bien convaincre :

1° Que tout est parfait ici-bas, depuis la politesse des cochers de fiacre, jusqu'à l'intelligence des députés.

2° Que la fortune est plutôt une calamité qu'un bonheur, et la misère plutôt un bonheur qu'une calamité.

3° Que la faim est un excellent moyen d'apprécier l'exquise saveur du pain sec quand un passant vous a donné cinq centimes; que la soif est un excellent procédé contre l'ivrognerie; que les infirmités sont des épreuves utiles, les épidémies un parfait moyen d'avancement pour les survivants, la guerre une saignée bien aisante, et celle du Tonkin en particulier une méthode ingénieuse inventée pour remplacer par des torpilleurs à bon marché toute notre marine cuirassée mise aux vieux fers chinois.

4° Toute situation fâcheuse ne devra jamais être regardée que comme transitoire. C'est ainsi que les républicains d'hier considéraient l'Empire comme le plus sûr moyen d'arriver à la République, et que les réactionnaires d'aujourd'hui considèrent la République comme la meilleure manière de revenir à la monarchie.

Avec cette façon de voir, aucun pessimisme n'est plus possible.

En outre, à l'exemple de beaucoup d'hommes qui pensent ainsi déjà, tout Français devra envisager :

— La mort de ses enfants comme un soulagement ;

— Celle de ses parents comme un accroissement de bien-être ;

— Celle de ses collatéraux comme une petite fête de famille ;

— Et la sienne comme une délivrance.

N.B. — Le mot « Délivrance », ancienne formule usitée depuis des siècles, semblerait indiquer que la vie est un état de souffrance et pourrait être remplacé par ceux-ci : « Triomphe Final ».

* * *

Ces dispositions étant encore insuffisantes, l'Académie, dont chaque membre prend le titre d'optimiste d'honneur, a établi ainsi l'idéal auquel a droit chaque citoyen, suivant la classe de la société à laquelle il appartient. Car il est absolument interdit à tout Français de rêver plus haut que son rang.

L'ouvrier ne doit aspirer qu'au pot-au-feu et jamais au poulet rôti.

S'il ne peut s'élever au-dessus du bon de fourneau, il cesse d'être intéressant.

Tout bourgeois aspirera à la Légion d'honneur. Cette distinction continuera à être distribuée avec une libéralité qui assurera aux optimistes une grande majorité dans la bourgeoisie.

Tout député aspirera au ministère. On continuera également à changer les ministres assez vite pour que tous nos représentants puissent remplir cette haute fonction au moins pendant huit jours chaque année.

Tout individu marié, homme ou femme, aspirera au divorce, et l'obtiendra.

Quant aux poètes qui demandent la lune, on la leur donnera en pain d'épice ou en quelque autre substance, tout idéal inaccessible étant sévèrement interdit.

Sera également interdit, de la façon la plus rigoureuse, tout calcul proportionnel qui pourrait produire le raisonnement suivant :

Les appréciations sur le bonheur ou sur le malheur dans l'existence pouvant donner lieu à contestation par suite d'idées contradictoires, il paraît sage de s'en rapporter aux simples mathématiques, les chiffres demeurant indiscutables.

Nous allons donc faire le bilan du bien et du mal en prenant comme unités les hommes et en les classant par professions. Si la moyenne des bons l'emporte d'une façon indiscutable sur la moyenne des mauvais, nous conclurons indubitablement pour l'optimisme, et vice versa.

Donc : sur dix rois, y en a-t-il eu cinq bons ? Prenons la grande période de l'histoire de France.

François 1er — Un batailleur plus souvent battu que

vainqueur. Ce roi qui perdit tout, fors l'honneur, ne fut certes pas un grand monarque. Et d'un.

Henri II signa le traité désastreux du Cateau-Cambrésis par lequel la France perdait une partie de ses conquêtes. Mauvais roi. Et de deux.

François II régna un an. Nul.

Charles IX — Déplorable. Et de trois.

Henri III — Oh! Oh! Et les mignons. Et de quatre.

Henri IV — Grand roi. Un.

Louis XIII — Mauvais — mauvais. Quatre.

Louis XIV — Grand roi. Deux.

Louis XV — Tirons un voile. Cinq.

Louis XVI — Laissa la Révolution devenir ce qu'elle fut par son inqualifiable faiblesse. Six.

Donc, six mauvais pour deux bons.

Regardons autour de nous maintenant. Obtenons-nous un bon ministre sur dix, un député intelligent sur cent, une bonne cuisinière sur mille, une bonne bouteille de vin sur dix mille, une bonne bouteille d'eau-de-vie sur cinquante mille? A peine.

Continuons : existe-t-il un bon écrivain sur cent? Un bon livre sur cent mille? Un financier honnête sur dix mille? Un commerçant probe sur vingt? Une bonne pièce de théâtre sur cent? Un bon général sur cinquante? Un bon médecin sur mille? A peine.

Continuons. Rencontrons-nous plus d'une jolie femme sur cinq cents? — Non! — Plus d'un beau cheval sur cinq mille? — Non! — Plus d'un beau jour sur vingt? — Non! — Plus d'un homme instruit sur cinquante mille? — Non! — Plus d'un peintre remarquable sur cent? — Non! — Plus d'un bon domestique sur cent? — Non!

Donc en établissant, par professions une moyenne de une unité pour le bien et de quatre-vingt-dix-neuf pour le mal, nous serons à peu près dans la vérité, car il est indéniable que presque tous nos ministres sont sans valeur, presque toutes nos cuisinières détestables, presque tous nos députés incapables, presque tout le vin que nous buvons exécrable, presque tous nos écrivains médiocres (sur les quarante de l'Académie peut-on compter plus de dix exceptions — éclatantes, il est vrai), presque tous les marchands fripons (s'informer au Laboratoire municipal), presque toutes les pièces que nous allons voir ennuyeuses, presque toutes les femmes laides (combien de jolies dans ce qu'on appelle le monde, dix?) presque tous nos domestiques paresseux, etc. D'où il faudrait conclure?...

Mais ne concluons pas, car nous serions menacés d'une nouvelle averse de raisonnements sur le pessimisme.

Et il faut se hâter de rire des choses pour n'être pas forcé d'en pleurer, comme il est écrit quelque part.

(*Le Figaro*, 10 février 1886.)

A PROPOS DE RIEN

C'était à Nice, pendant la bataille des fleurs.

Une petite femme blonde et jolie, debout au premier rang des tribunes, bataillait avec acharnement. Devant elle, deux immenses paniers de fleurs, sans cesse remplis par des bouquets nouveaux, lui servaient d'arsenal où elle prenait à pleines mains ces balles parfumées pour les lancer aux voitures, qui passaient lentement au pas des chevaux.

Et elle riait de tout son cœur, s'agitait follement, triomphant quand elle avait atteint une amie en plein visage.

Puis, lasse, exténuée, elle cessa de se battre pendant quelques instants pour regarder le défilé.

L'une derrière l'autre, les voitures arrivaient, passaient, disparaissaient, couvertes, vêtues, remplies de fleurs. Les unes avaient des roues de violettes, les autres des roues de giroflées; celle-ci ressemblait à une énorme cuve d'œillets, celle-là à un nuage de mimosas. Des bottes de roses remplaçaient les lanternes, un fouet avait l'air d'une fusée de jonquilles.

Et dedans des dames et des messieurs en toilette. Des dames et des messieurs trop gros ou trop maigres, rouges, empanachés, endimanchés. De temps en temps une jolie femme, une sur deux cents, que tous les yeux suivaient; puis le défilé recommençait, l'interminable défilé des laids, des grotesques, des vilains bonshommes ventrus

233

ou étiques, des vilaines bonnes femmes communes et fagotées.

Et parmi les brillantes voitures, passaient aussi les fiacres, les hideux fiacres, traînés par un squelette de cheval et conduits par l'affreux cocher à moustaches, au veston crasseux, au chapeau de feutre incliné sur l'oreille.

La petite femme ne se battait plus, elle regardait ces gens, elle les regardait avec des yeux étonnés, après sa griserie gaie de tout à l'heure, avec des yeux ouverts pour la première fois. Et elle murmura :

— Mon Dieu, que les hommes sont laids! Pour la première fois, elle s'apercevait, au milieu de cette fête, au milieu de ces fleurs, au milieu de cette joie, au milieu de cette ivresse, que, de toutes les bêtes, la bête humaine est la plus laide.

Alors elle regarda, autour d'elle, la foule agitée des tribunes et elle se vit au milieux d'affreux êtres ridicules, dont le rire était une grimace, une abominable grimace qui relevait les joues, fendait la bouche, fermait les yeux, plissait le nez.

Et par-dessus l'odeur des fleurs coupées, des fleurs arrachées aux jardins, arrachées à la terre pour amuser la foule, la vilaine foule grouillant dans la poussière, une odeur de peuple flottait, une odeur de chair malpropre et d'ail, cette odeur d'ail que les gens du Midi répandent autour d'eux comme la rose exhale son parfum, dont ils empoisonnent leurs villes, dont ils corrompent l'air de leurs campagnes, dont ils gâtent le ciel lui-même.

Et la petite femme dit à son voisin :

— Est-ce qu'on sent mauvais comme ça tous les jours?

**

Certes les hommes sont tous les jours aussi laids et sentent tous les jours aussi mauvais, mais nos yeux, habitués à les regarder, notre nez accoutumé à les sentir ne distinguent leur hideur et leur puanterie que lorsqu'ils en sont avertis par un contraste subit et violent.

L'homme est affreux! Il suffirait, pour composer une

galerie de grotesques à faire rire un mort, de prendre les dix premiers passants venus, de les aligner et de les photographier avec leurs tailles inégales, leurs jambes trop longues ou trop courtes, leurs corps trop gras ou trop maigres, leurs faces rouges ou pâles, barbues ou glabres, leur air souriant ou sérieux.

Jadis, aux premiers temps du monde, l'homme sauvage, l'homme fort et nu, était certes aussi beau que le cheval, le cerf ou le lion. L'exercice de ses muscles, la libre vie, l'usage constant de sa vigueur et de son agilité entretenaient chez lui la grâce du mouvement qui est la première condition de la beauté, et l'élégance de la forme que donne seule l'agitation physique. Plus tard, les peuples artistes, épris de plastique, surent conserver à l'homme intelligent cette grâce et cette élégance, par les artifices de la gymnastique. Les soins constants du corps, les jeux de force et de souplesse, l'eau glacée et les étuves firent des Grecs les vrais modèles de la beauté humaine, et ils nous laissèrent leurs statues, comme enseignement, pour nous montrer ce qu'étaient leurs corps, ces grands artistes.

Mais aujourd'hui, ô Apollon, regardons la race humaine s'agiter dans les fêtes! Les enfants, ventrus dès le berceau, déformés par l'étude précoce, abrutis par le collège qui leur use le corps à quinze ans en courbaturant leur esprit avant qu'il soit nubile, arrivent à l'adolescence, avec des membres mal poussés, mal attachés, dont les proportions normales ne sont jamais conservées.

Et contemplons la rue, les gens qui trottent avec leurs vêtements sales! Quant au paysan! Seigneur Dieu! Allons voir le paysan dans les champs, l'homme souche, noué, long comme une perche, toujours tors, courbé, plus affreux que les types barbares qu'on voit aux musées d'anthropologie.

Et rappelons-nous combien les nègres sont beaux de forme, sinon de face, ces hommes de bronze, grands et souples, combien les Arabes sont élégants de tournure et de figure!

Mais l'homme a les yeux fermés pour l'homme. Il ne sait pas regarder ce qu'il voit dès l'enfance, juger d'un coup d'œil ce qui passe devant son regard en établissant toujours le mieux et le pire, contempler enfin notre vie comme ferait un singe grimpé dans un arbre et qui estimerait l'homme une caricature de sa race. Et ce bandeau que nous avons sur les yeux, nous le portons aussi sur l'esprit. Nous marchons aveuglés par les religions successives et diverses, puériles et folles inventées par nos pères contre la terreur de l'immense Inconnu. Nous allons, abrutis par les préjugés séculaires, par les morales de toute origine qui ont fait ricochet sur nous, par les législations enfantines qui ont changé en liens sacrés des usages ridicules et niais.

Et le nombre est tel des idées fausses, des opinions stupides mais indéracinables, des croyances saintes mais imbéciles, des superstitions invincibles, des coutumes antiques mais honteuses, des usages établis mais monstrueux, acceptés, pratiqués par tout le monde sans contrôle, sans résistance, sans révolte, respectés, au contraire, accueillis comme si un Dieu nous les eût révélés dans sa miséricorde, qu'il est impossible de s'en dégager.

Ceux qui le tentent se débattent en vain au milieu de liens menus, irrésistibles, innombrables et presque insensibles, ce qui les rend insaisissables. Et on cesse bientôt de lutter, par fatigue.

Celui qui voudrait garder l'intégrité absolue de sa pensée, l'indépendance fière de son jugement, voir la vie, l'humanité et l'univers en observateur libre, au-dessus de tout préjugé, de toute croyance préconçue et de toute religion, c'est-à-dire de toute crainte, devrait s'écarter absolument de ce qu'on appelle les relations mondaines, car la bêtise universelle est si contagieuse qu'il ne pourra fréquenter ses semblables, les voir et les écouter sans être, malgré lui, entamé de tous les côtés par leurs convictions, leurs idées et leur morale de taupes.

**

Ce qui semble le plus singulier à tout esprit qui regarde, d'un peu loin, vivre les hommes, c'est leur agitation inutile. On s'agite dans les salons en des fêtes qui n'offrent aucun plaisir effectif, sauf celui de s'entre-regarder pendant une heure, après en avoir passé trois ou quatre à se parer.

On s'agite en politique autour de questions dont la solution n'appartient pas à l'homme, mais que l'homme discute et reprend avec une persévérance de cheval qui tourne une meule.

On s'agite dans la rue et dans les cafés à discuter les opinions des journalistes qui ont souvent l'esprit de n'en pas avoir, mais qui s'agitent dans les colonnes de leurs feuilles comme s'ils étaient les plus convaincus et les plus enthousiastes des hommes.

Enfin, le monde a l'air d'un immense ministère plein d'employés, qui sont eux-mêmes pleins de zèle et qui ne font jamais rien autre chose que de noircir inutilement un peu de papier, tout en paraissant travailler du matin au soir, pour le plus grand intérêt de l'univers...

**

La petite femme blonde ne jetait plus de fleurs. Elle regardait passer la foule bruyante avec des yeux las et découragés ; elle regardait les fleurs bleues, rouges, jaunes, blanches, si fines, si jolies, si parfumées, pleuvoir sur les grosses figures rouges et sur les maigres figures ridées.

Elle ne parlait plus! A quoi pensait-elle?... A rien, sans doute!

(*Gil Blas*, 30 mars 1886.)

AU SALON

I

Mesdames et Messieurs,

Nous allons, si vous le voulez bien, faire ensemble quelques visites à cette halle centrale de la peinture qu'on appelle, je ne sais pourquoi, le Salon. Ne croyez point cependant qu'à l'imitation de MM. les critiques j'aie l'intention de vous faire un cours théorique sur l'art de peindre. Non, et j'ai pour cela de bonnes raisons. La meilleure de toutes, c'est que je n'entends rien à cet art que je n'ai point pratiqué, dont j'ignore le métier, indispensable à connaître pour formuler une opinion raisonnable et autorisée. Je suis sur ce point, d'ailleurs, tout juste aussi renseigné que mes confrères ; mais j'ai sur eux cet avantage d'avouer mon ignorance et de la proclamer même préférable à leur autorité pour faire un Salon sans préjugés. En peinture d'ailleurs, comme en littérature, en musique, en hébreu ou en thérapeutique, personne au fond ne s'y connaît et le plus simple est de le reconnaître, ce que personne non plus ne fait, ni le public, ni les critiques, ni les peintres.

Cela est facile à prouver.

Commençons par les critiques.

Je suppose un d'eux doué des délicates et si rares qualités de l'œil qui font l'artiste moderne, qualités dont je parlerai tout à l'heure, qualités natives, qualités inconnues d'ailleurs aux six dixièmes des peintres. Eh

238

bien, si le critique les possédait, ces qualités, au lieu d'écrire des phrases dessus, il s'en servirait tout simplement pour peindre.

Mais admettons le critique doué par la nature. Il lui manquera toujours la science de l'exécution, compliquée, difficile, que des années d'études peuvent seules donner.

Mais la peinture et la littérature ont cela de particulier qu'elles semblent compréhensibles pour tous, alors qu'elles demeurent ignorées de presque tous. L'homme qui sait écrire une lettre avec orthographe juge de pair les écrivains dont il ne soupçonnera jamais les tortures, les intentions, les combinaisons, le martyre secret pour donner aux mots la vie mystérieuse de l'art. Et l'homme qui se promène au palais de l'Industrie se permet de juger les peintres, par cela même qu'il a des yeux pour voir. Je vois, donc je sais! pense-t-il.

Suffit-il de regarder une locomotive en marche pour posséder les connaissances d'un ingénieur?

Or le critique croit en savoir assez parce qu'il a vu beaucoup de trains passer, de trains ou de tableaux, si vous voulez. Et il juge! Il juge, bénit, encourage, approuve, condamne, distribue l'éloge ou le blâme, l'obscurité ou la gloire. Il fait cela au nom de ses idées, de ses théories ou de son impartialité, ce qui est pis encore.

Si ses théories sont classiques, il méprise les novateurs; si ses théories sont révolutionnaires, il extermine, dans ses feuilletons, toute l'Ecole des Beaux-Arts; mais s'il est impartial il ne comprend rien aux uns ni à l'autre, et les encourage avec une égale outrecuidance.

Or les peintres, chaque année, se révoltent contre ces pontifes dont ils désirent ou sollicitent quand même les éloges, tout en méprisant leur opinion.

Qui donc peut juger les peintres?

Le public? Si les critiques sont relativement incompétents, les passants le sont radicalement.

Le public va regarder les tableaux exactement comme les petits enfants regardent les images. Il s'intéresse d'abord aux sujets, cherche à comprendre l'aventure,

239

s'inquiète ou s'amuse de la ressemblance des personnages avec des gens qu'il connaît. On s'écrie :

— Tiens! Juliette, regarde donc si cette grosse femme ne ressemble pas à Mme Bafour!

Et on rit!

Si on disait au public ce qu'il y a de mystérieux et de compliqué dans une belle œuvre, il resterait plus étonné qu'un singe contemplant une montre qui marche.

Il faut d'abord, pour comprendre l'art tel qu'on le cherche aujourd'hui, une délicatesse, une sensibilité d'œil que très peu d'hommes possèdent, même parmi les peintres.

L'œil, aussi impressionnable, aussi raffiné que l'oreille d'un musicien subtil, ressent au seul aspect des nuances, des nuances voisines, combinées, compliquées, un plaisir profond et délicieux. Un regard fin et exercé les distingue, ces nuances, les savoure avec une joie infinie, en saisit les accords invisibles pour la foule, en note les innombrables et discrètes modulations.

La foule, dont l'éducation artiste est et restera toujours à faire, ne connaît que quelques couleurs, les couleurs mères, celles que les poètes antiques ont nommées dans leurs chants. Car les hommes de l'antiquité ignoraient les nuances comme les sons, la peinture comme la musique; et nous ne trouvons dans leurs œuvres écrites que les noms d'un fort petit nombre de teintes. Sensibles au dessin, à l'harmonie des formes, à la grâce des attitudes, ils ne connaissaient pas plus la beauté mystérieuse de la couleur savante que la puissance ensorcelante de la musique qui ravage l'âme nerveuse des modernes.

Puis, peu à peu, l'œil humain a compris. L'Ecole italienne a enfanté des coloristes éclatants, toujours un peu durs bien qu'admirables, et l'Ecole flamande a engendré ces hommes prodigieux qui, dans les gradations d'une seule note, ont su voir et ont su mettre tout l'infini des nuances. Un bout d'étoffe peint par Rembrandt, deux tons voisins posés par la main de cet admirable maître nous ont révélé que ce qu'on croyait noir ne l'est pas, et nous ont montré, dans ces noirs lumineux, plus de couleur, plus de richesse, plus de variété, plus d'inattendu, plus de charme captivant que dans les toiles éclatantes de Rubens.

C'est par ces hommes que nous avons enfin compris combien le sujet a peu d'importance dans la peinture et combien la beauté particulière, la beauté intime et inexplicable d'une œuvre d'art diffère de ce que l'œil humain, l'œil ignorant, est accoutumé à trouver beau.

Que de portraits sont des merveilles, vilains portraits de vieilles gens, portraits de bourgeois communs, comiques, qui feraient rire si on ne regardait que l'expression humaine de la figure représentée, et qui éveillent en nous une admiration émue parce qu'ils sont l'expression complète et mystérieuse d'un art, et non l'expression d'une tête !

Le sujet en effet n'a, en peinture, d'autre valeur que celle-ci : l'artiste, soit qu'il représente une chose qu'on est convenu de trouver belle, soit qu'il représente une chose qu'on est convenu de trouver laide, doit seulement découvrir et dégager le sens profond et toute la valeur de son sujet, de telle sorte qu'il produise une œuvre d'art, soit avec cette beauté, soit avec cette laideur. Il doit nous émouvoir par son œuvre même et non par l'anecdote que son œuvre représente. Car il ne faut pas confondre la sensation simple et directe qu'un objet ou qu'un fait produit sur nos sens et sur notre âme avec la sensation complexe que nous donne un art représentant et interprétant cet objet ou ce fait. La chose la plus affreuse et la plus répugnante peut devenir admirable sous le pinceau ou sous la plume d'un grand artiste.

Or le public et beaucoup de critiques, hommes de lettres, ont imposé aux peintres une peinture littéraire, antique ou moderne, tirée de l'histoire ancienne, des mémoires tragiques ou galants de jadis ou de la *Gazette des tribunaux* d'aujourd'hui, qui est aussi dangereuse pour cet art que le roman-feuilleton cher aux concierges pour les écrivains observateurs et stylistes.

Car la foule, ignorante de cette subtile et singulière sensation de joie artiste communiquée par le regard au cerveau, voit et ressent naïvement, en sauvage qui vient se distraire et pour qui un musée ou une exposition n'est pas autre chose que du roman et de l'histoire dessinés et mis en couleur.

Il se trouve cependant dans le public des hommes que la nature a doués pour être d'excellents juges, et ceux-là finissent sans doute par imposer leur avis; mais ils sont rares, perdus dans le nombre, et leur voix n'est entendue que plus tard, beaucoup plus tard!

Alors, qui donc est compétent, qui donc a le droit d'exprimer son opinion? Les peintres?

Pas davantage, et voici pourquoi :

Leur extrême éducation spéciale les arme d'une partialité redoutable pour tout confrère qui, doué d'un tempérament autre que le leur, suit une tendance différente.

Prenons des exemples. M. Puvis de Chavannes cherche à évoquer, à fixer vaguement les rêves qui passent devant ses yeux, devant ses yeux de peintre-poète.

Comment admettre qu'il puisse, étant donné ses œuvres, comprendre et apprécier la peinture microscopique de M. Meissonier?

M. Gustave Moreau cherche aussi à fixer des rêves, mais avec une précision méticuleuse.

Peut-on croire qu'il était admiré et compris de Courbet, robuste et brutal coloriste?

Les hommes de l'Ecole des Beaux-Arts, les corrects saturés de traditions, ne haussent-ils pas les épaules avec un dédain magistral devant les Manet, les Monet, devant tous ceux que les attitudes conventionnelles irritent et qui, méprisant le dessin savant et le tableau composé suivant les règles établies, poursuivent les insaisissables harmonies des tons, la vérité inaperçue jusqu'ici par leurs devanciers. Car si la nature n'a point changé, le regard humain s'est modifié et reconnaît des couleurs impossibles même à exprimer par des mots.

Il suffit pour s'en convaincre de regarder les étoffes nouvelles. Qui donc pourra indiquer leurs nuances avec des paroles? Voyez les roses et les rouges de Chine, toute la gamme des lilas rouges, des lilas roses, des lilas orangés, et les verts si différents, si délicieux, si nouveaux, innombrables, innommables, que notre œil aujourd'hui distingue sans que notre bouche sache encore les définir.

Est-ce que les réalistes, malgré leur génie puissant, admettront la grâce de Watteau?

Est-ce qu'on n'entend pas chaque jour des maîtres de la peinture moderne parler avec mépris de quelques maître de la peinture ancienne? est-ce que Ingres admettait Delacroix? est-ce que tous les contemporains de ce dernier ne l'ont pas conspué et méprisé malgré leur savoir spécial? n'en ont-ils pas fait autant pour Corot, pour Millet et pour bien d'autres? N'entendons-nous pas chaque jour des artistes de grand mérite contester avec une passion ardente et convaincue, avec l'autorité que donnent le savoir et le succès, d'autres artistes non moins célèbres, non moins autorisés à proclamer leur dédain pour ceux dont le tempérament est différent? Et toutes ces opinions cependant sont logiquement défendues et raisonnées par des hommes instruits et compétents, motivées en vertu de principes inflexibles, mais divers, et affirmées irréfutables par les uns comme par les autres.

Alors, dira-t-on, si personne ne peut juger la peinture, qu'allez-vous faire au Salon?

Eh bien, nous irons, en bons naïfs, en bons bourgeois, contempler des images, et rien que des images. Nous nous promènerons de salle en salle, au milieu du public, regardant nos voisins autant que les murailles, écoutant ce qu'on dit et vous le racontant. Nous vous rapporterons des réflexions, peut-être des anecdotes, mais nous ne vous parlerons guère de couleurs ni de dessin, en vertu de ce dicton : « Des goûts et des couleurs on ne discute point. »

Nous laisserons les artistes se chamailler sur le faire et le savoir-faire, sur les tendances et les procédés, sur le jour de plein air et le jour d'atelier, sur les conventions de la perspective et des ombres, sur les modifications que les voisinages font subir aux valeurs, etc., etc.

Nous regarderons les images, et aussi les imagiers; c'est-à-dire que nous nous amuserons à chercher, chez les peintres, les raisons qui les ont fait choisir leurs sujets.

243

Nous ferons un petit voyage d'exploration et d'agrément dans leurs esprits et dans leurs intentions, dans leurs idées, dans leur sentimentalité, dans leurs combinaisons pour émouvoir les braves gens, les simples gens, comme nous. Ah! nous en verrons des Orientales sur des divans, comme les sultans n'en ont jamais vu, des guerriers gaulois ou francs avec des moustaches couleur de ficelle, des yeux terribles, des airs nobles et redoutables; nous verrons des scènes effroyables ou touchantes, des gestes pleins d'expression et d'intentions si évidentes que les petits enfants s'arrêtent pour dire :

— Tiens! papa, un homme en colère!

Ou bien :

— Oh! maman, voilà une dame bien malade!

Nous découvrirons enfin toute la littérature, bonne ou mauvaise, que les peintres opprimés par le public et par les critiques sont contraints de mettre dans leur art.

Oh, si vous saviez comme c'est parfois abominable, à voir toute cette peinture à esprit et à sentiments, cette peinture à émotions tendres, dramatiques ou patriotiques, cette peinture larme à l'œil et romanesque, cette peinture anecdotique, historique, faits divers, judiciaire, familiale ou polissonne, cette peinture qui raconte, qui déclame, qui enseigne, qui moralise ou qui pervertit!

(*Le XIXᵉ Siècle*, 30 avril 1886.)

AU SALON (1)

II

Plaignons les peintres!

Quand on pénètre dans le Salon, on éprouve d'abord au fond des yeux une vive douleur, un coup de couleur

(1) Le premier des articles de Maupassant sur le Salon n'étant pas inédit figure dans notre tome XV.

crue et de jour brutal, qui se transforme bientôt en migraine. Et on s'en va de salle en salle, effaré, aveuglé par le flamboiement des tons furieux, par l'incendie des cadres d'or, par la clarté crue, blanche et féroce qui tombe du plafond de verre.

Ne devrait-on pas vendre des lunettes fumées en même temps que les catalogues pour cette visite redoutable comme on en vend dans les rues les jours d'éclipse?

J'estime même qu'un oculiste distingué devrait se tenir au buffet, à la disposition du public, comme M. Dufoussat, l'honorable avoué des peintres.

La peinture est un art délicat, tout de nuances, et a besoin d'être vue sous un jour spécial, préparé pour elle, habilement ménagé. Ajoutons que chaque tableau a été conçu et exécuté dans des conditions différentes de lumière qu'on devrait reproduire, autant que possible, avant de le montrer au public; que la mise en scène au Salon serait aussi utile qu'au théâtre, pour faire valoir ces œuvres décoratives qu'on vous étale pêle-mêle, côte à côte, comme les marchandises d'un entrepôt, sous une lumière aussi violente que désagréable, qui éclaire affreusement en décolorant tout par sa crudité.

Ajoutons que les voisinages inattendus des toiles produisent fatalement d'atroces cacophonies de tons, des combats de rouges, des rencontres de bleus, des mêlées innommables de couleurs exaspérées de se rencontrer. Les œuvres fines et discrètes s'effacent sous l'éclat aveuglant des œuvres colorées, qui semblent criardes à côté des autres.

Mais, comme on s'accoutume à tout, on se fait bientôt à ce supplice. Et on va, on va à travers les salles, en se demandant de quelle façon on pourra parler au public, avec un peu d'ordre, de cette foule affolante de tableaux.

Alors un souvenir vous vient.

Un homme s'est rencontré d'une profondeur d'esprit incroyable, connaisseur raffiné autant qu'habile sous-ministre, qui a eu dans sa vie deux grandes idées.

Il fut l'inventeur (b. s. g. d. g.) des groupes sympathiques et l'ingénieur du niveau de l'art.

Nous allons pour la première fois, croyons-nous, expérimenter pratiquement ses conceptions, faire l'essai loyal de ses découvertes.

Il s'agit donc de classer les peintres par groupes sympathiques après les avoir d'abord divisés en deux grands courants : un courant ascendant, un courant descendant, celui-ci faisant baisser, celui-là faisant monter le niveau sacré de l'art. Les peintres militaires sont le courant qui fait monter, et les peintres de femmes nues le courant qui fait baisser !

Cette grande idée n'est-elle pas simple comme l'œuf de Christophe Colomb ? Et cependant elle n'a pu naître dans l'esprit d'un homme qu'à la fin du XIXe siècle.

Dans les salles où dominent les batailles, le niveau de l'art est haut ; dans les salles où dominent les Orientales sur des coussins et les baigneuses sur l'herbe verte, le niveau de l'art est bas.

Un embarras se présente encore. Tous les peintres n'ayant pas eu l'inspiration de produire des militaires ou des dames dévêtues, nous nous trouvons contraints d'avoir recours à un sous-classement. Nous diviserons donc de nouveau, suivant l'ancienne méthode, en grande peinture et petite peinture.

L'application de ce vieux système ne va point non plus sans difficulté, les mots *grande* et *petite* pouvant s'appliquer soit aux idées, soit aux dimensions des toiles. Si on les applique aux idées, nous retombons dans le gâchis, Teniers et bien d'autres devant être alors classés parmi les petits peintres, étant donné la vulgarité triviale de leurs sujets.

— Et pourtant on les proclame des maîtres !

Bornons-nous donc à dénommer grande peinture celle qui emplit les grands cadres ; et petite peinture, celle contenue dans les petits cadres.

Les groupes sympathiques deviennent ensuite faciles à définir.

1er groupe — Antiquaires religieux. Les peintres qui continuent à illustrer la mythologie, l'Ancien et le

246

Nouveau Testament, et en général toutes les fables établies sur les divinités.

2ᵉ groupe — Antiquaires historiques. Ceux qui illustrent l'histoire ancienne grecque, romaine, égyptienne, etc., etc., l'Antiquité et le Moyen Age, et, en général, toutes les fables historiques racontées par les écrivains.

3ᵉ groupe — Modernistes champêtres et fantaisistes.

4ᵉ groupe — Classiques fantaisistes et champêtres.

5ᵉ groupe — Peintres de harengs, fleurs, légumes et casseroles (natures mortes).

6ᵉ groupe — Peintres de faits divers. Accidents de voiture, chiens écrasés, naufrages, événements parisiens, mariages et morts célèbres, fêtes de toute nature, Chambre des députés, guérison de la rage, actes de dévouement, dangers de l'ivresse et de la morphine, scènes de la vie populaire, chevaux emportés, chronique du feu, du duel, de l'amour, au voleur, etc., etc.

7ᵉ groupe — Marines. Marines de guerre, de plaisance, de pêche, de commerce, canotage.

8ᵉ groupe — Paysagistes : bois, vallons, rivières, bosquets, plages, plaines, landes, etc.

N.B. — Tous ces pays sont déserts, aucun homme n'étant admis, sous peine de mutilation et de déformation, à traverser les contrées chères aux paysagistes.

9ᵉ groupe — Animaliers : vaches, chevaux, porcs, lapins, moutons, dindons, chèvres, fourmis, éléphants, oiseaux divers.

N.B. — Pour tous renseignements, s'adresser aux gardiens du Jardin des Plantes.

10ᵉ groupe — Portraits (ressemblance garantie).

11ᵉ groupe — Fumistes et déments.

**

Et nous commençons.

.1ᵉʳ et 2ᵉ groupes — Grande peinture. Antiquaires religieux et historiques. A tout seigneur tout honneur. Saluons M. Puvis de Chavannes qu'on devrait nommer, me semble-t-il, en raison de la place qu'il occupe,

M. Puvis de Pavannes. Quatre peintres comme lui et nous voici débarrassés de trois mille cinq cents autres d'un seul coup. C'est là du grand art à encourager. Sa belle toile, j'allais écrire sa belle fresque, *l'Inspiration chrétienne,* nous montre un peintre religieux de jadis, rêvant devant son œuvre.

Quand on demande aux confrères du grand artiste : « Est-ce remarquable d'exécution ? » ils répondent : « Heu! heu! pas trop. Mais quelle poésie! »

C'est en effet, de la poésie sans rimes, de la poésie peinte, que nous offre, en des proportions considérables, ce maître inspiré. Le mot vision qu'il a appliqué, d'ailleurs, à son autre toile : *Vision antique,* semble fait pour caractériser ces grandes œuvres larges, sereines et superbes, calmantes et captivantes comme de doux crépuscules en des pays rêvés.

En face de ce remarquable et noble artiste, M. Benjamin Constant nous présente un *Justinien* qui semble fort attristé du départ de Sarah Bernhardt pour l'Amérique. Que fait-il au milieu de ses ministres et conseillers, vêtus avec un luxe qu'on ne rencontre plus aujourd'hui, dans les cours les plus opulentes?

Cette grande et belle toile, tout en or et en pierres précieuses, est bien faite pour exciter les convoitises du pauvre monde et soulever les passions basses, les désirs de pillage et de vol. On la devrait couvrir d'un voile les jours d'entrée gratuite et de flot populaire.

On raconte que M. le Président de la République s'est arrêté longtemps devant cette œuvre, et a demandé à l'artiste, avec un malin sourire, s'il n'avait pas eu l'intention de représenter M. Odilon Barrot, dans la figure d'un vieillard peu vêtu et vu de dos.

M. Benjamin Constant a protesté avec énergie, affirmant que, s'il y avait ressemblance, elle était bien imprévue et nullement intentionnelle.

Sur le panneau voisin, Liphart attire et séduit l'œil par sa poétique étoile du berger.

Nous passons, cherchant au hasard des salles les toiles les plus grandes.

Voici, de M. Luna-Juan, un *Spoliarium* très coloré où agonisent des hommes bizarres, faits pour rendre fous d'étonnement ceux qui s'arrêtent devant ce tableau. Qu'est-ce que cela? Le catalogue heureusement nous explique que ce sujet est tiré des œuvres de Ch. Dezobry *(Rome au Siècle d'Auguste)*. Merci, mon Dieu! Il nous apprend aussi que cette conception sauvage appartient à la députation provinciale de Barcelone. Ah! Tant mieux!

Le *Vitellius* de M. Vimont se rattache au même ordre de recherches historiques : Plutarque en a fourni le thème. Mais un des plus remarquables de ces peintres évocateurs de l'Histoire tragique est assurément M. Rochegrosse, qui fait passer devant nos yeux, d'une façon terrible et saisissante, la folie du roi Nabuchodonosor.

III

Depuis que j'ai eu l'imprudence d'écrire deux articles sur le Salon, on ne m'aborde plus que par ces mots :

— Vous voulez donc vous faire une galerie?

J'ai beau protester, attester ma candeur, mon innocence et ma loyauté, on sourit d'un air malin.

Fort contristé par ce soupçon, je ne sais plus vraiment par quel argument le combattre et je me vois forcé de déclarer publiquement que je n'ai reçu et que je ne recevrai aucun don des peintres exposants, de quelque nature que ce soit. Je dois ajouter que mon désintéressement en cette question n'est pas aussi irraisonné qu'on le pourrait supposer, car je sais les peintres gens malins, gens pratiques, gens de commerce, incapables de nous offrir, en échange de la gloire que nous leur distribuons, autre chose que des études d'une vente difficile et problématique. Quand nous donnons, nous autres, à titre amical et gracieux, quelque article ou quelque conte pour un journal qui se fonde, à la requête pressante d'un camarade, soyez sûr que ce conte ou que cet article ne vaut guère plus que le papier blanc; ainsi des toiles non payées, car le talent est marchandise.

Pauvres critiques incorruptibles! A quel supplice on les expose! Comme le témoin qui va déposer, j'avais juré, en commençant ce Salon, de dire la vérité, rien que la vérité et toute la vérité.

Et je commençais à l'écrire, cette vérité, quand on m'apporta le courrier du matin, quarante ou cinquante lettres environ. La première disait : « Mon cher ami, je te prie de parler aimablement dans ton compte rendu du Salon, du si beau portrait de X... Tu obligeras ton vieux camarade qui compte absolument sur toi. »

N° 2

« Cher monsieur, un de mes amis expose cette année une toile fort remarquable, et j'ai espéré que nos bonnes relations, etc. »

Signé d'une femme chez qui je dîne souvent.

N° 3

« Mon vieux, sois gentil pour X... qui expose une chose excellente. Je compte sur toi et je me suis engagé en ton nom. »

N° 4

« Monsieur, une femme qui a eu le plaisir de dîner avec vous et surtout de causer avec vous dernièrement, se permet de vous recommander etc., etc. »

(La femme est jolie, fort jolie.)

N° 5

« Mon cher gros, tu parleras de Z..., n'est-ce pas? Ça me fera bien plaisir et tu n'obligeras pas une ingrate... »

N° 6

« Mon cher et illustre confrère, j'ai lu votre beau Salon et je me permets de vous recommander mon ami Z... »

(On rougit, mais comment résister à cela?)

J'en ai reçu de sénateurs, de députés, d'académiciens, de mon bottier (recommandation excellente), de mon coiffeur qui me glissa deux noms sur une carte de sa maison recommandant aussi sa brillantine, de ma blanchisseuse, par l'intermédiaire de mon valet de chambre. (Elle blanchit un paysagiste pauvre qui demeure sur le même palier qu'elle.) J'en ai reçu de femmes influentes à qui on ne peut rien refuser; j'en ai reçu de femmes charmantes de qui on peut tout espérer; j'en ai reçu de femmes à qui on n'a plus le droit de dire « non » et j'en ai reçu des peintres en personne, qui ont pensé, en gens prudents, qu'on n'était bien chauffé que par soi-même.

Et sous ce déluge, sous cette inondation de compliments et de prières, je me suis senti fondre comme un bloc de glace sous une pluie chaude.

Ceux-là seuls que leur propre talent recommande suffisamment ne m'ont point écrit ou fait écrire.

Ma conscience cependant luttait encore; elle lutta quatre jours, cherchant des expédients pour combattre ma faiblesse.

J'allai consulter des confrères. Les uns me dirent : « Soyez aimable »; les autres : « Soyez sévère », sur le même ton d'indifférence. Leur table de travail était couverte de lettres. Je reconnus des écritures.

Je pensai aller trouver un ecclésiastique pour lui soumettre le cas. Je m'adressai ensuite à un membre du jury et je lui dis : « Comment faites-vous pour refuser un tableau recommandé? » Il murmura : « Je dégage ma responsabilité en accusant les autres dans une lettre flatteuse. »

Je ne pouvais employer ce moyen. Alors je me décidai à prévenir le public lui-même de ma situation, et à faire suivre des lettre T.R. (très recommandé) les noms de ceux appuyés par des femmes séduisantes, par la lettre R ceux recommandés par des amis, des académiciens, des sénateurs, députés ou fournisseurs utiles, par un petit r ceux qui s'étaient recommandés eux-mêmes, par N.R. les huit ou dix dont on ne m'avait rien dit.

Je songeai encore à ne désigner que par les numéros des

toiles ceux qui n'auraient pas essayé de me faire corrompre. C'était trop dur pour le mérite modeste de ces artistes.

Mais je m'aperçus qu'il y aurait bientôt plus de noms sur mon calepin que je n'en trouvais sur le catalogue. On me faisait même protéger les refusés!

Alors, je cédai, emporté par le flot des lettres. Ma conscience sapée par des espérances inavouables, troublée par des sourires, affaiblie par la lutte, séduite par des souvenirs de bons dîners, s'écroula. Je demande pardon à mes confrères inaccessibles aux sollicitations, aux prières, aux flatteries! Qu'ils me jettent la première pierre! Je suis un critique perdu, un critique corrompu, le seul critique corrompu, oui, le seul, le seul! Tous les autres sont demeurés intègres! Pardon! Pardon!

Donc nous allons maintenant parler des peintres recommandés, avec une certaine sévérité, pour ne pas trop les désigner au public.

Nous y mêlerons par moitié environ les peintres non recommandés, sans aucune désignation spéciale. Nous garantissons d'ailleurs le talent des uns et des autres car nous ne voudrions, sous aucun prétexte, tromper nos bienveillants lecteurs.

1er et 2e groupes (suite — Grande peinture. — Du maître qui s'appelle Humbert, deux grandes compositions très remarquables qui pourraient porter pour titre celui de Musset : *Il faut que les portes soient ouvertes ou fermées.* Elles sont fermées, malheureusement. De Chartran, un délicieux mariage dans les nuages.

De Lagarde, un beau panneau décoratif. Un autre de M. Baudouin.

M. Casanova y Estorach nous montre un repas de cors. (Demandez le coricide Estorach, celui dont se servit le roi Ferdinand III pour débarrasser, sans douleur, vingt-quatre pieds de leurs durillons, oignons, œils-de-perdrix, etc.)

M. Ferry (Jules) rêva longtemps, le jour du vernissage, devant *La Prise de Sontay,* au Tonkin, par M. Castellani, comme on rêve devant un tombeau.

3e groupe — Modernistes, fantaisistes et champêtres.

Commençons par les nudités. Salut à *la Femme masquée* de Gervex. Rien de plus délicieux pour l'œil que cette toile. Est-ce un modèle qui a posé cette charmante et troublante coquette? Est-ce une amie du peintre? *That is the question*. Que fait-elle? Qu'attend-elle? Sort-elle ou rentre-t-elle? Quel joli mystère dans ce tableau qu'une jeune femme, l'autre jour, appelait, je ne sais pourquoi : « Entre chat et loup »!

De Roll, un dos nu de femme dans la verdure. On a envie de crier : « Psitt! » pour faire retourner cette belle personne, si puissamment peinte qu'elle semble vivante.

Je ne suis pas curieux, mais je voudrais bien savoir où M. Henner a rencontré la baigneuse, le bois et l'étang qu'il nous rapporte tous les ans, comme pour nous dire : « Hein! vous n'en avez jamais vu comme ça! »

Non, Monsieur Henner, jamais, jamais, jamais, jamais! et pourtant nous en avons vu, mais pas comme ça.

Sous ce titre : *En Arcadie,* M. Harrison fait danser sous des saules, sur une herbe tendre trempée de lumière, des femmes nues et grasses, en plein soleil. Ah! celles-là, par exemple, on les voudrait voir! Pourquoi placer en l'air cet exquis tableau, comme il en est peu dans le Salon!

Et toujours dans l'herbe, deux autres femmes aussi nues encore que ravissantes, sur deux toiles de MM. Raphaël Collin et Lahaye. Où diable M. Henner a-t-il donc vu la sienne? Toutes celles-là, qui sont fort bien, ne lui ressemblent pas, mais pas du tout.

Tiens! quelle drôle d'île! Trois belles filles, sans un voile, sans même une feuille, debout sur la rive, lèvent les bras et appellent un navire qui passe : « Hé! hé! joli navire, arrivez donc! » Pas un agent des mœurs à l'horizon; et elles s'en donnent, les gaillardes : « Arrivez donc, joli navire! »

Et il arrive! il arrive!

M. Berthault nomme des sirènes ces trois effrontées qui ont rendu rouge comme un coq le digne magistrat du cadre voisin, peint par M. Ferry (Georges) et qui assiste, en grande tenue de la Cour de cassation, à cette scène impudique et révoltante. On n'aurait pas dû laisser un magistrat dans le voisinage de ces écumeuses de mer!

IV

3ᵉ et 4ᵉ groupes sympathiques — Classiques et modernistes. — Champêtres et fantaisistes (suite).

Chaque fois que je retourne au Salon, un étonnement me saisit devant les paysanneries. Et ils sont innombrables aujourd'hui, les paysans. Ils ont remplacé les Vénus et les Amours que, seul, M. Bouguereau continue à préparer avec de la crème rose.

Ils bêchent, ils sèment, ils labourent, ils hersent, ils fauchent, ils regardent même passer des ballons, les jolis paysans peints. Et je me disais devant chacun d'eux : « Où diable ai-je vu ce gaillard-là? Mais je le connais, je ne connais même que lui, je l'ai rencontré cent fois! » Et j'allais de salle en salle, examinant avec souci, avec une inquiétude grandissante, tous ces travailleurs de la terre. Je les considérais, troublé comme on l'est devant les masques, devant les déguisements de bal d'Opéra, trompé par les blouses et par les bêches.

Et voilà que, tout à coup, je les ai reconnus l'autre jour. Ah! mes farceurs, je vous tiens! Vous êtes les guerriers grecs et les guerriers romains que les papas de vos peintres peignaient pour nos papas à nous. Oh! vieux malins, vieux ficeleurs, vieux retapeurs d'antiques, vous avez enterré vos casques, vos boucliers et vos glaives, vous avez mis des bonnets de coton et des sabots pour me tromper; mais j'ai reconnu vos bonnes têtes de modèles soignées, brossées et rasées, mes gueux! Vous cachez dans vos vieilles culottes à pièces la jambe qui se tendait pour lancer le javelot. Et dans quatre ans vous reviendrez sous des accoutrements d'ouvriers, mes camarades! car nous allons à l'ouvrier maintenant; nous allons au forgeron, au mineur, au travailleur des grandes usines. Dans quatre ans, nous ne verrons pas plus de paysans qu'il n'y a, aujourd'hui, de guerriers grecs; mais nous aurons les grandes industries : fonderie — métallurgie — verrerie — toiles et prélarts — corderie, etc., etc. Et voilà ce qu'on nomme l'art moderne, le progrès, la marche en avant des vieux-jeunes modèles et d'un magasin de costumes!

Adieu le paysan! vive l'ouvrier!

*
* *

Une — deux — trois!

Dans la note vraiment moderne et nouvelle, quelques toiles se distinguent tout à fait :

La *Salle des Filles au Dépôt,* de Jean Béraud, le plus charmant des fantaisistes;

Avant la Fête, de M. Kuehl;

Une vieille qui file, de M. Gray;

Un Réfectoire de Femmes, de M. Hubert;

Une Paysanne rêvant, de M. Perret;

Le Barbier de Village, de M. Brispot;

Une Rue à Pont-de-l'Arche, de M. Baillet;

Une grande et belle composition de M. Halkett, intitulée : *Dans la Sapinière,* et qui devrait plutôt être baptisée : *Dans les Flûtes;*

Les bizarres et séduisantes fantaisies de M. Ary Renan;

Le *Vercingétorix* de M. Motte, d'un grand effet; et, parmi les classiques célèbres, citons M. Boulanger qui nous apporte deux belles œuvres.

5e groupe sympathique — Peintres de harengs, fleurs, légumes, casseroles. MM. Rousseau (Philippe) et Vollon font preuve, depuis des temps qui seront bientôt préhistoriques, d'une obstination inébranlable, d'un talent hors ligne d'ailleurs et d'une imagination inépuisable dans la découverte des ustensiles de ménage.

Voici, sauf quelques erreurs, les dates et les sujets de leurs principales expositions :

1789 (année de la Révolution française) — Rousseau (Philippe) — Un fromage.

1789 — Vollon — Un chaudron.

1815 — Vollon — Deux fromages.

1815 — Rousseau (Philippe) — Deux chaudrons.

1830 — Rousseau (Philippe) — Œufs sur le plat.

1830 — Vollon — Poteries et Fromages.

1840 — Vollon — Le Plat aux œufs.

1840 — Rousseau (Philippe) — Le Pot au lait.

1865 — Vollon — Harengs et Poteries.

1865 — Rousseau (Philippe) — La Bassine aux confitures.

1869 — Rousseau (Philippe) — Fromages et Fraises.

1869 — Vollon — Le Saladier de fraises.

1875 — Rousseau (Philippe) — Bocal de prunes.

1875 — Vollon — Poissons et Primeurs.

1878 — Rousseau (Philippe) — La Bassinoire.

1878 — Vollon — La Bassinoire.

Et enfin, pour changer, M. Vollon nous donne, en 1886, des poteries ;

Et M. Rousseau (Philippe) des fromages et le bocal d'abricots.

(Bis repetita placent.)

Avec un talent tout à fait remarquable, un nouveau venu s'engage dans cette peinture de comestibles. Les deux toiles de M. Zakarian sont (si j'ose m'exprimer pour une fois en argot de critique d'art) des pages de cuisine de premier ordre. De même, les fort belles fleurs de M. Schuller, intitulées *Automne,* sont aussi des pages, ou plutôt des feuilles d'automne de grand mérite.

6ᵉ groupe sympathique — Peintres de faits divers.

Commençons par les illustres. M. Gérôme nous montre les obélisques du désert atteints de la rougeole, et le sphinx contemplant Napoléon. Cette dernière composition porte comme sous-titres : « Maximus et Minimus » et « le plus grand des deux n'est pas celui qu'on pense ».

M. Vibert, touché des faveurs de l'Amérique, les reconnaît en exposant un homard à l'américaine, d'un esprit très espagnol.

M. Moyse nous émeut par une peinture intitulée *Les Verges* et qui représente, nous a-t-il semblé, un frère ignorantin fessant un petit garçon (nous aurons sans doute la seconde partie l'an prochain). Ce tableau doit être acheté par le Ministère de l'instruction publique, qui se propose de l'offrir au Conseil municipal.

Dans la salle où triomphe M. Protais avec un admirable champ de bataille où tous les morts dorment sous la lune, on a réuni, sous l'influence sans doute de ce maître tableau, tant d'expirants et d'expirés, qu'on le pourrait dénommer la Morgue.

Ailleurs, M. Luigi Loir a peint un « Cherchez le train » d'une vérité et d'un talent délicieux. Le train passe sous une place de Paris, couverte de monde et de voitures. Seule la fumée répandue sur la foule, légère et ondulant comme un nuage, panache blanc et transparent qui flotte, révèle l'invisible convoi.

De M. Gueldry, un remarquable, très remarquable atelier de *Décapage des métaux.*

Deux charmantes compositions de M. Pierre Mousset : *Le Nid* et *le Repos.*

M. Deschamps nous raconte avec son pinceau l'histoire d'une pauvre folle qui tient dans ses bras un petit lapin coiffé d'un bonnet d'enfant, touchante image de la perfidie masculine, des odieux procédés dont les hommes ont usé envers cette jeune fille.

Ne devrait-on pas intituler cela : *le Dernier Lapin,* comme Neuville avait intitulé son célèbre tableau : *La Dernière Cartouche?*

M. Marec expose une querelle de ménage dans le peuple, vraie scène de *l'Assommoir,* d'un effet saisissant et d'une beauté incontestable.

De M. Marius Michel, deux charmantes toiles très modernes.

M. Moreau de Tours, sous ce titre : *La Morphine,* nous donne sans doute la première illustration moralisatrice destinée au savant ouvrage des docteurs Bourneville et Bricos, d'où est tiré son sujet.

M. Jadin nous montre, avec son talent habituel, des *Braconniers dérangés par une ronde de nuit.*

7ᵉ groupe — Marines.

1° Marines de guerre.

257

M. Couturier, dans une toile d'une propreté admirable, enseigne aux foules comment sont nettoyés, brossés et lavés les bâtiments de l'Etat.

Saluons la galère royale de M. Delort.

2° Marines de pêche.

Un délicieux tableau de M. Maurice Courant, un départ pour la pêche sous un ciel clair. Jusqu'à l'horizon s'en vont les barques, penchant un peu leurs voiles, pareilles à un vol d'oiseaux.

M. Kroyer nous montre aussi, avec un talent puissant et neuf, un *Départ pour la Pêche* au clair de lune.

De M. Petitjean : l'*Estacade d'Ostende,* marine de commerce.

Une fort belle toile de M. Flameng : *Sur la Tamise.*

Une autre *Tamise,* de M. Vail.

8e groupe — Paysagistes.

Le sujet représente une plaine, une vallée, une chaumière, une plage, des arbres, des récoltes.

Saluons les maîtres incontestés : d'abord Harpignies ; Guillemet, avec un fort beau *Hameau de Landemer ;* Heilbuth, avec *Villégiatures* et *Bords de la Seine ;* Damoye, avec un *Soleil couchant dans les Marais du Nord* et *la Mer à Quiberon.*

Parmi ceux qui arrivent au premier rang : L. Le Poittevin, avec un vallon plein de fougères rousses, d'une rare puissance ; R. Billotte, avec un effet de soir sur un hameau, d'un charme exquis et pénétrant ; M. Nozal, dont le nom est fait ; M. Berthon, un des plus sincères et des plus parfaits.

M. Olive expose deux paysages-marines, d'une originalité bien personnelle et bien remarquable. M. Charnay évoque, dans une toile charmante, toute la grâce de l'automne encore fleuri. Cela s'appelle : *la Terrasse aux Chrysanthèmes du Château de Gasthellier.*

Les paysans agenouillés, de M. Marion, annoncent un peintre de grand tempérament ; *Le Reposoir,* de M. Minet, est d'une vérité et d'une fraîcheur remarquables. Quelle jolie mare, celle de M. Tanzi ! Une petite charrue abandonnée est peinte avec grand talent par M. Wistin.

Charmants, les *Pêcheurs de rivière* de M. Yon et les deux paysages de M. Tauzin.

**

Ouf! que de compliments! Et pourtant ils sont sincères, tout à fait sincères!

Nous parlerons un autre jour des animaliers et des portraitistes, unissant ces deux groupes ensemble, car peintres de bêtes et peintres d'hommes peuvent fort bien marcher de pair par la nature de leurs sujets : et celui-là sera certainement le plus sympathique de tous les groupes.

V

Réparons deux oublis en mentionnant un charmant tableau de Mme Marguerite Ruffo, *La Veuve,* et un joli paysage de M. Darasse ; et, avant de passer aux portraits, citons deux très remarquables tableaux de peinture militaire.

La *Ligne de Feu,* de M. Jeanniot. En plein soleil, dans un air blanchi par la lumière crue et la poudre, les hommes tirent. Il en reste peu, presque tous sont morts. Au premier plan, un soldat abattu sur la face tient à deux mains, d'un geste terrible et vrai, sa tête où vient d'entrer une balle. Le clairon, hagard et tombé, ne sonne plus. Seuls quelques hommes continuent à se battre.

De M. Médard, une *Armée en retraite,* qui s'en va comme un troupeau, abattue, pressée, lasse, accablée.

Je n'ai cité, à dessein, que ces deux œuvres qui sont fort belles, la peinture militaire étant presque toujours de la peinture officielle. J'ai parlé ailleurs de l'œuvre magistrale de M. Protais.

Je passerai donc devant toutes les manifestations patriotiques en couleur, chères aux protecteurs de la peinture à l'huile, pour m'arrêter cependant devant une toile où j'ai cru démêler des symboles profonds.

Dans une plaine immense, vrai champ de bataille où les brins de paille sortent de terre comme des tuyaux de pipe, deux armées se sont rencontrées, une de dindons noirs, l'autre de dindons blancs.

Et, pendant que les femelles attentives regardent, les mâles se sont attaqués et combattent, M. Schenck a nommé cela *La Lutte*. — Quelle lutte, monsieur? La lutte du noir contre le blanc? de l'ignorance contre la science? des ténèbres contre la lumière? des barbares contre les civilisés? de l'Allemagne contre la France? du Nord contre le Midi? du mal contre le bien? N'est-ce pas, oui, n'est-ce pas que je vous ai compris? Les dindons noirs sont la barbarie et les dindons blancs la civilisation?

C'est à cette peinture allégorique et simple que le ministre, s'il était seul juge, donnerait assurément la médaille d'honneur.

Animaliers et portraitistes — Bêtes et hommes.

Toutes les grandes qualités de M. Bonnat se trouvent réunies dans le superbe portrait de M. Pasteur qu'il expose cette année. Un autre portrait de M. Pasteur par M. Edelfelt révèle chez ce jeune peintre un éminent artiste.

Un homme, qui n'est plus un débutant, M. Cabanel, semble cependant débuter avec les portraits du fondateur et de la fondatrice des Petites Sœurs des pauvres. Ce couple de religieux restera comme une des bonnes choses de ce temps-ci.

M. Barillet nous montre des vaches très remarquables; M. Hermann (Léon), un marché aux chevaux plein de mouvement et de talent; M. Tuxen, un excellent portrait de femme : M. Girardin, une fort bonne tête de vieille; M. Landelle, un poétique aveugle du désert; M. Duez, une charmante femme tout en rouge, couchée sur un divan rouge, dans un boudoir rouge, enfin ce qu'on appelle une symphonie de rouges délicieuse.

M. Roll expose un admirable portrait de M. Damoye, et M. Gervex un petit paysage d'une saisissante vérité, où se tient debout, en plein air, en pleine lumière, en pleine atmosphère de campagne, M. Hauch, un de ses amis. On remarque encore de bonnes figures de femmes de MM. Alaux et Agache et le portrait de Mme Pasca par Mlle du Mesgnil. C'est Mme Pasca en mère de clown, comme on l'a dit, ou plutôt Mme Pasca gelée à son retour de Russie, ce qu'indiquent les mains serrées contre le corps et la quantité de fourrures dont l'a couverte maladroitement l'artiste. Elle a bien froid, car elle est bien pâle, la pauvre femme, malgré toutes ces fourrures que remplaceraient avec avantage quelques dentelles de Doucet.

Remarquons encore en première ligne deux fort beaux portraits de M. Layraud, celui d'une très jolie femme, Mlle d'Anglar, et celui de notre confrère bien connu M. Alexandre Hepp; puis deux études charmantes de M. Lafranchise, *La Mer gracieuse* et *La Fille du Phare;* l'excellent portrait de M. Paul Mounet, par M. Boutet de Monvel; un ravissant portrait de femme par Mlle Julia Marest; d'une autre jeune artiste, Mlle Paraf-Javal, un autre très bon portrait.

Ceux de M. Jacques Blanche révèlent un véritable artiste; celui de Mlle Vegman est fort bon, et l'apparition descendue par la cheminée, si noire de suie qu'on la voit à peine, que nous montre M. Whistler, dénote un peintre bizarre, mais des plus intéressants.

Un fort bon portrait de Mlle Boucher-Ourliac, deux autres de M. Vergèses, un autre de M. Paul de Katow, une charmante femme turque de Mlle Mégret. Gardons pour la fin les deux superbes toiles d'un maître toujours admiré, M. Carolus Duran.

Note. — On dit (mais la nouvelle mérite confirmation) qu'à la suite de son exposition de cette année M. Besnard vient d'être nommé peintre attaché à l'établissement thermal de Vichy — maladies du foie, sécrétions biliaires, jaunisse, etc., etc.

11e groupe — Fumistes et déments. Trop nombreux pour être cités.

J'ai écrit, en commençant ces articles, que personne

n'avait le droit de prétendre s'y connaître en peinture.

En sculpture, au contraire, tout le monde devrait être compétent, car tout le monde a vu, en plus ou moins grand nombre, des gens nus, et peut comparer.

Mais cela n'a encore servi de rien.

L'art du sculpteur, tel qu'on le pratique depuis la plus haute antiquité, est aussi simple que celui du boulanger; il consiste à modeler en marbre, en plâtre ou en terre un homme ou une femme, toujours le même ou la même, dans deux ou trois mouvements qui ne varient jamais.

Le sujet peut danser, se battre, pleurer, rire, se fâcher ou supplier, sans que la forme de son corps soit modifiée, car rien ne ressemble moins à un homme vivant qu'un homme sculpté. L'homme vivant a toutes les tailles, toutes les formes, toutes les proportions. Il n'en est pas deux qui se ressemblent, tandis que l'homme sculpté doit l'être dans certaines conditions, toujours pareilles, de beauté invraisemblable et convenue qui fait des sculpteurs les seuls idéalement momifiés ou pétrifiés des artistes.

Depuis longtemps les écrivains ont abandonné le héros plein de grandeur, de beauté, de noblesse, de courage et de générosité, qui sauve les jeunes filles, arrête les chevaux emportés, tue les traîtres, laisse intact, à force d'argent, l'honneur des pères à cheveux blancs, compromis par des hommes d'affaires, et épouse dans une apothéose de vertu.

Depuis longtemps les peintres, abandonnant l'école du beau muscle et des nobles attitudes dont Raphaël fut le plus éminent vulgarisateur, se sont efforcés d'exprimer toute la nature humaine et de chercher dans le sens profond des choses une beauté autre que la beauté commune, visible pour tous et écœurante pour les esprits délicats.

Mais le sculpteur continue, depuis l'éternité, à sculpter le beau torse, le beau bras et la belle jambe des statues grecques, qui ne ressemblent pas plus à l'humanité moderne qu'une étoile ne ressemble à une tomate.

Et le public passe devant tous ces marbres qui ont la même tête, les mêmes membres de la même longueur mathématique, le même geste superbe et gracieux, et il murmure, plein d'orgueil : « C'est rudement beau, un homme ! »

Mais regarde-toi donc, imbécile, regarde ta femme, ta fille, ton fils, ton père, ta mère, ta bonne, ton voisin. Y en a-t-il un de vous qui ait des jambes et des bras comme ceux-ci ? Regarde les gens dans la rue, les échassiers qui vont à longs pas, et les bedonnants qui trottinent ; va voir aux bains froids ceux qui piquent des têtes en caleçon rouge ; rappelle-toi même les belles filles que tu as pu connaître, les plus belles, les plus vantées ; est-ce qu'elles ressemblaient aux Vénus ?

Mais si on les habillait, ces Vénus, elles seraient larges comme des portefaix car leurs bras, si gracieux à l'œil dans les galeries des musées, sont plus gros, le mètre à la main, que ceux des hercules de foire !

Comment n'es-tu pas révolté, bon public niais et gobeur, par toute cette beauté ronde, par tous ces membres en boudins, par tous ces Apollons et par toutes ces déesses vulgaires.

Tiens, voici un homme, M. Mercié, qui a osé sculpter deux morts, deux morts illustres, tels qu'ils étaient ; le roi Louis-Philippe et la reine ? Qu'en dis-tu ? Ce que tu en dis ! Tu admires l'ange qui pleure derrière le couple royal, le vieil ange que tu as vu cent mille fois ! Et tu trouves qu'il fait repoussoir, comme on dit en argot d'art.

Car la sculpture comme le théâtre sont restés embourbés dans le fossé des conventions alors que la peinture et le roman s'efforcent de s'en dégager. Donc, la chose la plus intéressante parmi les marbres, intéressante par la recherche du vrai, du neuf, par la sincérité en même temps que par l'admirable exécution, est assurément l'œuvre de M. Mercié. L'envoi de M. de Saint-Marceaux, *Danseuse arabe,* est fort gracieux et fort ingénieusement conçu.

M. Ferrary expose un groupe charmant, *Mercure et l'Amour,* d'un mouvement aussi hardi que joli.

M. Falguière nous montre des femmes qui se battent et il les nomme des *Bacchantes,* uniquement parce qu'elles sont nues. Cela m'étonne! C'est vraiment un procédé commode de modeler un fort de la Halle et de le baptiser « Hercule », de faire une Diane avec la petite au concierge d'en face, et d'emplir Paris de divinités à dix francs la séance.

Pourquoi donc M. Falguière n'a-t-il pas simplement inscrit au catalogue : « Drôlesses nature qui se crêpent le chignon? » On raconte (mais est-ce vrai?) que l'artiste avait un peu de ce dessein et même qu'un petit lapin figurait dans le groupe. Devant la pudeur indignée des vieilles barbes du jury, le lapin dont on prétend encore distinguer deux pattes serait devenu une simple pomme de pin.

Signalons une *Diane surprise* fort jolie, d'une exécution savante et délicate de Mlle Anne Manuela et un beau buste de la même artiste.

Deux groupes fort intéressants de Mlle M. Thomas : la *Chèvre Amalthée* et *Au chenil*.

Une figure nue : *Jeune Fille*, et aussi un buste de M. Faraill.

Un beau groupe tragique : *Virginie*, de Mme Bloch.

Les ravissants médaillons de Mme Paule Parent-Desbarres.

Un beau buste de M. Karl Ivel.

Une tête de paysanne en bronze de M. Lafont.

Beaucoup de bustes d'ailleurs sont des œuvres remarquables. Leur énumération serait longue, agréable seulement aux artistes et aux propriétaires des têtes exposées, mais fatigante pour le public. Supprimons-la, et concluons.

**

Donc, pour conclure, car il faut toujours tirer la morale des choses, s'il se rencontrait jamais un ministre des beaux-arts intelligent, il déciderait ceci :

— Il n'y a plus de ministre ni de directeur des beaux-arts.

— Les beaux-arts cessent d'être protégés par l'Etat.

— Le Salon annuel est supprimé.

Ce ministre ne se rencontrera pas.

Le Salon annuel est, en effet, la conséquence directe de la peinture protégée à la façon de l'agriculture et de la prostitution.

Or, quand le protecteur se trouve totalement inférieur au protégé, moins compétent et moins instruit, cette situation anormale peut amener de graves inconvénients.

Mais l'incompétence absolue des ministres et directeurs des beaux-arts étant devenue trop éclatante, on a créé parallèlement une Société des artistes chargée d'organiser le Salon, ce qui équivalait à remplacer des sourds-muets par les ouvriers de la tour de Babel.

Le principe du Salon n'était pas atteint.

Mais le Salon produit les résultats suivants :

1° Mépris de la peinture par la foule qui confond ce concours avec ceux des volailles grasses, des primeurs, des beurres et des orphéons.

2° Développement chez les peintres d'une acrobatie particulière, nécessaire pour décrocher les médailles suspendues par l'Etat au sommet de ce mât de cocagne englué de couleur à l'huile.

Les peintres, en effet, demeurés de petits collégiens, attendent la distribution des prix qui leur apportera l'estime méprisable, mais dorée, du public, et ils deviennent des forts en thème au lieu de devenir des artistes.

Le sujet change, mais le thème du Salon reste le même.

La première condition pour être vu, remarqué, et prendre rang, c'est de faire grand. Et ils font grand, sacrebleu! les mâtins!

De sorte que les miniaturistes deviennent des Puvis de Chavannes; — ceux nés pour faire des tableaux délicats et discrets, larges comme la main, brossent des décors de théâtre à grand effet, attirant l'œil par tous les procédés éclatants que le charlatanisme naturel à l'homme, en même temps que le désir d'arriver, leur met au bout des doigts.

Est-ce au Salon qu'on pourrait bien apprécier, pour ne

citer que deux exemples, la peinture si fine d'Alfred Stevens ou de Leloir?

Donc l'exposition annuelle bouleverse les tempéraments, forçant, sous peine de mort, les misérables artistes à produire tout autre chose que ce pourquoi la nature les avait créés.

Voilà ce qu'on appelle protéger l'art!

3° Ce n'est pas en neuf jours qu'on prépare un tableau-réclame dans les conditions voulues pour obtenir mention, médaille ou croix. Ce monstre demande au moins neuf mois de gestation comme les enfants naturels ou légitimes, de sorte que le peintre ne peut plus faire autre chose dans son année que cette toile décorative! Et il se trouve réduit pour vivre à produire en quelques jours, en quelques heures, des tableaux de vente ou de commerce, comme on dit!

Et cela recommence tous les ans, durant toute la vie des artistes, jusqu'à la médaille d'honneur! De sorte qu'ils ne font jamais, jamais, les pauvres diables, la peinture qu'ils auraient dû faire, qu'ils auraient pu faire!

Voilà comment on protège l'art.

4° La nécessité d'obtenir les récompenses sous le patronage de l'Etat présente encore d'autres dangers d'un caractère plus général.

Les ministres ou les sous-ministres qui ignorent l'art de peindre autant que les autres arts ont cependant des idées là-dessus, comme ils en auraient en cuisine. Et comme ils sont puissants, comme l'Etat donne les croix et achète les toiles, ils peuvent avoir et ils ont une influence néfaste sur la production de leurs protégés.

M. Turquet ne semble-t-il pas avoir rêvé la régénération de l'art par la peinture patriotique? Il suffit qu'une pareille idée ait pu se produire pour faire comprendre à tout jamais l'effroyable danger de la protection!

L'Etat achète des tableaux; mais avant de les acheter il les choisit, et c'est encore là un de ses plus grands torts.

La preuve en est facile. Tous les tableaux classés comme des œuvres maîtresses depuis que le Salon existe (à peine est-il deux ou trois exceptions) sont entre les mains de particuliers, alors que l'Etat aurait pu les avoir et les prendre le premier.

On ne pourrait remédier un peu à cette ignorance de l'administration des Beaux-Arts qu'en confiant au hasard seul le choix des toiles à acquérir. On mettrait dans un sac tous les numéros des œuvres exposées, puis le plus jeune des ministres ou des députés en tirerait, les yeux bandés, trente ou quarante, et on aurait ainsi la chance de tomber sur une œuvre remarquable.

Le hasard étant aveugle peut fort bien se montrer, parfois, intelligent ; or un directeur des beaux-arts ayant des yeux pour écrire n'en a jamais pour juger. Les livres saints eux-mêmes l'ont annoncé : *Oculos habent et non videbunt*.

Mais puisqu'on ne changera rien à l'état de choses établi, au lieu d'étaler, sur l'immense bâtisse où l'on montre au peuple alternativement des chevaux et des tableaux, les trois mensonges de la politique moderne : « Liberté — Egalité — Fraternité », on devrait au moins ajouter sous les trois mots, justes ceux-là : « Palais de l'Industrie », ce simple avis : « Prenez garde à la peinture. »

(Le XIXe Siècle, 2, 6, 10 et 18 mai 1886.)

UN MIRACLE

Monsieur le rédacteur,

Je ne suis pas même médecin, mais simple vétérinaire de province. J'ajoute que j'habite un pays de grandes chasses ; c'est-à-dire un pays plein de chiens, et que j'ai vu plus de cas de rage que la plupart des illustres médecins parisiens. Je me sens donc aussi autorisé que ces savants professeurs, et plus autorisé que la plupart de vos confrères à dire mon avis sur cette terrible et bizarre maladie dont il se peut que M. Pasteur préserve mes semblables, au moyen d'un miracle que seul il pouvait opérer, peut-être, et non pas au moyen d'un remède.

Je m'explique. Ma conviction profonde est que la rage n'existe pas chez l'homme, ainsi d'ailleurs que beaucoup d'autres maladies spéciales aux espèces animales. Un grand nombre de maladies humaines également ne peut pas atteindre les bêtes. Je veux dire que le virus rabique, inoculé par le chien, par le loup ou par l'aiguille de M. Pasteur, n'a aucune action sur l'organisme humain. La rage, mal contagieux, ne peut être communiquée à l'homme par aucun procédé scientifique ou naturel, alors même que beaucoup d'hommes meurent de bizarres accidents rabiformes qu'on nomme également « rage », mais qui ne proviennent que d'une idée fixe, c'est-à-dire d'une maladie cérébrale, ou d'une affection nerveuse de la famille du tétanos.

Les preuves dont je pourrais appuyer cette opinion sont

innombrables. Je me contenterai d'en citer quelques-unes puisées soit dans mon expérience personnelle, soit dans les savants ouvrages de MM. Bouley, Bréchet, Portal, Magendie, Tardieu, Boudin, Vernois, Sausen, Renault, etc., etc., et aussi dans un petit volume des plus curieux de M. Faugère-Dubourg, publié en 1866, sous ce titre : *Le Préjugé de la Rage.*

Je suis donc convaincu que la rage proprement dite n'existe pas, n'a jamais existé chez l'homme.

Deux cas se présentent.

Les gens qui meurent à la suite d'une morsure de chien qui est ou qu'on suppose enragé succombent.

Soit par des accidents du genre tétanique que produirait tout aussi bien chez eux la morsure d'un autre animal quelconque, chat, rat, lapin, mouton, cheval, singe, etc., etc., ou même une blessure, un coup, une piqûre, une coupure.

Soit par des accidents nerveux en tout semblables à ceux de la rage, mais produits par l'obsession de l'idée fixe.

J'arrive aux preuves. Il faut constater d'abord que beaucoup de personnes *mordues par des chiens non enragés meurent de la rage,* avec tous les symptômes caractéristiques de ce mal.

J'ai vu moi-même trois exemples, ayant gardé les chiens en pension pendant deux ans après le décès des victimes.

Tout le monde se rappelle aussi un garçon fort connu à Paris, mort récemment *de la rage,* alors que le chien par lequel il fut mordu vit encore, et qu'une autre personne, mordue en même temps, n'a rien eu.

Qu'est-ce donc qu'un virus communiqué par un animal qui ne le porte pas en lui?

Autre exemple fort cité, d'un ordre différent.

Le 16 janvier 1853, deux jeunes gens se disaient adieu dans le port du Havre, l'un d'eux partant pour l'Amérique. Ils furent mordus en même temps par le même chien.

Celui qui restait mourut au bout d'un mois. L'autre ne le sut point et demeura quinze ans en Amérique, ignorant absolument ce qu'était devenu son compagnon.

A son retour, au mois de septembre 1868, il apprit soudain la fin misérable de son ancien ami; il prit peur, et expira trois semaines plus tard, avec tous les symptômes connus de la rage.

Donc, dans ces deux cas, nous avons affaire, sans hésitation possible, à la rage morale que les médecins eux-mêmes ont dénommée hydrophobie rabiforme. Le docteur Caffe dit à ce sujet : « Seule la rage spontanée (hydrophobie rabiforme) est susceptible de guérison, l'imagination pouvant détruire ce qu'elle a enfanté. »

Donc, il existe une rage imaginaire, impossible à distinguer de l'autre, mortelle quand l'imagination qui l'a créée ne la guérit pas, et présentant, jusqu'à la fin, tous les signes caractéristiques de la vraie.

Je dis moi, qu'il n'y en a qu'une, l'*imaginaire,* à moins qu'on ne soit en présence d'une sorte de tétanos produit par une morsure, assimilable à une blessure quelconque.

Je m'appuierai d'abord sur ceci que cette maladie, présentant chez l'animal des signes caractéristiques absolument opposés à ceux observés chez l'homme, ne peut être que d'une nature essentiellement différente.

1° L'autopsie révèle chez le chien des lésions profondes, des altérations des organes, des poumons et de l'encéphale engorgés de sang, des inflammations violentes des bronches, de la trachée artère, du larynx, de l'arrière-bouche, de l'œsophage, de l'estomac, de l'utérus, de la vessie, et enfin des infiltrations sanguines dans le tissu cellulaire environnant les nerfs, sans toutefois révéler le siège même du mal (observations de Dupuy).

Chez l'homme, rien de tout cela, rien que les désordres légers des centres nerveux et les épanchements au cerveau, remarqués dans toutes les maladies de l'encéphale. — Or, les névroses ont cela de particulier qu'elles ne laissent pas d'autres vestiges après la mort.

Ce n'est pas tout.

Chez les chiens, la rage amène une insensibilité absolue de l'épiderme. On peut les battre, les brûler au fer rouge, les tailler à coups de couteau sans qu'ils accusent aucune douleur, eux qu'un simple coup de fouet fait hurler cinq minutes quand ils sont dans leur état normal.

Chez l'homme, au contraire, la prétendue rage développe une telle excitation nerveuse qu'il ne peut tolérer aucun contact, même celui d'une plume, même celui du plus léger courant d'air sur la peau, supporter aucun bruit, même celui d'une montre, ni aucun reflet de lumière, ni aucune odeur sans être saisi aussitôt par d'intolérables douleurs.

Nous retrouvons encore là les symptômes ordinaires des névroses, absolument différents, on le voit, de ceux que présente la rage confirmée chez le chien.

Or, cherchons maintenant si d'autres accidents que des morsures de chien peuvent produire tous les symptômes de la rage chez l'homme.

1° Marcel Donnat a vu mourir de l'*hydrophobie* deux personnes chez qui cette maladie nerveuse provenait de rhumatismes.

2° Le baron Portal cite le fait d'une jeune fille atteinte d'une esquinancie, dont elle mourut avec tous les signes les plus flagrants de l'hydrophobie. L'autopsie révéla que le pharynx, l'œsophage, le larynx et la trachée artère étaient enflammés dans toute leur étendue et gangrenés sur quelques points.

Voici encore une observation du docteur Selig, citée par le docteur Marc dans le *Dictionnaire des Sciences médicales,* et rapportée par M. Faugère-Dubourg : « Un homme âgé de trente et quelques années, après s'être échauffé par des travaux champêtres pendant une journée des plus chaudes du mois de juillet, se baigna le soir dans une rivière dont l'eau était très froide. Le lendemain, il éprouva une douleur rhumatismale au bras droit et de la roideur dans la nuque ; le troisième jour, en outre, un sentiment de pesanteur dans tous les membres et quelques mouvements fébriles.

» La douleur du bras disparut à la suite d'un vomitif qu'on lui fit prendre ; mais celle de la nuque était plus prononcée, et la céphalalgie, l'ardeur ainsi que la soif, devinrent plus intenses. Pendant la nuit, les accidents augmentèrent. Il s'y joignit une hydrophobie. Toutes les fois qu'il approchait de ses lèvres un verre ou une cuillerée remplie de liquide, et même lorsqu'un de ces objets frappait sa vue, il éprouvait un tremblement universel avec convulsion, et poussait des cris aigus; jusqu'à l'haleine des personnes qui s'approchaient trop près de lui, l'incommodait, de sorte qu'il les suppliait de s'éloigner.

» Comme ce malade n'avait été mordu par aucun animal, M. le docteur Selig fit la médecine antiphlogistique dérivative et calmante. Vers midi, amélioration sous tous les rapports, nulle agitation, nulle anxiété, point de chaleur ni de soif, possibilité d'avaler de temps à autre, quoique avec difficulté, des cuillerées d'infusion; cependant, tremblements et mouvements convulsifs. Après midi, un peu de sommeil. Le soir, à huit heures, chaleur fébrile, agitation, anxiété, soif ardente, avec impossibilité d'avaler seulement une goutte de liquide sans tremblements et convulsions. Le voisinage, l'atmosphère, l'haleine du chirurgien agitent le malade au point de déterminer un tremblement continuel avec convulsions et sueur profuse. Dans les moments de rémission, le malade assure que l'atmosphère, ainsi que l'haleine des personnes qui l'entourent, lui deviennent insupportables, et prie avec instance les assistants de s'éloigner. L'agitation et l'anxiété s'accroissent d'heure en heure, au point que le malade supplie de le contenir. Il mourut à onze heures.

» Cette hydrophobie spontanée a été causée par le transport d'une irritation rhumatismale sur les muscles du larynx et de l'œsophage, ainsi que par le spasme et l'inflammation déterminés de cette manière dans ces parties. »

Voilà donc l'hydrophobie déterminée par des rhumatismes!!! On la constate aussi très souvent par suite d'affections nerveuses ou de maladies du cerveau.

Ajoutons une observation du baron Larrey :

« Un boulet avait emporté à François Pomaré, un grenadier, la peau de l'omoplate droite; la sécrétion purulente ayant cessé, la cicatrice fit de très rapides progrès; en deux fois vingt-quatre heures elle couvrit la moitié de la plaie, et le blessé éprouva bientôt un pincement douloureux sur tous les points cicatrisés; il ressentait, disait-il, la même sensation que si l'on eût saisi les bords de la plaie avec des tenailles, et le moindre attouchement sur cette cicatrice très mince lui faisait jeter les hauts cris. Tous les symptômes du tétanos s'aggravaient sensiblement; l'approche de l'eau limpide provoquant des mouvements convulsifs, les mâchoires se contractaient... »

Le chirurgien brûla tout simplement la cicatrice au fer rouge. Aussitôt le malade écarta les mâchoires, but, et fut guéri.

Mais s'il avait été mordu par un chien au lieu d'être blessé par un boulet?

Je pourrais citer des *milliers* d'exemples de même nature.

En résumé, on ne peut constater chez l'homme que des accidents de l'ordre nerveux, tantôt mortels, tantôt guérissables, selon qu'ils proviennent de désordres assimilables au tétanos produit par une blessure ou de désordres purement moraux.

Pour prouver encore l'influence de l'imagination sur les gens dits enragés, je citerai ce fait.

Le docteur Flaubert, père d'Achille et de Gustave Flaubert, fut appelé au village de La Bouille, auprès d'un homme atteint d'hydrophobie. Le malade, vu entre deux crises, accepta d'être emmené à Rouen par le médecin, qui le prit dans son coupé. Or, vers le milieu de la route, il cria qu'il sentait venir une attaque, affirmant qu'il allait mordre le docteur, et le suppliant de se sauver.

M. Flaubert répondit tranquillement :

« Alors, mon ami, vous n'êtes pas enragé. Le chien enragé se sert de ses crocs, parce qu'il n'a pas d'autre moyen d'attaque que sa gueule, de même que le chat se sert de ses griffes et le bœuf de ses cornes. Vous, vous devez vous servir de vos poings et pas d'autre chose. Si vous me mordez vous n'êtes qu'un fou. »

Le malade n'eut pas de crise avant d'entrer à l'hôpital;

mais, à peine arrivé il en subit une terrible et distribua aux garçons de salle, comme aux internes, des volées de coups de poing dignes d'un boxeur anglais.

Il mourut cependant.

Maintenant j'affirme qu'il suffit de ne pas croire à la rage pour être absolument rebelle à ce virus prétendu.

Pour ma part, j'ai été mordu quatre fois, et je sais deux vétérinaires qui se sont laissé mordre ou fait mordre chaque fois qu'une *bonne occasion* se présentait! On cite un Américain, M. Stevens, qui fut mordu jusqu'à quarante-sept fois, et un Allemand, M. Fischer, dix-neuf fois, uniquement pour prouver l'innocuité de ce virus.

Je conclus.

Un homme mordu par un chien ou par un autre animal peut succomber à la suite d'une hydrophobie rabiforme qui serait déterminée également chez lui par toute autre blessure et même par des rhumatismes.

C'est le cas du ou des paysans russes, que M. Pasteur n'a pu guérir en raison de la nature et de la gravité de leurs morsures.

On peut succomber également à la suite d'accidents nerveux produits par l'obsession de l'idée fixe.

Or, dans ce cas, il suffit de la foi dans un remède pour être sauvé, car, selon l'expression du docteur Caffe, « l'imagination peut détruire ce qu'elle a enfanté ».

Cette foi dans le remède, beaucoup d'empiriques, beaucoup de charlatans l'ont imposée dans les campagnes aux paysans simples et crédules; et toujours la guérison, la guérison miraculeuse se produit à la suite des remèdes les plus bizarres, hannetons pilés, écorce de citrouille, yeux de chouette écrasés dans l'huile, etc., etc., car la foi, qui transporte les montagnes, guérit aisément d'un mal qui n'a pour cause que la peur du mal.

Mais cette conviction de la guérison ne pouvait être imposée à l'humanité tout entière par les vulgaires empiriques en qui croient aveuglément des campagnards ignorants.

Alors un homme s'est rencontré, un très grand homme,

un savant illustre dont les travaux admirables avaient déjà enthousiasmé la terre, dont les recherches mystérieuses sur la rage inquiétaient et passionnaient depuis des années ; et cet homme en qui l'univers tout entier avait confiance s'est écrié : « Je guéris la rage, j'ai trouvé ce grand secret de la Nature ! »

Et il a guéri, en effet, à la façon des saints qui faisaient marcher les paralytiques par la simple imposition des mains. Il a guéri le monde, il a rendu à la race humaine un des plus grands services qu'on puisse lui rendre : il l'a sauvée de la peur qui tuait comme un mal.

Du fond de mon obscurité, je salue Monsieur Pasteur.

Et si j'étais mordu demain j'irais le prier de me soigner comme les athées qui appellent un prêtre à leur dernière heure. — En effet, si la dent du chien ne peut me communiquer la rage, l'aiguille du savant ne me la donnera pas davantage. — Et je serais sauvé par la seule puissance de la statistique, car, à l'exception des Russes, personne n'est mort de ceux qu'il a soignés. Personne n'est mort ? Combien en mourait-il donc autrefois ? Bien peu. Dix-neuf par an, disent les chiffres officiels. Et nous savons, par les inoculations récentes de M. Pasteur, que le nombre des gens mordus atteignait quinze cents à deux mille.

Recevez, etc.

UN VIEUX VÉTÉRINAIRE
Pour copie :
GUY DE MAUPASSANT
(*Gil Blas*, 9 mai 1886.)

275

L'AMOUR DANS LES LIVRES
ET DANS LA VIE

C'est d'ordinaire dans les livres que nous acquérons la connaissance de l'amour, c'est par eux que nous commençons à en désirer les émotions. Ils nous le révèlent poétique et enflammé, ou rêveur et clair de lunesque, et nous gardons souvent jusqu'à la mort l'impression qu'ils nous en ont donnée au début de notre adolescence! Nous apportons ensuite, dans toutes nos rencontres, dans nos liaisons et nos tendresses, la manière de voir et d'être que nous avons apprise dans nos premières lectures, sans que l'expérience des faits nous donne la notion exacte des choses, l'appréciation précise des rapports amoureux, et la désillusion que traîne derrière elle la réalité.

Une jeune femme disait un jour : « En amour, nous sommes tous comme des locataires qui passent leur vie à changer de logement sans s'en apercevoir parce qu'ils portent leurs meubles et leur manière de draper de domicile en domicile. » Donc, les œuvres des poètes et des romanciers à travers lesquelles nous avons aimé regarder l'existence laissent d'ordinaire sur notre esprit et sur notre cœur une marque ineffaçable. Il en résulte que les tendances littéraires d'une époque déterminent presque toujours les tendances amoureuses. Peut-on contester que Jean-Jacques Rousseau, par exemple, n'ait modifié extrêmement la manière d'aimer de son temps, et n'ait eu sur les mœurs tendres une influence absolue? N'est-ce pas lui qui a mis fin à l'ère de la galanterie ouverte par le

Régent, après la période d'amours sévères due aux écrivains du grand siècle.

Niera-t-on que Lamartine, versant sur la France sa poésie sentimentale et exaltée, n'ait tourné les âmes vers un amour nouveau extatique et déclamatoire. D'autres écrivains de la même époque, Dumas avec *Antony,* avec ses romans lus comme des évangiles, Alfred de Vigny avec *Chatterton,* Eugène Sue avec *Mathilde,* Frédéric Soulié et tant d'autres apôtres des ardeurs tragiques et désordonnées ou des tendresses lugubres dont on meurt, jetèrent les esprits dans une sorte de folie passionnelle, dont Musset, avec ses vers idéalement sensuels, Hugo avec ses ouragans poétiques où l'amour héroïque passait comme une bourrasque, firent une sorte de renouveau du tempérament national, tout différent du vieux tempérament français, gai, inconstant et sagement ému.

Il est certain qu'on a aimé en France dans la bourgeoisie et dans le monde, d'après la formule de Rousseau, d'après la formule de Lamartine, d'après les formules de Dumas, de Musset, etc. Il est également certain que la génération, mûre aujourd'hui et qui fut jeune voici quinze ou vingt ans, a aimé et aime encore, selon les milieux, d'après la formule apportée par M. Alexandre Dumas fils, ou d'après celle de M. Octave Feuillet. Personne, me semble-t-il, à côté de ces deux écrivains, ni après ces deux écrivains n'a eu d'influence réelle sur les mœurs amoureuses, en France.

La génération littéraire d'aujourd'hui, en général, nous déshabitue du rêve passionné pour ne considérer la tendresse humaine qu'à l'état de cas pathologique, d'accident normal de l'instinct, étendant son influence sur la nature morale. Aussi, habitués à reconnaître la vérité précise dans les livres qui nous montrent l'image presque exacte de la vie, sommes-nous infailliblement un peu surpris, quand nous constatons dans un roman nouveau un peu de cet irréel aimable si recherché dans notre enfance.

Le dernier livre de M. Pierre Loti : *Pêcheurs d'Islande,* nous donne cette note attendrie, jolie, captivante mais inexacte qui doit, par le contraste voulu avec les observations cruelles et sans charme auxquelles nous sommes accoutumés, faire une partie de son grand succès.

Il ne s'agit nullement ici de critique ni d'opinion littéraire. En art tout est admis, toutes les tendances étant également justifiables, le talent seul a de l'importance. Or, le talent de M. Loti est très grand, son charme très subtil et très puissant en même temps, sa vision très personnelle et très originale, son droit de voir d'après son tempérament d'artiste demeure incontestable; mais ce qu'on peut absolument contester chez lui, c'est l'exactitude de sa psychologie amoureuse; et par là il appartient à l'école poétique des charmeurs sentimentaux.

A travers les brumes d'un océan inconnu de nos yeux, il nous a montré d'abord une île d'amour adorable, et il a refait avec Loti et Rarahu ce poème de *Paul et Virginie.* Nous ne nous sommes point demandé si la fable était vraie, qu'il nous disait si charmante. Il revenait de ce pays; et nous avons pensé naïvement qu'on aimait comme ça là-bas! De même nous imaginons volontiers qu'on aima jadis dans notre patrie avec plus d'entraînement qu'aujourd'hui.

Puis il nous a raconté avec non moins de séduction habile les tendresses d'un spahi et d'une mignonne négresse. Le soldat nous avait bien paru un peu conçu d'après la méthode de poétisation continue; mais la femme, la petite noire était si jolie, si bizarre, si tentante, si drôle, si artistement campée qu'elle nous a séduits et aveuglés aussitôt.

Nous demeurions aussi sans méfiance devant ses étranges paysages, beaux comme les horizons entrevus dans les féeries, ou rêvés aux heures des songes.

Puis il nous a dit la Bretagne de *Mon Frère Yves.*

Alors, pour tout homme qui regarde avec des yeux clairs et perspicaces, des doutes se sont éveillés. La Bretagne est trop près de nous pour que nous ne la connaissions point, pour que nous n'ayons point vu ce paysan breton, brave et bon, mais en qui l'animalité première persiste à tel point qu'il semble bien souvent une sorte d'être intermédiaire entre la brute et l'homme. Quand on a vu ces cloaques qu'on nomme des villages, ces chaumières poussées dans le fumier, où les porcs vivent pêle-mêle avec les hommes, ces habitants qui vont, tous nu-jambes pour marcher librement dans les fanges, et ces jambes de grandes filles encrassées d'ordures jusqu'aux genoux, quand on a vu leurs cheveux et senti, en passant sur les routes, l'odeur de leurs corps, on reste confondu devant les jolis paysages à la Florian, et les chaumines enguirlandées de roses, et les gracieuses mœurs villageoises que M. Pierre Loti nous a décrites.

Il nous dit aujourd'hui les amours des marins, et la détermination d'idéaliser jusqu'à l'invraisemblable apparaît de plus en plus. Nous voici en plein dans les tendresses à la Berquin, dans la sentimentalité paysannesque, dans la passion lyrico-villageoise de Mme Sand.

Cela est charmant toutefois et touchant ; mais cela nous charme et nous touche par des effets littéraires trop apparents, trop visiblement faux, par l'attendrissement trop voulu, et non par la vérité, non par cette vraisemblance dure et poignante qui nous bouleverse le cœur au lieu de l'émouvoir facticement comme le fait M. Loti.

Notre esprit avide aujourd'hui d'apparences réelles demeure incrédule, bien que séduit devant ces jolies fables marines. Mais, dès qu'il s'éloigne des côtes connues de nous, l'écrivain retrouve soudain toute sa puissance de persuasion captivante. Je ne sais rien de plus parfaitement émouvant que ces visions de la mer, de la pêche, de la vie monotone et rude balancée sur les flots, que ces évocations de choses naturelles qui deviennent saisissantes comme des apparitions fantastiques. On se rappelle, dans *Mon Frère Yves,* le surprenant baleinier entrevu, un matin, dans les mers glaciales, vaisseau, cimetière portant à ses vergues des débris de baleines, et monté par des forbans écrémés sur tous les peuples.

Le procédé de poétisation continue de ces sortes de livres devient surtout apparent quand on les compare à des œuvres de même ordre écrites par des hommes d'un tempérament différent. Pour ne parler que des paysages qui sont, chez M. Loti, d'une vérité relative bien plus sévère que ses personnages, ils nous donnent encore la sensation de choses vues par un poète rêveur. Je me garderai bien de lui reprocher cette qualité ; mais si je compare sa vision poétique et un peu féerique à la vision admirablement précise bien que poétique aussi du peintre Fromentin qui nous montre la route de Laghouat et le désert, je ne puis m'empêcher de constater qu'il suffit d'être sincère, quand on est artiste et qu'aucune poétisation n'a la force saisissante de la vérité.

J'ai lu avec un plaisir délicieux le *Mariage de Loti* et le *Roman d'un Spahi ;* mais je ne connais point davantage les îles lointaines du Grand Océan ou la côte occidentale d'Afrique, après ces lectures.

Or, le remarquable roman de Robert de Bonnières sur l'Inde, le *Baiser de Maïna,* me montre bien plus exactement ce pays fabuleux que ne me l'avaient montré jusqu'ici les poètes menteurs et les voyageurs illuministes. Et quelques jours après cette lecture qui avait accru ma vive curiosité de cette étrange région, le hasard mit en mes mains le récit d'un officier, *L'Inde à fond de train,* par le comte de Pontevès-Sabran, qui se promène sans aucune préparation poétique, sans prétention littéraire, avec un entrain joyeux de bonne humeur un peu gavroche et un sans-façon tout militaire, dans la patrie mystérieuse du Bouddha.

Et ces deux livres, celui du romancier observateur minutieux et sérieux, celui du soldat observateur superficiel et gai, m'ont raconté l'Inde mieux que ne l'avaient fait jusqu'ici tous les chanteurs de légendes et de paysages colorés.

***

J'ai dit que M. Alexandre Dumas fils et M. Octave Feuillet, avec des tempéraments très différents, sont les deux seuls écrivains vivants qui aient eu une action réelle sur les mœurs amoureuses de notre pays.

Il suffit pour s'en convaincre d'un coup d'œil jeté sur les écrivains et sur le monde.

Les poètes autrefois déterminaient une manière d'aimer.

N'en citons que deux : Lamartine et Musset.

Quel poète aujourd'hui peut éveiller dans l'âme des femmes des rêveries tendres ou passionnées? Est-ce M. Leconte de Lisle, l'admirable, impeccable et impassible artiste? — Non.

— Est-ce M. Théodore de Banville, le plus adroit, le plus souple des poètes? Non. Est-ce M. Sully Prudhomme qui rêve de science en écrivant ses vers? Non.

Et parmi les prosateurs, cherchons. Est-ce Edmond de Goncourt, ciseleur de phrases subtiles, artiste complexe, merveilleusement habile, mais observateur implacable qui troublera les cœurs haletants des jeunes filles et leur dira : « C'est ainsi qu'on aime et qu'on doit aimer? »

Est-ce Zola, génial, étrangement puissant et brutal, qui montrera aux femmes inquiètes et hésitantes le chemin des idéales tendresses?

Est-ce Daudet, plus doux, plus adroit, moins franchement cruel, mais dont l'ironie apparaît derrière les joliesses voulues?

Personne, parmi ceux qui écrivent aujourd'hui, ne peut faire couler dans le cœur de ses lecteurs ce je-ne-sais-quoi d'attendri qui prépare et fait naître les émotions d'amour. Et l'on peut dire, on peut affirmer que l'amour n'existe plus dans la jeune société française.

La faculté d'exaltation, mère des tendresses passionnées et de tous les enthousiastes, a disparu devant les envahissements de l'esprit d'analyse et de l'esprit scientifique. Et les femmes, atteintes par contagion, plus frappées même que les hommes, s'agitent, souffrent d'un malaise singulier, d'une inquiétude harcelante, qui n'est, au fond, que l'impuissance d'aimer.

Plus elles appartiennent au monde, plus elles ont l'esprit cultivé et les yeux ouverts sur la vie, plus se manifeste en elles cette maladie étrange et nouvelle. Celles d'un milieu moyen, d'une âme naïve et d'un cœur simple demeurent encore, pour quelques années, capables de cette flamme et de cet affolement qu'on nomme l'amour. Les autres sentent leur mal, luttent, s'efforcent de le vaincre, et n'y parvenant pas se résignent ou s'égarent en des caprices bizarres.

Plus rien qui ressemble à cet entraînement irrésistible que chantaient les poètes et que disaient les romanciers, voici trente ou quarante ans. Plus de drames, plus d'enlèvements, plus de ces enivrements qui prenaient deux êtres, les jetaient l'un à l'autre, en les emplissant d'un indicible bonheur.

Nous voyons des femmes coquettes, ennuyées, irritées de ne rien sentir, qui s'abandonnent par ennui, par désœuvrement, par mollesse; d'autres qui restent sages uniquement par désillusion; d'autres qui tentent de se tromper, qui s'exaltent sur les souvenirs d'autrefois et balbutient sans les croire les paroles ardentes que disaient leurs mères.

Nous voyons des liaisons réglées comme des actes notariés, où tout est prévu, les jours, les heures, les accidents et jusqu'à la rupture dont on devine l'échéance. On prend un amour comme une loge à l'Opéra, parce qu'il occupe deux soirs par semaine, qu'il facilite les sorties, qu'il offre des distractions d'hiver et d'été, et aussi, bien souvent, parce qu'il rend plus doux les rapports avec les couturiers.

Et si l'on entend dire, par hasard, dans le monde, en parlant d'une femme, qu'elle est follement amoureuse de M. X... ou de M. T... on peut être sûr, sans la connaître qu'elle a passé la quarantaine!

(*Gil Blas*, 6 juillet 1886.)

LA VIE D'UN PAYSAGISTE

Etretat, septembre.

Mon cher ami, merci de ta lettre qui me donne des nouvelles de Paris. Elle m'a fait grand plaisir et elle m'a surpris, comme si elle venait d'un autre monde quitté depuis longtemps. Comment, tous ces hommes dont tu me parles ne sont pas morts ; et ils s'occupent encore des mêmes balivernes ! Le boulevard s'agite à propos des mêmes niaiseries, les salons se troublent de ce que M. X... semble avoir couché avec Mme Z... La stupide politique, roulée par les mêmes imbéciles, va d'ornière en ornière, et tous les jours des messieurs graves écrivent des colonnes innombrables sur les mêmes sujets que les naïfs discutent avec conviction, sans s'apercevoir qu'ils ont déjà lu dix mille fois les mêmes choses !

Ce que tu me dis de l'exposition de la Société des artistes indépendants aux Tuileries m'a interessé. Il faut ouvrir les yeux sur tous ceux qui tentent du nouveau, sur tous ceux qui cherchent à découvrir l'Inaperçu de la Nature, sur tous ceux qui travaillent sincèrement, en dehors des vieilles routines. Mais pourquoi cette exposition en plein été ? L'Etat sans doute ne prête le local qu'en cette saison. L'Etat est toujours le même sot puissant et autoritaire. Nous le verrons quelque jour, en vertu de ce principe qui le pousse à ouvrir les expositions d'art pendant la canicule, forcer les propriétaires de bains

283

froids à ne donner des leçons de plongeon et de natation en Seine que pendant les mois de décembre, janvier et février. Donc, tu me dis qu'il y a des choses curieuses à voir dans cette galerie, et des choses inattendues; tant mieux, j'irai à mon retour.

En ce moment, je vis, moi, dans la peinture à la façon des poissons dans l'eau. Comme cela étonnerait la plupart des hommes, que de savoir ce qu'est pour nous la couleur, et de pénétrer la joie profonde qu'elle donne à ceux qui ont des yeux pour voir!

Vrai, je ne vis que par les yeux; je vais, du matin au soir, par les plaines et par les bois, par les rochers et par les ajoncs, cherchant les tons vrais, les nuances inobservées, tout ce que l'école, tout ce que l'appris, tout ce que l'éducation aveuglante et classique empêche de connaître et de pénétrer.

Mes yeux ouverts, à la façon d'une bouche affamée, dévorent la terre et le ciel. Oui, j'ai la sensation nette et profonde de manger le monde avec mon regard, et de digérer les couleurs comme on digère les viandes et les fruits.

Et cela est nouveau pour moi. Jusqu'ici je travaillais avec sécurité. Et maintenant je cherche!... Ah! mon vieux, tu ne sais pas, tu ne sauras jamais ce que c'est qu'une motte de terre et ce qu'il y a dans l'ombre courte qu'elle jette sur le sol à côté d'elle. Une feuille, un petit caillou, un rayon, une touffe d'herbe m'arrêtent des temps infinis; et je les contemple avidement, plus ému qu'un chercheur d'or qui trouve un lingot, savourant un bonheur mystérieux et délicieux à décomposer leurs imperceptibles tons et leurs insaisissables reflets.

Et je m'aperçois que je n'avais jamais rien regardé, jamais. Va, c'est bon, cela, c'est meilleur et plus utile que les bavardages esthétiques devant des piles de soucoupes représentant des bocks.

Parfois, je m'arrête, stupéfait d'observer tout à coup des choses éclatantes dont je ne m'étais jamais douté! Regarde les arbres et l'herbe en plein soleil, et essaie de les peindre. Tu essaieras. Tout le monde a fait du paysage au soleil, parce que tout le monde est aveugle. Mon cher, les feuilles, l'herbe, tout ce que le soleil frappe en plein n'est plus coloré, mais luisant, et d'un luisant tel que rien ne le peut rendre. Or on ne saurait peindre ce qui brille; on ne saurai même en donner l'illusion. L'an dernier, en ce même pays, j'ai souvent suivi Claude Monet à la recherche d'impressions. Ce n'était plus un peintre, en vérité, mais un chasseur. Il allait, suivi d'enfants qui portaient ses toiles, cinq ou six toiles représentant le même sujet à des heures diverses et avec des effets différents.

Il les prenait et les quittait tour à tour, suivant les changements du ciel. Et le peintre, en face du sujet, attendait, guettait le soleil et les ombres, cueillait en quelques coups de pinceau le rayon qui tombe ou le nuage qui passe, et, dédaigneux du faux et du convenu, les posait sur sa toile avec rapidité.

Je l'ai vu saisir ainsi une tombée étincelante de lumière sur la falaise blanche et la fixer à une coulée de tons jaunes qui rendaient étrangement le surprenant et fugitif effet de cet insaisissable et aveuglant éblouissement.

Une autre fois, il prit à pleines mains une averse abattue sur la mer, et la jeta sur sa toile. Et c'était bien de la pluie qu'il avait peinte ainsi, rien que de la pluie voilant les vagues, les roches et le ciel, à peine distincts sous ce déluge.

Et je me souviens encore d'autres artistes que j'ai vus travailler jadis dans ce vallon d'Etretat.

Un jour, j'étais très jeune encore, et je suivais la ravine de Beaurepaire, quand j'aperçus dans une ferme, dans une petite ferme, un vieil homme en blouse bleue qui peignait sous un pommier. Il paraissait tout petit, accroupi sur son pliant; et, cette blouse de paysan m'enhardissant, je m'approchai pour le regarder. La cour était en pente, entourée de grands arbres que le soleil, près de disparaître, criblait de rayons obliques. La lumière jaune coulait sur les feuilles, passait à travers et tombait sur l'herbe en pluie claire et menue.

Le bonhomme ne me vit pas. Il peignait sur une petite

toile carrée, doucement, tranquillement, sans presque remuer. Il avait des cheveux blancs, assez longs, l'air doux et du sourire sur la figure.

Je le revis le lendemain dans Etretat, ce vieux peintre s'appelait Corot.

Une autre fois, deux ou trois ans plus tard, j'étais venu sur la plage, pour voir un ouragan. Le vent furieux jetait sur le pays la mer déchaînée, dont les vagues, énormes, s'en venaient lourdement, l'une après l'autre, lentes et coiffées d'écume. Puis, rencontrant soudain la dure pente de galet, elles se redressaient, se courbaient en voûte et s'écroulaient avec un bruit assourdissant. Et, d'une falaise à l'autre, la mousse, arrachée de leurs crêtes, s'envolait en tourbillons et s'en allait vers la vallée, par-dessus les toits du pays, emportée par les bourrasques.

Un homme dit soudain près de moi : « Venez donc voir Courbet, il fait une chose superbe. » Ce n'était point à moi qu'on avait parlé, mais je suivis, car je connaissais un peu l'artiste. Il habitait une petite maison donnant en plein sur la mer, et appuyée à la falaise d'aval. Cette maison avait appartenu d'ailleurs au peintre de marines Eugène Le Poittevin.

Dans une grande pièce nue, un gros homme graisseux et sale collait avec un couteau de cuisine des plaques de couleur blanche sur une grande toile nue. De temps en temps, il allait appuyer son visage à la vitre et regardait la tempête. La mer venait si près qu'elle semblait battre la maison, enveloppée d'écume et de bruit. L'eau salée frappait les carreaux comme une grêle et ruisselait sur les murs.

Sur la cheminée, une bouteille de cidre à côté d'un verre à moitié plein. De temps en temps, Courbet allait en boire quelques gorgées, puis il revenait à son œuvre. Or cette œuvre devint *La Vague* et fit quelque bruit par le monde. Trois hommes causaient dans un coin de l'atelier. Il y avait là, si je ne me trompe, Charles Landelle. Et Courbet aussi parlait, lourd et gai, farceur et brutal. Il avait un esprit pesant, mais précis, plein de bon sens paysan, caché sous de grosses blagues. Il disait devant une *Sainte-Famille* que lui montrait un confrère : « C'est très beau ça. Vous les avez donc connus, ces gens-là, que vous avez fait leur portrait! »

Que d'autres peintres j'ai vus passer par ce vallon, où les attirait sans doute la qualité du jour, vraiment exceptionnelle! Car le jour, à quelques lieues de distance, est aussi différent que les vins du Bordelais. Ici, la lumière est éclatante sans être crue; tout est clair sans être brutal, et tout se nuance d'une admirable façon.

Mais il faut voir, ou plutôt il faut découvrir. L'œil, le plus admirable des organes humains, est indéfiniment perfectionnable; et il arrive, quand on pousse, avec intelligence, son éducation, à une admirable acuité. Les Anciens, on le sait, ne connaissaient que quatre ou cinq couleurs. Nous notons aujourd'hui d'innombrables tons; et les vrais artistes, les grands artistes s'émeuvent bien plus des modulations et des harmonies obtenues dans une seule note que des éclatants effets appréciés de la foule ignorante.

Tout le combat terrible que Zola raconte dans son *Œuvre* admirable, toute cette lutte infinie de l'homme avec la pensée, toute cette bataille superbe et effroyable de l'artiste avec son idée, avec le tableau entrevu et insaisissable, je les vois et je les livre, moi, chétif, impuissant, mais torturé comme Claude, avec d'imperceptibles tons, avec d'indéfinissables accords que mon œil seul, peut-être, constate et note; et je passe des jours douloureux à regarder, sur une route blanche, l'ombre d'une borne en constatant que je ne puis la peindre.

. . . .

Pour copie conforme :
GUY DE MAUPASSANT
(*Gil Blas,* 28 septembre 1886.)

LA TOUR... PRENDS GARDE

Les expositions universelles qui prennent des allures périodiques, comme certaines épidémies, menacent de devenir pour la France artiste des calamités nationales.

Elle seraient bonnes en elles, et même excellentes si elles ne laissaient pas de traces, mais elles en laissent, les gueuses, et des traces qu'on ne nettoie pas.

Elles ont ces avantages inestimables de faire dépenser de l'argent à beaucoup de Français qui en ont et d'en faire gagner à beaucoup d'autres Français qui n'en ont pas, de faire entrer dans nos frontières l'or étranger, d'encourager les industries par la vente et l'émulation et d'être un gage de paix pour quelques mois.

Mais nous payons cher ces avantages. La dernière venue a déposé sur la butte du Trocadéro une espèce de longue chenille monumentale coiffée de deux oreilles démesurées, une affreuse bâtisse qui semble conçue par un pâtissier prétentieux et rêvant de palais de dessert en biscuits et en sucre candi.

L'intérieur de cette nougatine, ayant la forme d'un tunnel, n'aurait pu servir qu'à un jeu de boules s'il eût été droit. Comme il était courbe, on y a installé un musée où on expose des Cynghalais conservés pour faire concurrence aux Cynghalais nature du Jardin d'acclimatation.

Mais nous voici menacés d'une horreur bien plus redoutable. Depuis un mois, tous les journaux illustrés nous présentent l'image affreuse et fantastique d'une tour de fer de trois cents mètres qui s'élèvera sur Paris comme une corne unique et gigantesque.

Ce monstre poursuit les yeux à la façon d'un cauchemar, hante l'esprit, effraie d'avance les pauvres gens naïfs qui ont conservé le goût de l'architecture artiste, de la ligne et des proportions.

Cette pointe de fonte épouvantable n'est curieuse que par sa hauteur. Les femmes colosses ne nous suffisent plus! Après les phénomènes de chair, voici les phénomènes de fer. Cela n'est ni beau, ni gracieux, ni élégant, — c'est grand, voilà tout. On dirait l'entreprise diabolique d'un chaudronnier atteint du délire des grandeurs.

Pourquoi cette tour, pourquoi cette corne? Pour étonner? Pour étonner qui? Les imbéciles. On a donc oublié que le mot art signifie quelque chose. Est-ce dans une forge à présent qu'on apprend l'architecture? N'y a-t-il plus de marbre dans le flanc des montagnes pour faire des statues ou tenter d'élever des monuments.

Il est vrai que les monuments, depuis un demi-siècle, ne nous réussissent guère non plus, et il vaut peut-être autant montrer aux étrangers cette vilaine folie de cyclope en leur disant : « Est-ce assez haut? » — ce qu'ils ne pourront nier — que de les conduire devant notre Opéra national — qui a l'air d'un temple de carton peint avalé par un terminus-hôtel — en leur disant : « Est-ce assez beau? »

Cet édifice colorié, qui appartient à l'art lyreux par sa décoration et à l'art lyrique par sa destination, est assurément un des plus complets échantillons de mauvais goût monumental du monde entier.

L'architecture semble un art disparu de France. Il suffit d'un jour passé aux environs de Paris pour contempler une si hideuse collection de maisons de campagne ridicules, de châteaux effroyables, de villas extravagantes, que le doute n'est plus possible : nous avons perdu le don de faire de la beauté avec des pierres, le mystérieux secret

289

de la séduction par les lignes, le sens de la grâce dans les monuments. Nous paraissons ne plus comprendre et ne plus savoir que la seule proportion d'un mur suffit pour constituer une belle chose, une œuvre d'art.

Sur les plages de la mer, soit au nord, soit au midi, soit à Trouville, soit à Cannes, on retouve les mêmes échantillons du goût cage à serin qui s'est emparé de l'âme de nos architectes. Ce ne sont que tourelles, clochetons, ornements imprévus et bizarres. L'une de ces demeures ressemble à une pagode, l'autre à une forteresse du Moyen Age couronnée de créneaux, celle-ci à un café-concert tunisien, celle-là à une ferme d'opéra-comique. Le style oriental rencontre familièrement le style métairie, le souvenir de Pompéi fraternise avec le souvenir de l'Alhambra. Tout cela est affreux, prétentieux, vaniteux, honteux. En Angleterre, au contraire, la petite maison de campagne qu'on nomme cottage est presque toujours charmante, à l'extérieur. Beaucoup sont de vraies merveilles de goût simple et élégant en même temps. Ajoutons, pour être juste, que le goût s'arrête à la porte et que l'intérieur des maisons anglaises, décorées à l'anglaise, fait que, malgré tout, on aimerait mieux habiter une maison française.

**
**

Donc Paris va voir pousser cette corne, rivale de l'affreuse flèche dont on a coiffé la cathédrale de Rouen, et qui gâte tout l'horizon de la superbe vallée normande.

N'aurait-on pu faire autre chose avec l'argent destiné à cette ferraillerie? Un monument, comme l'Hôtel de Ville, par exemple, qui est d'un joli style Réminiscence, n'aurait-il pas bien fait à la place des quatre murs de la Cour des comptes? Mais il s'agit de l'Exposition universelle, ou plutôt il s'agit de recevoir dignement chez nous les étrangers que nous invitons, qui nous feront l'honneur et le plaisir d'y venir.

Or, le premier devoir de la politesse, avant de les laisser

franchir les murs de Paris, ne devrait-il pas consister tout simplement à désinfecter la ville?

Bourgeois de Paris, vous êtes de braves gens très doux, quoi qu'on dise en certain monde, à moins que vous n'ayez perdu l'odorat, ce qui est encore possible. Vous faites des émeutes pour des bêtises, des révolutions pour des mots vides; eh bien, si vous aviez seulement du nez, vous feriez une petite émeute, ou même une bonne révolution, contre les malpropres ingénieurs, députés ou conseillers municipaux qui vous empoisonnent tout l'été à rendre inhabitables vos rues. Comment! vous ne sentez rien? Mais le cœur monte aux lèvres quand on rentre dans Paris, après une promenade au Bois, par les doux soirs de printemps. A partir des Champs-Elysées l'infection commence, et quand on pénètre ensuite dans le centre de la ville, cela devient une telle puanteur qu'on est contraint de s'enfermer dans sa chambre pour y brûler du sucre, ou de l'eau de Cologne.

Car vous avez, sous chaque rue, braves gens qui ne sentez rien, une rivière où se déversent sans cesse, non pas seulement les eaux d'égout, mais aussi... ce que MM. les ingénieurs nomment LE LIQUIDE — et c'est lui, « ce liquide », qu'on sent ainsi, qui parfume vos voies et vos maisons. Chaque bouche d'égout est la cassolette d'où sort cet encens nocturne, bien reconnaissable à son odeur spéciale, qu'on peut distinguer sans être chimiste. Je sais bien qu'on veut vous faire croire que cette senteur si particulière vient uniquement des cultures potagères des environs de Paris, fumées avec le produit de vos maisons.

Ne le croyez pas, Parisiens, mettez le nez sur vos égouts, par les beaux soirs où fleurissent les roses dans les jardins... et pendez-moi vos ingénieurs et vos édiles...

Que diriez-vous d'un monsieur qui engagerait poliment ses voisins à passer une saison chez lui alors que certains conduits brisés dans les murs laisseraient couler leur contenu dans les chambres des invités?

Le cas est pourtant le même. D'où il résulte, qu'au lieu de construire la pyramide de fer qui servira seulement à enlaidir votre ville, on ferait mieux de construire le canal à la mer qui servirait à l'assainir. Mais si on tient absolument à un monument de bronze, qu'on élève, par ce temps de statues, une statue gigantesque à l'héroïque général, seul digne aujourd'hui de devenir le patron de Paris, en remplacement de sainte Geneviève, à Cambronne.

Et qu'on lui mette dans les mains un fanal électrique afin de bien indiquer aux voyageurs délicats et dégoûtés ce foyer de puanteur qu'on nomme Paris.

(Gil Blas, 19 octobre 1886.)

TREMBLEMENT DE TERRE

Antibes

On sait les détails, tous les détails du terrible tremblement de terre qui vient de ravager et d'affoler la côte entière de la Méditerranée. Je ne peux rien ajouter à la précision sinistre des faits, mais je veux dire quelques sensations personnelles. La façon de percevoir et d'interpréter un accident aussi rare qu'un tremblement de terre peut révéler, à beaucoup de gens qui n'ont jamais été secoués par ces étranges tempêtes du sol, le genre de trouble et d'émotion qu'il produirait sans doute en elles. C'est donc la répercussion de ce phénomène sur les sens et sur les nerfs que j'essayerai de noter en m'efforçant de le faire aussi exactement que possible.

La soirée avait été fort belle et j'étais resté debout assez tard à regarder le ciel criblé d'étoiles, et là-bas, de l'autre côté du large golfe, Nice illuminée, Nice chantant et dansant par ce dernier soir de carnaval. Le phare tournant de Villefranche ouvrait de demi-minute en demi-minute son œil de feu sur la mer, tandis que le phare fixe du cap d'Antibes debout sur le haut promontoire, pareil à une monstrueuse étoile, parcourait l'horizon de son regard fixe et circulaire. Puis j'avais lu, avec un intérêt passionné, *Pœuf,* le court et admirable récit de Léon Hennique, histoire si simple, si dramatique, d'une poignante simplicité et racontée avec un accent de vérité tout

293

nouveau. Et je m'étais couché, vers une heure du matin, après avoir encore considéré, pendant quelques instants, les illuminations lointaines de Nice, en songeant qu'on devait être fort gai, là-bas.

Je dormais profondément quand je fus réveillé par d'épouvantables secousses. Pendant la première seconde d'effarement, je crus tout simplement que la maison s'écroulait. Mais comme les soubresauts de mon lit s'accentuaient, comme les murs craquaient, comme tous les meubles se heurtaient avec un bruit effrayant, je compris que nous étions balancés par un tremblement de terre. Je sautai debout dans ma chambre et j'allais ateindre la porte quand une oscillation violente me jeta contre la muraille. Ayant repris mon aplomb, je parvins enfin sur l'escalier où j'entendis le sinistre et bizarre carillon des sonnettes tintant toutes seules comme si un affolement les eût saisies ou comme si, servantes fidèles, elles appelaient désespérément les dormeurs pour les prévenir du danger.

Mon domestique descendait en courant l'autre étage, ne comprenant pas ce qui arrivait et me croyant écrasé sous le plafond de ma chambre tant les craquements avaient été forts. Cependant la convulsion cessait quand tout le monde enfin gagna le vestibule et sortit dans le jardin. Il était six heures, le jour naissait rose et doux, sans un souffle d'air, si pur, si calme! Cette absolue tranquillité du ciel, pendant ce bouleversement épouvantable, était tellement saisissante, tellement imprévue, qu'elle me surprit et m'émut davantage que la catastrophe elle-même.

Cette aurore charmante prenait pour nous quelque chose d'exaspérant, de révoltant, de cynique.

Mais je rentrai pour chercher des vêtements, des couvertures et de l'argent pour le cas, assez vraisemblable, où l'accident se renouvellerait et nous forcerait à quitter la maison, en admettant même que la maison résistât à une seconde secousse.

Je prenais des manteaux dans une armoire quand j'entendis de nouveau le singulier bruit qui m'avait saisi, sans que je l'eusse compris, lors du premier ébranlement de la terre ; et le battant de l'armoire vint me frapper la figure.

On a dit, on a écrit que le phénomène était accompagné d'une rumeur semblable à un violent souffle de mistral. Cette affirmation, que je n'oserais pas nier, devrait être vérifiée avec soin. Ce bruit bizarre, si particulier que je le reconnaîtrais toujours, m'a paru provenir uniquement de la trépidation des murailles et des meubles, des murailles surtout, secouées jusque dans les fondations, et des poutres ballottées, et des tuiles soulevées, des ciments brisés, des pierres disjointes et heurtées, de toute la dislocation du bâtiment entier.

Les personnes qui se trouvaient dehors n'ont point entendu ce bruit, ce qui me paraît assez concluant.

Nous revoilà donc dans le jardin, forcés de contempler l'aurore.

De la villa, on voit tout le golfe de Nice, et tout le cap d'Antibes. Les côtes se déroulent jusque bien au-delà de la frontière d'Italie, baignées par la mer toute bleue. Le long des plages, les villages blancs ont l'air, de loin, de si loin, d'œufs d'oiseau pondus sur les sables ; puis la montagne s'élève portant encore, de place en place, sur un pic, une petite ville ou un hameau. Et sur tout cela s'étend l'immense cime neigeuse des Alpes avec ses sommets pointus, éclatants et tout roses à cet instant, d'un rose aveuglant sous l'aurore.

On a écrit encore qu'au moment de la catastrophe le ciel paraissait en feu ! C'était tout simplement un admirable lever de soleil qui n'a pu surprendre et épouvanter que les gens peu accoutumés à sortir si tôt de leur lit.

Mais tout paraît calmé ; et la tranquillité de la matinée nous rassure au point que chacun rentre dans sa chambre. Je me jette, tout habillé, sur mon lit.

Deux heures se passent sans que rien trouble notre repos, et notre confiance revenue, quand soudain je crois sentir une agitation presque imperceptible du sol. Rien ne semble remuer pourtant, mais on dirait un frisson de la terre, un frisson profond, continu, qui va devenir un tremblement tout à l'heure. Je me lève aussitôt et j'appelle. Les murs craquent de nouveau avec le bruit étrange et sinistre dont j'ai parlé. Nous subissons une troisième secousse plus courte et moins forte que les autres.

Depuis ce moment, le sol est sans cesse vibrant. Il ne palpite pas, il semble seulement agité d'un presque insaisissable grelottement. Cela cesse parfois pendant plusieurs heures, puis soudain la légère trépidation recommence, dure une minute ou un quart d'heure, cesse de nouveau, et la terre redevient tout à fait stable sous nos pieds. On dirait, en vérité, le frémissement d'une locomotive au repos, dont les flancs sont chargés de vapeur qui n'a point d'issue pour fuir.

Plusieurs secousses très perceptibles nous ont encore soulevés d'ailleurs : trois dans la nuit qui suivit la catastrophe, une dans le jour, et deux dans la nuit d'après. Aujourd'hui, rien ; mais le sol n'a point fini de grelotter. Nous attendons. A Antibes, un autre phénomène, signalé aussi sur plusieurs points de la côte, a accompagné le mouvement de la terre.

Quelques instants après la première secousse, la mer s'est brusquement retirée, laissant à sec des bateaux de pêche et des poissons sur le sable. Les petites sardines frétillaient, un gros congre rampait en fuyant, mais on ne songeait guère à le poursuivre. Puis, un flot haut de deux mètres, plutôt un soulèvement qu'une vague, est venu couvrir la plage et la mer enfin a repris son niveau.

Plusieurs pêcheurs affirment avoir distingué, non loin de la côte, des remous et des tourbillons ; mais d'autres le nient et le fait paraît très douteux.

Il semble que ce phénomène bizarre laisse en nous une émotion très spéciale qui n'est point la peur connue dans les accidents, mais la sensation aiguë de l'impuissance humaine et de l'instabilité. Contre la guerre, il y a la force; contre la tempête, il y a l'adresse; contre la maladie, il y a le remède et le médecin, efficaces ou non. Contre le tremblement de terre il n'y a rien; et cette certitude entre en nous bien plus par le fait lui-même que par le raisonnement.

Le refuge de tout homme qui souffre, de tout homme menacé, c'est son toit, c'est son lit. Or, dans ces crises de la terre, rien n'est plus redoutable que le lit et que le toit. Alors l'impossibilité de rentrer chez soi fait de l'homme une bête errante, perdue, affolée, qui s'enfuit, et qui porte en elle une angoisse nouvelle et imprévue, celle du civilisé forcé de camper comme l'Arabe.

Et puis, pour tous les gens de Nice que j'ai rencontrés, cherchant refuge autour de la ville d'Antibes où aucune maison n'est tombée, il semble que l'émotion ait été accrue par la curieuse coïncidence de l'effrayant sinistre fermant le carnaval. Ils avaient vu des masques tout le jour d'avant; ils s'étaient couchés et endormis avec ces visages, ces grimaces, ces figures grotesques dans les yeux; et voilà qu'ils s'éveillent au milieu d'une ville croulante et d'un peuple fou d'épouvante.

Et ce contraste a dû en effet frapper leurs âmes étrangement, y produire un travail mystérieux qui servirait dans un siècle de foi à consolider une religion, car je sens moi-même que ma lecture du soir, précédant de quelques minutes le sommeil, cette histoire d'un soldat, Pœuf, qui a tué son supérieur par jalousie, reste et restera liée en mon esprit à l'émotion du tremblement de terre. Chaque fois que ma pensée retourne à l'accident, le souvenir du roman me revient plus vif que celui d'aucune autre lecture, et les faits qui y sont racontés se mêlent, malgré moi, aux faits réels de la nuit.

(*Gil Blas*, 1ᵉʳ mars 1887.)

PÊCHEUSES ET GUERRIÈRES

La mer n'a jamais eu tant d'amis et tant de poètes. Ceux d'autrefois lui adressaient par moments, des vers, ou des compliments, ou des gentillesses, mais ils ne semblaient point l'aimer avec la passion profonde que lui ont vouée ceux d'aujourd'hui.

Richepin l'a couverte de rimes étincelantes comme ses flots brisés sous le soleil, sonores comme ses vagues abattues sur les plages, légères comme l'écume qui danse sous la brise, souples comme la houle onduleuse et fuyante.

Loti, cette sirène, semble une voix sortie des profondeurs bleues, vertes, grises des océans impénétrables, une voix qui chante les choses inconnues, les beautés inexplorées, les grâces inaperçues, et le mystère surtout, le mystère sacré de la mer.

Bonnetain la raconte avec son talent précis et coloré, en homme qu'elle a longtemps bercé, et qui l'a longtemps regardée avec ses yeux d'artiste.

Un débutant, tout jeune encore, Pierre Maël, l'aime déjà d'un amour si vif qu'il lui consacrera tous ses livres, comme un prêtre consacre à son Dieu tous ses jours.

Et tu as exprimé, toi, ses coquetteries les plus subtiles, ses charmes les plus féminins, toute la délicatesse de ses nuances, toute la séduction infinie de ses mouvements, son ensorcelante et changeante beauté.

La lettre où tu m'annonçais la prochaine apparition de

ton livre, la réunion de ces éclatants et si délicats portraits de la Grande Bleue, m'a surpris comme j'allais m'embarquer sur elle pour un petit voyage à Saint-Tropez.

Elle était vraiment la Grande Bleue, ce jour-là, notre amie, immobile, à peine ridée par un souffle imperceptible qui la rendait plus bleue encore, en faisant courir sur sa chair d'azur le frisson léger des étoffes moirées.

Je me rappelais les pages où tu parlais d'elle avec des mots si vrais, et je regardais s'éloigner la ville d'Antibes, que les flots entourent, caressant par les jours calmes et battant par les jours de vent les lourdes murailles de Vauban que dominent les vieilles maisons grises et les deux tours carrées debout dans le ciel comme deux cornes de pierre.

Et mêlés au souvenir de tes évocations artistes, des souvenirs d'enfance m'assaillaient; car j'ai grandi sur le rivage de la mer, moi, de la mer grise et froide du Nord, dans une petite ville de pêche toujours battue par le vent, par la pluie et les embruns, et toujours pleine d'odeur de poisson, de poisson frais jeté sur les quais, dont les écailles luisaient sur les pavés des rues, et de poisson salé roulé dans les barils, et de poisson séché dans les maisons brunes coiffées de cheminées de briques dont la fumée portait au loin, sur la campagne, des odeurs fortes de hareng.

Je me rappelais aussi l'odeur des filets séchant le long des portes, l'odeur des saumures dont on fume les terres, l'odeur des varechs quand la marée baisse, tous ces parfums violents des petits ports, parfums rudes et senteurs âcres, mais qui emplissent la poitrine et l'âme de sensations fortes et bonnes. Et je songeais qu'après avoir dit à la mer toutes les tendresses que ton cœur lui garde, tu devrais maintenant, en suivant les côtes, de Dunkerque à Biarritz, et de Port-Vendres à Menton, parcourir le long et joli chapelet des villes marines, sur les rivages de France.

Il en est quelques-unes de ces petites cités que j'aime d'une façon spéciale, parce qu'elles sont vraiment les filles de la mer. Les grandes, les commerçantes : Marseille,

Bordeaux, Saint-Nazaire ou Le Havre, me laissent indifférent. L'homme les a faites; elles sont bruyantes, vénales, agitées, et, comme les parvenus qui ne fréquentent seulement que les gens riches ou illustres, elles n'ont d'attention que pour les immenses paquebots ou les énormes navires chargés de marchandises précieuses.

Je méprise les villes militaires dont les ports sont pleins de monstres, de cuirassés pareils à des montagnes de fer, gibbeux, ventrus, couverts d'excroissances, de verrues d'acier et de tours épaisses. On y voit aussi des torpilleurs minces, serpents de mer disgracieux et trop longs, et des navigateurs en uniformes, spécialistes de la guerre marine à vapeur.

Mais comme j'aime la petite ville poussée dans l'eau et qui sent la mer à plein nez, qui vit de la mer, qui s'y baigne et qui se battit aux temps fameux des marins épiques comme aucune ville ne s'est battue dans les poèmes antiques! Connais-tu Dunkerque, où naquirent Jean Bart et tant de corsaires plus héroïques que les héros de l'Iliade?

Connais-tu Dieppe, patrie de Duquesne et de ce pilote Bouzard, qui sauva tant de navires et de naufragés, qu'une statue lui fut élevée?

Sait-on assez l'histoire de cet autre Dieppois qui s'appelait Ango? Des Portugais ayant capturé un de ses navires, ce simple armateur équipa une flotte à ses frais, bloqua Lisbonne, poursuivit jusqu'aux Indes les escadres portugaises, et ne cessa les hostilités qu'après avoir vu un ambassadeur venir en France lui demander la paix. Est-il beau, ce commencement du xvie siècle?

Et Saint-Malo sur son rocher, Saint-Malo, cette reine de la Manche, avec ses tours « Solidor » et « Qui-qu'en-grogne », et son peuple de Malouins, les premiers marins du monde? Elle vit naître Duguay-Trouin et le légendaire Surcouf, et Labourdonnais, et Jacques Cartier, et aussi Maupertuis, La Mettrie, Broussais, Lamennais et Chateaubriand. Voilà-t-il pas la plus belle et la plus féconde des humbles filles de la mer, qui, sous la caresse des flots, enfante de pareils hommes pour la patrie?

Et La Rochelle la calviniste, dont les fils, moins célèbres peut-être que ceux de ses sœurs bretonnes et normandes, ne furent pas moins braves? La connais-tu, la ville aux rues tortueuses, bordées d'arcades basses, au port fermé par deux tours antiques et jolies, et qui garde, souvenir de luttes admirables, là-bas, dans l'eau, à peine visible, sa digue immense, collier de pierre avec lequel l'étrangla Richelieu?

Je songeais au charmant livre qu'on pourrait écrire sur ces villes!... Et les murailles d'Antibes s'enfonçaient peu à peu dans l'eau bleue, tandis que, de l'autre côté du golfe, au-dessus de Nice, pareille de si loin à un peu d'écume blanche sur le rivage, se dressait la grande chaîne des Alpes, vertes d'abord, puis portant sur leurs cimes dentelées un immense manteau de neige.

Sur cette côte du Midi, je n'en connais que deux, de ces petites pêcheuses, autrefois guerrières, si nombreuses dans le Nord. C'est d'abord celle que je quitte, Antibes, enfermée, bloquée, étreinte en sa double enceinte de murs énormes, construits par Vauban. Elle est dans l'eau tout à fait, sur une pointe qui forme presque une île, et on voit, par les jours clairs, sur le petit port, chauffant au soleil leurs vieux membres, le peuple lent des anciens matelots assis côte à côte et parlant, par moments, des navigations passées. Leurs visages sont fendus par les rides comme les bois anciens sous le soleil et les pluies, tannés et bruns comme les poissons séchés au four, et grimaçants, déformés par l'âge.

Devant eux passe, boitant sur une canne, l'ancien capitaine au long cours qui commanda les *Trois-Sœurs,* ou les *Trois-Frères,* ou la *Marie-Louise,* ou la *Jeune-Clémentine.*

Tous le saluent, à la façon des soldats qui répondent à l'appel, d'une litanie de « Bonjour, capitaine », modulée sur des tons différents. Et il les remercie d'un geste de la main.

Jamais la curiosité ne m'était venue de connaître le passé de la ville. Je descendis dans le salon de mon bateau pour y chercher le guide Sarty, auquel collabora le père de M. Victorien Sardou, un aimable et éminent chercheur qui sait à fond l'histoire de cette côte.

J'y appris que, fondée par les Phocéens de Marseille, Antibes fut baptisée par eux Antipolis, puis devint, sous les Romains, une ville municipale jouissant du droit de cité romaine.

Puis, elle fut achetée, vendue et revendue par les papes, par les Grimaldi de Monaco, par Henri IV, prise et reprise par le connétable de Bourbon, par André Doria, par Charles-Emmanuel, duc de Savoie, par le duc d'Epernon.

Mais depuis que Vauban l'a fortifiée, elle résista aux Impériaux et aux Piémontais, en 1707 et en 1746, bien que bombardée pendant vingt-neuf jours.

En 1815 enfin, sans garnison, elle se défendit seule et échappa aux Autrichiens qui avaient détrôné Murat.

Cependant, j'avais atteint la pleine mer, doublé le cap de la Garoupe, et j'apercevais maintenant le golfe Juan, où l'escadre cuirassée était à l'ancre, puis les îles de Lérins, toutes plates sur la mer, masquant Cannes et le golfe de la Napoule, puis, au-dessus d'elles, les sommets bizarres de l'Esterel.

Je passai près de la balise des Moines, devant le vieux château debout, les pieds dans la vague, à l'extrémité de l'île Saint-Honorat, et qui fut si souvent pris et pillé par les pirates, les seigneurs des environs, les Sarrasins, et repris toujours par ses maîtres légitimes, les moines. Puis, ayant traversé tout le golfe de Cannes, longé les côtes rouges et abruptes de l'Estérel, que terminent le cap Roux et le Dramond, aperçu au loin Saint-Raphaël, j'arrivai à la nuit tombante à l'entrée de l'admirable golfe de Grimaud, devant le port de Saint-Tropez.

Loin du monde, séparée de la France par ces montagnes sauvages, sans villages et sans routes, qu'on nomme les montagnes des Maures, n'ayant de rapport avec les terres habitées que par une diligence antique et un petit bateau à vapeur qui reste au port les jours de mauvais temps, Saint-Tropez est, certes, la plus curieuse des petites villes marines du Midi. Une route, depuis deux ans, la liait à Saint-Raphaël. La mer a détruit cette route. Et nous sommes ici dans un pays bizarre, plein des souvenirs des Maures qui l'occupèrent longtemps et bâtirent presque tous les villages sur les sommets côtoyant la mer; car, dans le centre des montagnes, on ne trouve rien, ni hameaux, ni fermes, rien que des huttes isolées et une ruine d'une morne beauté, la Chartreuse de la Verne.

Saint-Tropez, la première pêcheuse de ces côtes, assise au bord du golfe dont l'antique tour de Grimaud ferme le fond, montre avec orgueil sur son quai la statue du bailli de Suffren. Elle se battit contre les Sarrasins, le duc d'Anjou, les corsaires barbaresques, le connétable de Bourbon, Charles Quint, le duc de Savoie et le duc d'Epernon.

En 1637, les habitants, sans aucune aide, repoussèrent une flotte espagnole, et chaque année se renouvelle, avec une ardeur surprenante, le simulacre de cette défense qui emplit la ville de bousculades et de clameurs, et rappelle étrangement les grands divertissements populaires du Moyen Age.

En 1813, la ville repoussa également une escadrille anglaise envoyée contre elle.

Aujourd'hui elle pêche! Elle pêche des thons, des sardines, des loups, des langoustes, tous les poissons si jolis de cette mer bleue, et nourrit, à elle seule, une partie de la côte.

Tu la connais bien, d'ailleurs, cette petite cité provençale, car nous y sommes restés ensemble quelques jours, autrefois.

Viens avec moi suivre ce rivage, de port en port, de baie en baie, et peut-être te décideras-tu à l'écrire, ce livre que tu ferais si bien sur les Petites Filles de la Mer.

(*Gil Blas*, 15 mars 1887.
— Préface à *La Grande Bleue*,
de René Maizeroy, Plon, 1888.)

LOI MORALE

Depuis quinze jours, un grand mouvement d'indignation s'est produit dans la presse et dans le public, au sujet
du départ d'une dame touchant à la trentaine, ayant passé
déjà par les formalités, sinon par les émotions du
mariage, montée dans un fiacre aux Champs-Elysées,
après avoir fermé elle-même son ombrelle, dit-on, et disparue en compagnie d'un monsieur qui lui tenait ouverte
la portière.

Dans toutes les villes que cette dame a traversées, elle
a eu soin de prévenir les magistrats qu'elle voyageait
librement, dans le seul but de contracter mariage avec son
compagnon, et elle ajoutait avec émotion le vieux mot
classique : « Je l'aime. » Pourquoi s'étonner outre mesure
de cette légère modification apportée aux coutumes
existantes? On commence ordinairement par la mairie, et
on finit par le voyage ; ceux-ci commencent par le voyage,
pour finir par la mairie. N'est-ce pas leur droit?

Cette dame est très majeure, très libre et très riche.
Pourquoi veut-on l'empêcher de se promener avec qui
bon lui semble? Si on faisait autant de tapage pour tous
ceux qui arrêtent un fiacre sur la voie publique, et
montent dedans sans être encore mariés et sans que leur
acte de naissance porte exactement les mêmes indications,
titres et particules que leurs cartes de visite, la justice et la
presse auraient beaucoup à faire.

Cette pauvre femme, une fois déjà, semble avoir été

déçue par les qualités essentielles de son premier mari. Plaise au ciel qu'elle n'ait aujourd'hui de désillusion que sur les titres et qualités honorifiques du second.

Ces voyageurs, en somme, semblent peu faits pour retenir l'attention et l'intérêt. La seule question qui ait ému le public là-dedans est assurément la question des gros sous. Du moment qu'il n'y a point de séquestration et de violence, la justice n'a rien à voir là-dedans. Seule la morale, la pauvre morale pourrait crier, car elle n'a ni glaive, ni prison, ni guillotine à sa disposition, la morale, la pauvre morale, elle n'a que sa voix, sa voix si enrouée, si fatiguée, si usée, qu'on ne l'entend plus, plus du tout.

**

En vérité, si la justice veut mettre le nez dans les jeux de l'amour et de l'argent, et cesser de faire la morte en cette partie, elle pourrait nous donner un spectacle en même temps très édifiant et très gai.

Ses rapports avec la morale sont fort restreints et fort larges. La morale, de temps en temps, donne quelques conseils dont la justice tient ou ne tient pas compte, et c'est tout. Or, il est un point très délicat à toucher, et sur lequel, par hasard, par un extraordinaire accord d'opinion, tous les honnêtes gens s'entendent. Ce point, signalé sans cesse par la pauvre morale, est demeuré jusqu'ici indifférent à la justice.

Il serait vraiment réconfortant de voir un jeune député, en quête de projets de loi, un jeune et beau député, de ceux qu'on recherche et qu'on aime, monter à la tribune et s'exprimer ainsi :

**

Messieurs,

Nous voulons faire une République honnête, probe et respectable, n'est-ce pas. Déjà plusieurs de nos ministres se sont efforcés d'épurer nos mœurs. Ai-je besoin de rappeler des exemples connus, etc?

305

Le premier, M. Turquet, a tenté de donner aux artistes dévoyés une notion plus saine de l'art, de leur faire remplacer les cuisses nues des femmes par des culottes de troupier et les poitrines fermes et bombées par des canons braqués pour la défense de la patrie.

Plus tard, M. Goblet a purifié les champs de courses.

Il nous reste à nettoyer l'Amour.

Nous avons tous les jours sous les yeux, messieurs, d'épouvantables exemples. Je ne veux point parler de la prostitution de la rue. Celle-là est légitime. Plaignons seulement les pauvres filles qui se donnent pour un morceau de pain.

Quand un homme écoute sur le boulevard la prostituée qui le sollicite, c'est le mâle qui suit la femelle, femelle publique, souillée, immonde; mais il la suit parce qu'il est mâle, il la suit pour obéir à une loi instinctive, irrésistible, dont la nature semble nous avoir dicté les principes.

C'est de ces principes que devrait s'inspirer notre Code pour réglementer l'amour, qu'il soit libre ou légal.

Il ne se passe point de mois sans que nous assistions au scandale d'un vieillard usé mais riche, épousant, c'est-à-dire achetant, une jeune fille, une enfant à peine femme encore, à quelque famille honorable et vénale.

Or, si l'homme qui monte au logis d'une fille publique la suit parce qu'il sent en lui la force du mâle, le vieux bourgeois épuisé, le vieux bourgeois ravagé de désirs honteux et séniles, dont la bourse seule est restée valide, qui achète une innocente, la paye aux parents devant le notaire, l'emmène avec permission du prêtre et du maire, fait cela, au contraire, parce qu'il n'est plus mâle, parce qu'il espère on ne sait quel réveil répugnant au contact de cette petite vierge.

Regardez maintenant la vieille femme, plus abominable encore, qui achète un homme, amant ou mari.

Vous envoyez aux travaux forcés celui qui abuse d'un enfant avant l'âge fixé par la loi sur les indications de la nature.

Pourquoi ne punissez-vous pas de la même peine le misérable qui cède aux sollicitations d'une vieille dépravée, après l'âge qu'indique aussi la nature, pour la continuation de notre espèce?

Je ne vois pas, en effet, messieurs, en quoi il est plus coupable de commencer trop tôt que de finir trop tard.

Ai-je besoin de vous rappeler que nous assistons tous les jours, du haut en bas de l'échelle sociale, à cette chasse impudique, atroce, monstrueuse, des jeunes par les vieux, que nous rencontrons partout, dans les salons, dans la rue, la vieille femme blanche et ridée avec le jeune amant qu'elle paye et entretient, le vieillard avec la jeune maîtresse qu'il montre et promène orgueilleusement, le vieillard avec la jeune épouse que convoite déjà la meute des futurs amants.

S'il est pourtant une chose anormale, condamnable, odieuse, c'est cette possession du jeune être qui naît à la vie, par le vieil être que la mort étreint déjà. La pensée seule de ces contacts soulève le cœur de dégoût.

Quoi de plus honteux que ces dernières secousses de passion dans la chair sénile, flasque et fanée.

Je demande donc, messieurs, une loi qui satisfasse en même temps la morale et la nature, qui interdise les unions disproportionnées.

Fixez le nombre maximum d'années qui doit séparer le mari de la femme.

Interdisez aux vieillards d'épouser des jeunes filles, aux vieilles femmes de prendre des maris sensiblement plus jeunes qu'elles.

Etablissez un service des mœurs qui surveille les unions libres. Enfin, messieurs, fixez une limite d'âge pour l'amour. Quand un militaire, général ou capitaine, a fini son temps, vous lui fermez impitoyablement la carrière sans vous informer s'il est encore capable de monter à cheval ou de manier un sabre.

Sa présence dans les rangs serait-elle plus nuisible à l'armée que ne sont dangereux pour l'espèce tout entière les efforts d'amour des vieillards quelquefois prolifiques?

Enfin, messieurs, des dispenses pourraient être accordées par un conseil de santé, pour les cas exceptionnels.

Le législateur, en outre, s'inspirant de l'esprit de la loi

future, pourrait imaginer une pénalité redoutable de scandale pour mettre à l'abri les jeunes députés, les jeunes ministres et en général tous les hommes publics des attaques, des poursuites, des provocations éhontées, du troupeau d'antiques Messalines qui cherche sa proie à travers Paris.

Sicut leo rugiens quærens quem devoret.

....

Le député qui parlerait ainsi n'aurait, certes, aucune chance d'être écouté, et pourtant sa requête ne serait pas, dans le fond, aussi ridicule que dans la forme.

(Gil Blas, 29 juin 1887.)

EN L'AIR

M. Guy de Maupassant a fait hier une ascension sur le ballon le *Horla,* un grand aérostat, de 1 000 mètres.

Le départ a eu lieu à 9 h 20 du soir, à l'usine à gaz de la Villette, rue d'Aubervilliers.

MM. Paul Bessand, Eugène Beer, M. Jovis et le lieutenant Mallet faisaient partie du voyage.

Voici l'article que nous envoie M. de Maupassant sur l'aérostat qui l'a emporté.

Soixante-neuf, boulevard de Clichy, on lit sur la porte : Union aéronautique de France; et un public nombreux regarde un très ingénieux baromètre encastré dans le mur et indiquant, par de grands triangles de couleurs diverses, le temps probable du lendemain.

Nous entrons et nous demandons le directeur de la Société, M. le capitaine Jovis. C'est un Méridional, actif, énergique, souple et fort comme il faut l'être pour pratiquer ce sport dangereux, et qui va faire, avec le *Horla,* sa deux cent quatorzième ascension.

Le Comité de l'Union aéronautique m'ayant fait l'honneur de donner au dernier-né de ses ballons le nom de mon dernier livre, et de m'offrir le parrainage, je vais prendre des nouvelles de mon filleul et assister, pendant quelques instants, au travail de sa confection.

Le directeur, M. Jovis, me montre d'abord son baromètre et développe l'idée très intéressante d'établir à son observatoire de Montmartre un système de ballons pour le jour et de feux électriques pour le soir, fournissant aux Parisiens, rien que par la couleur des ballons ou des rayons, des renseignements aussi exacts que possible sur le temps probable du lendemain, comme on donne l'heure avec les horloges pneumatiques.

Que de projets on pourrait faire, avec la presque certitude d'un ciel bleu ; que de rhumes, d'averses et de mécomptes de toutes sortes on éviterait avec une presque certitude de pluie.

Les Américains, qu'il faut toujours consulter quand il s'agit de science pratique, possèdent un service météorologique admirable ; et les renseignements donnés par le *New York Herald* sont consultés dans le monde entier.

Chez nous, au contraire, la météorologie reste, à proprement parler, dans les nuages. Pour savoir ce qui s'y passe en effet, dans les nuages, il faut y monter, y monter souvent, y monter toujours, observer en se promenant de cirrus en nimbus, de nimbus en stratus, et de stratus en cumulus, noter la formation des orages, la direction des courants superposés, leurs modifications selon les heures et les saisons. En somme, on devient météorologiste dans le ciel, comme on devient marin sur la mer ; et les livres n'y font pas grand-chose. Nos savants, gens calmes, pères de famille, qui ont, dit-on, d'excellentes lunettes pour voir les astres, mais inutiles pour voir tourner le vent, semblent s'en tenir, pour la prévision du temps, au système des cors aux pieds et de la goutte qui remonte. « Tiens, disent-ils, j'ai une douleur dans l'épaule gauche, le baromètre est tombé à soixante-quinze. Nous aurons certainement du mauvais temps. Je vais faire là-dessus une petite note pour l'Académie des sciences. »

Il serait donc fort utile, au point de vue météorologique, qu'une société comme l'Union aéronautique, puisque les hommes officiels restent sur leurs fauteuils, pût exécuter constamment et régulièrement des ascensions.

Mais allons voir le *Horla*.

Au premier étage, dans un vaste appartement qui sert d'atelier de construction et de musée et où fonctionnent les machines à coudre maniées par les employés de M. Jovis, gît un incroyable amas de bandelettes jaunâtres, minces comme du papier de soie, longues, souples et légères : c'est la peau de notre aérostat.

M. Mallet, lieutenant du capitaine Jovis, en a tracé les épures, dirigé la mise en train, c'est-à-dire le découpage, et maintenant il en surveille la couture; une couture fine avec un petit fil blanc si léger. Et c'est cela qui nous portera là-haut!... Et on entend le bruit mécanique et continu des machines et le frémissement de la souple étoffe.

Tout autour de la pièce des tableaux représentant des ballons dans le ciel; et M. Jovis nous raconte des ascensions. Il en a fait d'admirables, entre autres sa traversée de la Méditerranée, aller et retour, dans l'*Albatros*.

Par deux fois, cette navigation aérienne a failli devenir tragique. Quelques heures après le départ, en pleine nuit, l'aérostat, ayant épuisé tout son lest, commença à descendre vers la mer d'une façon très inquiétante. Comme la rapidité de la chute s'accélérait sans cesse en vertu de la force acquise, le capitaine, en présence du danger imminent, eut une idée fort ingénieuse, celle de couper et de laisser pendre, sous l'aérostat, trois câbles de longueur inégale, un de deux cents mètres, un de cent, et un de cinquante.

Dès que le premier toucha la mer, le ballon soulagé diminua la vitesse de sa descente; le second l'arrêta presque, et, quand le troisième rencontra l'eau, l'*Albatros* enfin recouvra sa force ascensionnelle et se remit à monter.

Et cette manœuvre dura toute la nuit.

La pleine lune d'un ciel d'Orient éclairait l'eau sans horizon sur laquelle couraient les trois voyageurs portés à travers le ciel par un peu de gaz enfermé dans une toile.

Soudain on aperçut la terre, c'était la pointe de la Corse à l'entrée des bouches de Bonifacio, et dans le rayon de lune, dans la route de lumière tombée de l'astre sur la mer, un navire, un brick qui s'en allait doucement, comme ensommeillé dans cette ombre claire et douce.

L'homme de quart aperçut dans le ciel, au-dessus de lui, l'énorme aérostat qui passait, pareil à quelque bête de l'air, inconnue et fantastique, et il poussa des cris.

L'équipage réveillé accourut sur le pont, c'étaient des Italiens qui acclamèrent leurs frères voyageurs, leur jetant à pleine voix des « bon voyage », et des « bonne chance ».

Et les trois hommes du ballon, penchés hors de la nacelle, répondaient à ces clameurs amies, puis ils laissèrent au loin le brick, pour se perdre de nouveau sur la mer.

Au retour, la nacelle finit par traîner dans les vagues, emportée à la vitesse fantastique de cent quatre-vingts kilomètres à l'heure. Les aéronautes se jugeaient à peu près perdus quand le soleil se leva, dilata le gaz et fit bondir l'*Albatros* à plus de trois mille mètres dans le ciel. Il tourna sur Gênes et revint vers l'Italie; mais il n'avait plus ni lest, ni ancres, rien pour le diriger, rien pour l'arrêter, rien pour le manœuvrer.

Tout à coup M. Jovis aperçut quelque chose de vert, une forêt, qui, de là-haut, ressemblait à un champ de choux. Ses deux compagnons, alors, sur son ordre, se pendirent à la corde de la soupape et l'aérostat tomba comme une pierre et la nacelle entra dans l'océan des arbres, crevant les feuillages, brisant des branches énormes, et elle demeura immobile, arrêtée, encore suspendue, mais saisie, tenue par tous ces branchages refermés sur elle, tandis que le ballon, énorme et flasque, semblait palpiter, se débattre, se noyer dans les sommets bruissants des grands arbres.

Ils étaient tombés dans les Apennins. Au mois d'octobre prochain, M. le capitaine Jovis a l'intention de tenter la traversée de l'océan, de New York en Europe, avec un aérostat de 8 000 mètres.

Il compte profiter pour ce voyage d'une des perturbations atmosphériques bien observées et annoncées par les savants américains. En se lançant dans la bourrasque dont la marche est prévue d'une façon presque certaine, grâce à l'admirable bureau de renseignements du *New York Herald,* les aéronautes pensent et espèrent arriver en Europe en cinquante heures au maximum. Bonne chance à ces hardis oiseaux.

***

Que de choses encore nous raconte le capitaine avec sa verve exubérante de Méridional, sa visite à un petit nuage noir, aperçu très loin, très haut, pendant une ascension et qui n'était autre chose que le laboratoire, ou plutôt que l'œuf d'un orage. En une seconde, l'aérostat fut couvert de glace dès qu'il eut pénétré dans cette nuée en travail, et il fallut jeter le lest à deux mains pour n'être pas précipité du ciel, comme Phaéton jadis.

Voici dans un coin des ateliers une petite porte, c'est le poste des pigeons voyageurs. On les garde là, dans une pièce ouvrant sur les toits. A chaque ascension on en prend un, et dès que le ballon a touché terre, on lâche la bête en lui attachant aux ailes une dépêche.

L'oiseau revient aussitôt vers sa maison où il pénètre par une trappe à bascule; et cette trappe, en se refermant, fait sonner un timbre électrique qui annonce la rentrée du messager.

Voici des échantillons de cordages, d'ancres automatiques, de tous les engins utilisés dans la navigation aérienne. On nous montre un vernis nouveau, imperméable, qui augmente la souplesse et la résistance des tissus au lieu de les brûler, comme font les anciens vernis employés jusqu'à ce jour. Mais ce qu'il faut admirer de véritablement surprenant, ce sont les photographies instantanées faites à 2 000 et 2 500 mètres de hauteur et donnant, avec une netteté parfaite, toute la topographie d'un pays.

Puis-je commettre une indiscrétion? L'éminent géographe M. Liénard prépare avec M. Jovis une des attractions futures et certaines de l'Exposition universelle. De la nacelle d'un ballon, élevée seulement de douze mètres au-dessus du sol, on pourra voir sous ses pieds Paris, avec tous ses monuments, ses rues, ses environs, et le cœur même de la France jusqu'à la mer, jusqu'au Havre, car l'effet d'optique de cet étonnant panorama en relief, d'une exactitude absolue, sera obtenu d'une hauteur fictive de 2 500 mètres.

En terminant, lisons seulement un article des statuts de cette Société qui a pour président M. Delpont, et qui compte parmi ses membres fondateurs décédés (je ne veux parler que des morts) Gambetta, Victor Hugo, Dupuy de Lôme, Henry Giffard, le général Farre, le vice-amiral Gougeard et Paul Bert.

— Lisons, dis-je, l'article 3 de ses statuts :

— « L'Union aéronautique de France, avec son matériel et son personnel, se tient constamment, à toute réquisition, à la disposition de l'Etat et en particulier du Ministère de la guerre, pour toutes missions ou études qui paraîtraient nécessaires. »

(*Le Figaro*, 9 juillet 1887.)

DE PARIS A HEYST

J'avais reçu, dans la matinée du 8 juillet, le télégramme que voici : « Beau temps. Toujours mes prédictions. Frontières belges. Départ du matériel et du personnel à midi, au siège social. Commencement des manœuvres à trois heures. Ainsi donc je vous attends à l'usine à partir de cinq heures. JOVIS. » A cinq heures précises, j'entrais à l'usine à gaz de la Villette. On dirait les ruines colossales d'une ville de cyclopes. D'énormes et sombres avenues s'ouvrent entre les lourds gazomètres alignés l'un derrière l'autre, pareils à des colonnes monstrueuses, tronquées, inégalement hautes et qui portaient sans doute, autrefois, quelque effrayant édifice de fer. Dans la cour d'entrée gît le ballon, une grande galette de toile jaune, aplatie à terre sous un filet. On appelle cela la mise en épervier ; et il a l'air en effet d'un vaste poisson pris et mort. Deux ou trois cents personnes le regardent, assises ou debout, ou bien examinent la nacelle, un joli panier carré, un panier à chair humaine qui porte sur son flanc, en lettres d'or, dans une plaque d'acajou : *Le Horla*.

On se précipite soudain, car le gaz pénètre enfin dans le ballon par un long tube de toile jaune qui rampe sur le sol, se gonfle, palpite comme un ver démesuré. Mais une autre pensée, une autre image frappent tous les yeux et tous les esprits. C'est ainsi que la nature elle-même nourrit les êtres jusqu'à leur naissance. La bête qui s'envolera tout à l'heure commence à se soulever, et les aides du capitaine Jovis, à mesure que *le Horla* grossit, étendent et mettent en place le filet qui le couvre de façon à ce que la pression soit bien régulière et également répartie sur tous les points.

Cette opération est fort délicate et fort importante; car la résistance de la toile de coton, si mince, dont est fait l'aérostat, est calculée en raison de l'étendue du contact de cette toile avec le filet aux mailles serrées qui portera la nacelle.

Le Horla, d'ailleurs, a été dessiné par M. Mallet, construit sous ses yeux et par lui. Tout a été fait dans les ateliers de M. Jovis, par le personnel actif de la société, et rien au-dehors.

Ajoutons que tout est nouveau dans ce ballon, depuis le vernis jusqu'à la soupape, ces deux choses essentielles de l'aérostation. Il doit rendre la toile impénétrable au gaz, comme les flancs d'un navire sont impénétrables à l'eau. Les anciens vernis à base d'huile de lin avaient le double inconvénient de fermenter et de brûler la toile qui, en peu de temps, se déchirait comme du papier.

Les soupapes offraient ce danger de se refermer imparfaitement dès qu'elles avaient été ouvertes et qu'était brisé l'enduit, dit cataplasme, dont on les garnissait. La chute de M. Lhoste, en pleine mer et en pleine nuit, a prouvé, l'autre semaine, l'imperfection du vieux système.

On peut dire que les deux découvertes du capitaine Jovis, celle du vernis principalement, sont d'une valeur inestimable pour l'aérostation.

On en parle d'ailleurs dans la foule, et des hommes qui semblent être des spécialistes affirment avec autorité que nous serons retombés avant les fortifications. Beaucoup d'autres choses encore sont blâmées dans ce ballon d'un nouveau type que nous allons expérimenter avec tant de bonheur et de succès.

Il grossit toujours, lentement. On y découvre de petites déchirures faites pendant le transport; et on les bouche, selon l'usage, avec des morceaux de journal appliqués sur la toile en les mouillant. Ce procédé d'obstruction inquiète et émeut le public.

Pendant que le capitaine Jovis et son personnel s'occupent des derniers détails, les voyageurs vont dîner à la cantine de l'usine à gaz, selon la coutume établie.

Quand nous ressortons, l'aérostat se balance, énorme et transparent, prodigieux fruit d'or, poire fantastique que mûrissent encore, en la couvrant de feu, les derniers rayons du soleil. Voici qu'on attache la nacelle, qu'on apporte les baromètres, la sirène que nous ferons gémir et mugir dans la nuit, les deux trompes aussi, et les provisions de bouche, les pardessus, tout le petit matériel que peut contenir, avec les hommes, ce panier volant.

Comme le vent pousse le ballon sur les gazomètres, on doit à plusieurs reprises l'en éloigner pour éviter un accident au départ.

Tout à coup le capitaine Jovis appelle les passagers.

Le lieutenant Mallet grimpe d'abord dans le filet aérien entre la nacelle et l'aérostat, d'où il surveillera, durant toute la nuit, la marche du *Horla* à travers le ciel, comme l'officier de quart, debout sur la passerelle, surveille la marche du navire.

M. Etienne Beer monte ensuite, puis M. Paul Bessand, puis M. Patrice Eyriès, et puis moi.

Mais l'aérostat est trop chargé pour la longue traversée que nous devons entreprendre, et M. Eyriès doit, non sans grand regret, quitter sa place.

M. Jovis, debout sur le bord de la nacelle, prie, en termes fort galants, les dames de s'écarter un peu, car il craint, en s'élevant, de jeter du sable sur leurs chapeaux, puis il commande : « Lâchez tout ! » et tranchant d'un coup de couteau les cordes qui suspendent autour de nous le lest accessoire qui nous retient à terre, il donne au *Horla* sa liberté.

En une seconde, nous sommes partis. On ne sent rien ; on flotte, on monte, on vole, on plane. Nos amis crient et applaudissent, nous ne les entendons presque plus ; nous ne les voyons qu'à peine. Nous sommes déjà si loin ! si haut! Quoi! nous venons de quitter ces gens là-bas? Est-ce possible? Sous nous maintenant, Paris s'étale, une plaque sombre, bleuâtre, hachée par les rues, et d'où s'élancent de place en place, des dômes, des tours, des flèches, puis tout autour, la plaine, la terre que découpent les routes longues, minces et blanches au milieu des champs verts, d'un vert tendre ou foncé, et des bois presque noirs.

La Seine semble un gros serpent roulé, couché immobile, dont on n'aperçoit ni la tête ni la queue; elle vient de là-bas, elle s'en va là-bas, en traversant Paris, et la terre entière a l'air d'une immense cuvette de prés et de forêts qu'enferme à l'horizon une montagne basse, lointaine et circulaire.

Le soleil qu'on n'apercevait plus d'en bas reparaît pour nous, comme s'il se levait de nouveau, et notre ballon lui-même s'allume dans cette clarté; il doit paraître un astre à ceux qui nous regardent. M. Mallet, de seconde en seconde, jette dans le vide une feuille de papier à cigarettes et dit tranquillement : « Nous montons, nous montons toujours », tandis que le capitaine Jovis, rayonnant de joie, se frotte les mains en répétant : « Hein? ce vernis, hein? ce vernis. »

On ne peut en effet apprécier les montées et les descentes qu'en jetant de temps en temps une feuille de papier à cigarettes. Si ce papier, qui demeure, en réalité, suspendu dans l'air, semble tomber comme une pierre, c'est que le ballon monte; s'il semble au contraire s'envoler au ciel, c'est que le ballon descend.

Les deux baromètres indiquent cinq cents mètres environ, et nous regardons, avec une admiration enthousiaste, cette terre que nous quittons, à laquelle nous ne tenons plus par rien et qui a l'air d'une carte de géographie peinte, d'un plan démesuré de province. Toutes ses rumeurs cependant nous arrivent distinctes, étrangement reconnaissables. On entend surtout le bruit des roues sur les routes, le claquement des fouets, le « hue » des charretiers, le roulement et le sifflement des trains, et les rires des gamins qui courent et jouent sur les places. Chaque fois que nous passons sur un village, ce sont des clameurs enfantines qui dominent tout et montent dans le ciel avec le plus d'acuité.

Des hommes nous appellent; des locomotives sifflent; nous répondons avec la sirène qui pousse des gémissements plaintifs, affreux, suraigus, vraie voix d'être fantastique errant autour du monde.

Des lumières s'allument de place en place, feux isolés dans les fermes, chapelets de gaz dans les villes. Nous allons vers le nord-ouest après avoir plané longtemps sur le petit lac d'Enghien. Une rivière apparaît : c'est l'Oise. Alors nous discutons pour savoir où nous sommes. Cette ville qui brille là-bas, est-ce Creil ou Pontoise? Si nous étions sur Pontoise, on verrait, semble-t-il, la jonction de la Seine et de l'Oise; et puis ce feu, cet énorme feu sur la gauche, n'est-ce pas le haut fourneau de Montataire?

Nous nous trouvons en vérité sur Creil. Le spectacle est surprenant; sur la terre il fait nuit, et nous sommes encore dans la lumière, à dix heures passées. Maintenant nous entendons les bruits légers des champs, le double cri des cailles surtout, puis les miaulements des chats et les hurlements des chiens. Certes, les chiens sentent le ballon, le voient et donnent l'alarme. On les entend, par toute la plaine, aboyer contre nous et gémir, comme ils gémissent à la lune. Les bœufs aussi semblent se réveiller dans les étables, car ils mugissent; toutes les bêtes effrayées s'émeuvent devant ce monstre aérien qui passe.

Et les odeurs du sol montent vers nous délicieuses, odeurs des foins, des fleurs, de la terre verte et mouillée, parfumant l'air, un air léger, si léger, si doux, si savoureux que jamais de ma vie je n'avais respiré avec tant de bonheur. Un bien-être profond, inconnu, m'envahit, bien-être du corps et de l'esprit, fait de nonchalance, de repos infini, d'oubli, d'indifférence à tout et de cette sensation nouvelle de traverser l'espace sans rien sentir de ce qui rend insupportable le mouvement, sans bruit, sans secousses et sans trépidations.

Tantôt nous montons et tantôt nous descendons. De

minute en minute, le lieutenant Mallet, suspendu dans sa toile d'araignée, dit au capitaine Jovis : « Nous descendons, jetez une demi-poignée. » Et le capitaine, qui cause et rit avec nous, un sac de lest entre ses genoux, prend dans ce sac un peu de sable et le jette par-dessus bord.

Rien n'est plus amusant, plus délicat et plus passionnant que la manœuvre d'un ballon. C'est un énorme joujou, libre et docile, qui obéit avec une surprenante sensibilité, mais qui est aussi, et avant tout, l'esclave du vent, auquel nous ne commandons pas.

Une pincée de sable, la moitié d'un journal, quelques gouttes d'eau, les os du poulet qu'on vient de manger, jetés au-dehors, le font monter brusquement.

Le fleuve ou le bois qu'on traverse, nous soufflant un air humide et froid, le fait descendre de deux cents mètres. Sur les blés mûrs il se maintient, et sur les villes il s'élève.

La terre dort maintenant, ou plutôt l'homme dort sur la terre, car les bêtes réveillées annoncent toujours notre approche. De temps en temps le roulement d'un train nous arrive ou le sifflet de la machine. Sur les lieux habités nous faisons mugir la sirène : et les paysans affolés dans leurs lits doivent se demander en tremblant si c'est l'ange du Jugement dernier qui passe.

Mais une odeur de gaz, forte et continue, nous frappe : nous avons rencontré sans doute un courant chaud, et le ballon se gonfle, perdant son sang invisible par le tuyau d'échappement, qu'on nomme appendice et qui se referme de lui-même dès que cesse la dilatation.

Nous montons. La terre déjà ne nous renvoie plus l'écho de nos trompes, nous avons déjà passé six cents mètres. On n'y voit pas assez pour consulter les instruments, on sait seulement que les feuilles de papier de riz tombent sous nous comme des papillons morts, que nous montons toujours, toujours. On ne distingue plus la terre ; des brumes légères nous en séparent ; et sur nos têtes, le peuple des étoiles scintille.

Mais une lueur naît devant nous, une lueur d'argent

qui fait pâlir le ciel ; et soudain, comme si elle s'élevait des profondeurs inconnues de l'horizon inférieur, la lune apparaît sur le bord d'un nuage. Elle semble venue d'en bas, tandis que nous la regardons de très haut, accoudés à notre nacelle comme des spectateurs sur un balcon. Elle se dégage luisante et ronde des nuées qui l'enveloppaient, et elle monte au ciel avec lenteur.

La terre n'est plus, la terre est noyée sous des vapeurs laiteuses qui ressemblent à une mer. Nous sommes donc seuls maintenant avec la lune, dans l'immensité, et la lune a l'air d'un ballon qui voyage en face de nous ; et notre ballon qui reluit a l'air d'une lune plus grosse que l'autre, d'un monde errant au milieu du ciel, au milieu des astres, dans l'étendue infinie. Nous ne parlons plus, nous ne pensons plus, nous ne vivons plus ; nous allons, délicieusement inertes, à travers l'espace. L'air qui nous porte a fait de nous des êtres qui lui ressemblent, des êtres muets, joyeux et fous, grisés par cette envolée prodigieuse, étrangement alertes, bien qu'immobiles. On ne sent plus la chair, on ne sent plus les os, on ne sent plus palpiter le cœur, on est devenu quelque chose d'inexprimable, des oiseaux qui n'ont pas même la peine de battre de l'aile.

Tout souvenir a disparu de nos âmes, tout souci a quitté nos pensées, nous n'avons plus de regrets, de projets, ni d'espérances. Nous regardons, nous sentons, nous jouissons éperdument de ce voyage fantastique ; rien que la lune et nous dans le ciel ! Nous sommes un monde vagabond, un monde en marche, comme nos sœurs les planètes ; et ce petit monde en marche porte cinq hommes qui ont quitté la terre et l'ont déjà presque oubliée. On y voit maintenant comme en plein jour ; nous nous regardons surpris de cette clarté, car nous n'avons à regarder que nous et quelques nuages d'argent qui flottent plus bas. Les baromètres indiquent douze cents mètres, puis treize, puis quatorze, puis quinze cents ; et les feuilles de papier de riz tombent toujours autour de nous. Le capitaine Jovis affirme que la lune souvent a fait ainsi s'emballer les aérostats et que le voyage en haut va

321

continuer. Nous sommes maintenant à deux mille mètres ; nous montons encore à deux mille trois cent cinquante mètres, le ballon enfin s'arrête.

Et nous faisons mugir la sirène, surpris qu'on ne nous réponde point des étoiles.

A présent nous descendons, très vite, sans nous en douter. M. Mallet crie sans cesse : « Jetez du lest, jetez du lest ! » Et le lest qu'on précipite dans le vide, sable et pierres mêlés, nous revient dans la figure, comme s'il remontait, lancé d'en bas vers les astres, tant est rapide notre chute.

Voici la terre !

Où sommes-nous ? Cette pointe en l'air a duré plus de deux heures. Il est minuit passé et nous traversons un grand pays sec, bien cultivé, plein de routes, très peuplé.

Voici une ville, une grande ville à droite, une autre à gauche plus loin. Mais, tout à coup, à la surface du sol, une lumière éclatante, féerique, s'allume et s'éteint, puis elle reparaît, s'efface de nouveau. Jovis, que grise l'espace, s'écrie : « Regardez, regardez ce phénomène de la lune dans l'eau. On ne peut rien voir de plus beau la nuit. »

Rien, en effet, ne peut faire imaginer pareille chose, rien ne peut donner l'idée de l'éclat prodigieux de ces plaques de clarté qui ne sont pas du feu, qui ne semblent pas des reflets, qui naissent brusquement ici ou là et s'éteignent tout aussitôt.

Sur les ruisseaux qui serpentent, ces foyers ardents apparaissent en même temps à chaque détour du cours d'eau ; mais comme le ballon passe aussi vite que le vent, à peine a-t-on le temps de les voir.

Nous sommes maintenant assez près de la terre, et notre ami Beer s'écrie : « Regardez donc ! qu'est-ce qui court là-bas dans ce champ ? N'est-ce pas un chien ? » Quelque chose court en effet sur le sol avec une prodigieuse vitesse, et ce quelque chose semble franchir les fossés, les routes, les arbres, avec une telle facilité que nous ne comprenons pas. Le capitaine riait : « C'est l'ombre de notre ballon, dit-il. Elle va grossir à mesure que nous descendrons. »

J'entends distinctement un grand bruit de forges dans le lointain, et comme nous n'avons cessé, durant toute la nuit, de nous diriger sur l'étoile polaire, que j'ai si souvent regardée et consultée du pont de mon petit yacht sur la Méditerranée, nous allons indubitablement vers la Belgique.

Notre sirène et nos deux trompes appellent sans discontinuer. Quelques cris nous répondent, cri de charretier qui s'arrête, cri de buveur attardé. Nous hurlons : « Où sommes-nous ? » Mais le ballon va si vite que jamais l'homme effaré n'a le temps de nous répondre. L'ombre grossie du *Horla,* large comme une balle d'enfant, fuit devant nous, sur les champs, les routes, les blés et les bois. Elle passe, elle passe, nous précédant d'un demi-kilomètre ; et j'écoute à présent, penché hors de la nacelle, le grand bruit du vent dans les arbres et sur les récoltes.

Je dis au capitaine Jovis : « Comme ça souffle ! »

Il me répond : « Non, ce sont des chutes d'eau sans doute. »

J'insiste, sûr de mon oreille qui le connaît bien, le vent, pour l'avoir si souvent entendu siffler dans les cordages. Alors Jovis me pousse le coude ; il a peur d'émouvoir ses passagers joyeux et tranquilles, car il sait bien qu'un orage nous chasse. Un homme enfin nous a compris, il répond : « Nord ».

Un autre nous jette le même mot.

Et soudain une ville considérable, d'après l'étendue de son gaz, se montre juste devant nous. C'est Lille, peut-être. Comme nous approchons d'elle, apparaît sous nous, tout à coup, une si surprenante lave de feu, que je me crois emporté sur un pays fabuleux où on fabrique des pierres précieuses pour les géants.

C'est une briqueterie, paraît-il. En voici d'autres, deux, trois. Les matières en fusion bouillonnent, scintillent, jettent des éclats bleus, rouges, jaunes, verts, des reflets de diamants monstrueux, de rubis, d'émeraudes, de turquoises, de saphirs, de topazes. Et près de là les **grandes** forges soufflent leur haleine ronflante, pareille à des rugissements de lions apocalyptiques ; les hautes cheminées jettent au vent leurs panaches de flammes, et l'on entend des bruits de métal qui roule, de métal qui sonne, de marteaux énormes qui retombent.

— Où sommes-nous ?

Une voix, voix de farceur ou d'affolé, nous répond :

— Dans un ballon.

— Où sommes-nous ?

— Lille.

Nous ne nous étions point trompés. Déjà on ne voit plus la ville et voici Roubaix sur la droite, puis des champs bien cultivés, réguliers, de tons différents selon les cultures et qui semblent tous jaunes, gris ou bruns dans la nuit. Mais des nuages s'amassent derrière nous, couvrent la lune, tandis qu'à l'est le ciel s'éclaircit, devient d'un bleu clair avec des reflets rouges. C'est l'aube. Elle grandit vite, nous montrant maintenant tous les petits détails de la terre, les trains, les ruisseaux, les vaches, les chèvres. Et tout cela passe sous nous avec une prodigieuse vitesse ; on n'a pas le temps de regarder, à peine le temps de voir que d'autres prés, d'autres champs, d'autres maisons ont déjà fui. Les coqs chantent, mais la voix des canards domine tout, on dirait que le monde en est peuplé, couvert, tant ils font de bruit.

Les paysans matineux agitent les bras, nous criant : « Laissez-vous tomber. » Mais nous allons toujours, sans monter ni descendre, penchés au bord de la nacelle et regardant couler l'univers sous nos pieds.

Jovis signale une autre ville, très loin. Elle approche, dominée par des clochers antiques, et ravissante, vue ainsi d'en haut. On discute. Est-ce Courtrai ? Est-ce Gand ?

Déjà nous sommes tout près et nous voyons qu'elle est entourée d'eau, traversée en tous sens par des canaux. On dirait une Venise du Nord. Juste au moment où nous passons sur le beffroi, si près que notre guiderope, longue corde traînant sous la nacelle, a failli le toucher, le carillon flamand se met à chanter trois heures. Ses sons légers et rapides, doux et clairs, semblent jaillir pour nous de ce mince toit de pierre frôlé dans notre course errante. C'est un bonjour charmant, un bonjour ami que nous jette la Flandre. Nous répondons avec la sirène dont l'horrible voix résonne par les rues.

C'était Bruges; mais à peine l'avions-nous perdue de vue, que mon voisin Paul Bessand me demande : « Ne voyez-vous rien sur la droite et devant vous? On dirait un fleuve.»

Devant nous, en effet, s'étend au loin une ligne lumineuse, sous la clarté de l'aube. Oui, cela a l'air d'un fleuve, d'un immense fleuve, avec des îles dedans.

« Préparons la descente », dit le capitaine. Il fait rentrer dans la nacelle M. Mallet toujours perché dans son filet; puis on serre les baromètres et tous les objets durs qui pourraient nous blesser dans les secousses.

M. Bessand s'écrie : « Mais voilà des mâts de navires à gauche. Nous sommes à la mer. »

Des brumes nous l'avaient cachée jusque-là. La mer était partout, à gauche et en face, tandis qu'à notre droite l'Escaut, joint à la Meuse, étendait jusqu'à la mer ses boucles plus vastes qu'un lac.

Il fallait descendre en une minute ou deux.

La corde de la soupape, religieusement enfermée dans un petit sac de toile blanche et placée bien en vue afin qu'elle ne soit touchée par personne, fut déroulée, et M. Mallet la tient en main, tandis que le capitaine Jovis cherche au loin une place favorable.

Derrière nous, le tonnerre gronde et aucun oiseau ne suivrait notre course folle.

— Tirez! cria Jovis.

Nous passions sur un canal. La nacelle frémit deux fois et s'inclina. Le guiderope a touché les grands arbres des deux rives.

Mais notre vitesse est telle que la longue corde qui traîne maintenant ne semble pas la ralentir, et nous arrivons, avec une rapidité de boulet, sur une grande ferme, dont les poules, les pigeons, les canards effarés s'envolent dans tous les sens, tandis que les veaux, les chats et les chiens fuient, éperdus, vers la maison.

Il nous reste juste un demi-sac de lest. Jovis le jette; et le *Horla* légèrement s'envole par-dessus le toit.

« La soupape! » crie de nouveau le capitaine.

M. Mallet se suspend à la corde et nous descendons comme tombe une flèche.

D'un coup de couteau, l'amarre qui retient l'ancre est coupée, nous la traînons derrière nous dans un grand champ de betteraves.

Voici des arbres.

— Attention! Cramponnez-vous! Gare aux têtes!

Nous passons encore dessus; puis une forte secousse nous bouscule. L'ancre a mordu.

— Attention! Tenez-vous bien! Soulevez-vous à la force des poignets. Nous allons toucher.

La nacelle touche en effet. Et puis s'envole de nouveau. Elle retombe encore, rebondit et enfin se pose à terre, tandis que le ballon se débat follement, avec des efforts d'agonisant.

Des paysans accouraient, mais n'osaient point approcher. Ils furent longtemps à se décider avant de venir nous délivrer, car on ne peut mettre pied à terre sans que l'aérostat soit presque complètement dégonflé.

Puis, en même temps que les hommes effarés, dont quelques-uns sautaient d'étonnement avec des gestes de sauvages, toutes les vaches qui paissaient sur les dunes venaient à nous, entourant notre ballon d'un cercle étrange et comique de cornes, de gros yeux et de naseaux soufflants.

Avec l'aide des paysans belges, complaisants et hospitaliers, nous avons pu, en peu de temps, empaqueter tout notre matériel et le porter à la gare de Heyst, où nous reprenions à 8 h 20 le train pour Paris.

La descente avait eu lieu à trois heures quinze minutes du matin, ne précédant que de quelques secondes la pluie torrentielle et les éclairs aveuglants de l'orage qui nous chassait devant lui.

326

Nous avons donc pu, grâce au capitaine Jovis, dont mon confrère Paul Ginisty m'avait depuis longtemps raconté la hardiesse, car ils sont tombés ensemble et volontairement en pleine mer, en face de Menton, nous avons donc pu, en une seule nuit, voir, du haut du ciel, le coucher du soleil, le lever de la lune et le retour du jour, et aller de Paris aux bouches de l'Escaut à travers les airs.

(*Le Figaro,* 16 juillet 1887.)

A 8 000 MÈTRES

Je ne me doutais guère, en racontant tout dernièrement dans ce journal une longue et heureuse traversée aérienne, que j'aurais à m'y occuper de nouveau des ballons quelques jours plus tard.

J'ai accepté avec plaisir la mission d'exposer la dangereuse ascension que va tenter dans quelques jours M. Jovis avec le concours et le patronage du *Figaro*.

Pour qu'on en comprenne bien la valeur et l'utilité, je dirai d'abord en quelques lignes les tentatives semblables qui ont eu lieu jusqu'ici, ainsi que leurs résultats heureux ou néfastes. Jusqu'ici le ballon a donné lieu à des expériences de deux sortes, expériences relatives à la direction et expériences scientifiques. Je ne parle point des simples promenades d'agrément comme celle que nous venons d'accomplir.

Les expériences relatives à la raréfaction de l'air aux plus grandes hauteurs que l'homme puisse atteindre, et à l'électricité atmosphérique, ont été réellement inaugurées par le Flamand Robertson, ami de Volta.

Le premier, il parvint dans les hautes régions de l'atmosphère, ayant atteint une hauteur de 7 400, le 18 juillet 1803. Son ballon sphérique, de 30 pieds 6 pouces de largeur, avait été construit à Meudon pour le service des armées françaises.

Parti de Hambourg à neuf heures du matin, avec un Français, M. Lhoest, le baromètre marquant 28 pouces et le thermomètre Réaumur 16°, Robertson monta si vite et si haut que, dans toutes les rues, chacun croyait l'avoir à son zénith.

À dix heures quinze, le baromètre était à 19 pouces, et le thermomètre à 3 degrés au-dessus de zéro. Se sentant envahi par tous les malaises dus à la raréfaction de l'air, l'aéronaute se hâta de commencer ses expériences et constata « que l'électricité des nuages obtenue trois fois était toujours vitrée ».

Cependant, bien que fort incommodés, ils continuaient à monter, le froid augmentait, leurs oreilles bourdonnaient, leur anxiété devenait intolérable. La douleur qu'ils éprouvaient « avait quelque chose de semblable à celle qu'on ressent lorsqu'on plonge la tête dans l'eau. Nos poitrines paraissaient dilatées et manquaient de ressort, mon pouls était précipité. Celui de M. Lhoest l'était moins. Il avait, ainsi que moi, les lèvres grosses, les yeux saignants, toutes les veines étaient arrondies et se dessinaient en relief sur mes mains. Le froid se portait tellement à la tête qu'il me fit remarquer que son chapeau lui paraissait trop étroit...

« ... Le thermomètre descendit à 5 degrés et demi au-dessous de glace, tandis que le baromètre était à 12 pouces 4/100. À peine me trouvai-je dans cette atmosphère que le malaise augmenta ; j'étais dans une apathie morale et physique. Nous pouvions à peine nous défendre d'un assoupissement que nous redoutions comme la mort...

» ... C'est dans cet état, peu propre à des expériences délicates, qu'il fallut commencer les observations que je me proposais... »

Les opinions scientifiques émises par Robertson rencontrèrent une vive opposition parmi les savants du monde entier. Or, pour démontrer l'exactitude de ses observations, l'aéronaute, accompagné d'un savant russe représentant l'Académie de Saint-Pétersbourg, M. Zuccharoff, firent à Moscou une nouvelle ascension et renouvelèrent pendant plusieurs heures les expériences de Robertson.

M. Zuccharoff confirma plusieurs des assertions du Flamand, surtout celles relatives à l'affaiblissement graduel de l'action magnétique de la terre.

Mais après cette épreuve nouvelle, la lutte recommença plus violente et plus acharnée parmi les hommes de science. A Paris, les membres de l'Institut se divisèrent en deux camps, qui auraient bien longtemps discuté si Laplace n'avait proposé, au cours d'une séance, de faire de nouvelles expériences.

***

Biot et Gay-Lussac, professeurs de physique, furent choisis pour cette épreuve.

L'ascension, une des plus célèbres qui aient jamais été faites, eut lieu le 20 août 1804.

« Notre but principal, écrivait quelques jours plus tard Biot dans un rapport à l'Académie des sciences, était d'examiner si la propriété magnétique éprouve quelque diminution appréciable quand on s'éloigne de la terre. Saussure, d'après des expériences faites sur le col du Géant, à 3 435 mètres de hauteur, avait cru y reconnaître un affaiblissement très sensible qu'il évaluait à 1/5. Quelques physiciens avaient même annoncé que cette propriété se perd entièrement quand on s'éloigne de la terre dans un aérostat.

. . . .

» Outre cet objet principal dans ce premier voyage, nous nous proposions aussi d'observer l'électricité de l'air, ou plutôt la différence d'électricité des différentes couches atmosphériques.

. . . .

» Nous avions aussi projeté de rapporter de l'air puisé à une grande hauteur. »

. . . .

Ils partirent du jardin du Conservatoire des Arts, le 6 fructidor, à dix heures du matin. Le baromètre était à 765 mm (28 po. 31), le thermomètre à 16°5 centigrades et l'hygromètre à 88°8, c'est-à-dire assez près de la plus grande humidité.

Biot raconte ensuite avec une grande netteté et une grande précision les différents incidents de leur magnifique et tranquille voyage, la traversée des nuages, leur admiration pour ce surprenant spectacle. — « Ces nuages vus de haut nous parurent blanchâtres... ils étaient tous exactement à la même élévation ; et leur surface supérieure toute mamelonnée et ondulante nous offrait l'aspect d'une plaine couverte de neige...

» Vers cette élévation (2 723 mètres), nous observâmes les animaux que nous avions emportés. Ils ne paraissaient pas souffrir de la rareté de l'air. Une abeille violette, à qui nous avions donné la liberté, s'envola très vite et nous quitta en bourdonnant. Le thermomètre marquait 13° centigrades. Nous étions très surpris de ne pas éprouver de froid ; au contraire, le soleil nous échauffait fortement. Notre pouls était fort accéléré : celui de M. Gay-Lussac, qui bat ordinairement soixante-deux pulsations par minute, en battait quatre-vingts. Le mien, qui donne ordinairement soixante-dix-neuf pulsations, en donnait cent onze. »

A la suite d'expériences minutieusement décrites, Biot conclut :

« La propriété magnétique n'éprouve aucune diminution appréciable depuis la surface de la terre jusqu'à 4 000 mètres de hauteur. Son action dans ces limites se manifeste constamment par les mêmes effets et suivant les mêmes lois.

. . . .

» A 3 400 mètres de hauteur, nous donnâmes la liberté à un petit oiseau que l'on nomme un verdier ; il s'envola aussitôt, mais revint presque à l'instant se poser dans nos cordages ; ensuite, prenant de nouveau son vol, il se précipita vers la terre en décrivant une ligne tortueuse peu différente de la verticale... Mais un pigeon que nous lâchâmes de la même manière à la même hauteur nous offrit un spectacle beaucoup plus curieux : remis en liberté sur le bord de la nacelle, il y resta quelques instants comme pour mesurer l'étendue qu'il avait à parcourir; puis il s'élança en voltigeant d'une manière inégale, en sorte qu'il semblait essayer ses ailes; mais après quelques battements, il se borna à les étendre et s'abandonna tout à fait. Il commença à descendre vers les nuages en décrivant de grands cercles comme font les oiseaux de proie... »

. . . .

Après le récit détaillé de la façon dont ils essayèrent l'électricité de l'air, il continue :

« Cette expérience indique une électricité croissante avec les hauteurs, résultat conforme à ce que l'on avait conclu par la théorie d'après les expériences de Volta et de Saussure..

» ... Nos observations du thermomètre, au contraire, nous ont indiqué une température décroissant de bas en haut, ce qui est conforme aux résultats connus. Mais la différence a été beaucoup plus faible que nous ne l'aurions attendu, car en nous élevant à 2 000 toises, c'est-à-dire bien au-dessus de la limite inférieure des neiges éternelles à cette latitude, nous n'avons pas éprouvé une température plus basse que 10°5 au thermomètre centigrade; et au même instant la température de l'Observatoire, à Paris, était de 17°5 centigrades.

» Un autre fait assez remarquable qui nous a été donné par nos observations, c'est que l'hygromètre a constamment marché vers la sécheresse à mesure que nous nous sommes élevés dans l'atmosphère; et, en descendant, il est graduellement revenu vers l'humidité. »

***

Cette première ascension établit la fausseté de la plupart des allégations de Robertson; pour dissiper les objections qui subsistaient encore, Gay-Lussac s'éleva seul, le 16 septembre 1804, à 7 016 mètres au-dessus du niveau de la mer.

Il est impossible de reproduire ici ses nombreuses et minutieuses observations. Elles sont d'un intérêt très spécial et très vif, surtout dans leurs rapports avec la loi établie dans ces derniers temps par M. Faye et la décroissance de la température en raison des hauteurs. A la surface de la terre, le thermomètre était à 30°75, et à la hauteur de 6977 mètres il était descendu à 9°5.

Gay-Lussac prit de l'air dans des ballons de verre à 6561 et à 6636 mètres.

L'analyse de cet air lui a permis de conclure généralement que la constitution de l'atmosphère est la même depuis la surface de la terre jusqu'aux plus grandes hauteurs auxquelles on puisse parvenir. Les expériences de Cavendish, MacCarthy, Berthollet et Davy ont d'ailleurs confirmé l'identité de composition de l'atmosphère sur toute la surface de la terre. Gay-Lussac ne ressentit à cette hauteur aucun malaise grave, bien qu'il éprouvât les accidents ordinaires dus à la raréfaction de l'air.

Malgré le désir exprimé vivement par lui que ces expériences si intéressantes fussent continuées sous le patronage de l'Institut, ce n'est que cinquante ans plus tard que MM. Barral et Bixio firent quelques ascensions scientifiques. Pendant les années qui suivirent, les accidents furent si nombreux qu'on doit peut-être attribuer à cette cause le peu d'empressement des vrais savants à aller chercher des renseignements dans l'espace.

Nous arrivons à la célèbre ascension de M. Glaisher, chef du bureau météorologique de Greenwich.

Aguerri par trente voyages aériens qui lui avaient appris à affronter les effets de la raréfaction de l'air et de l'abaissement de la température, il dépassa trois fois de suite l'altitude de 7000 mètres, et dans son ascension du 5 septembre 1862 il atteignit, avec l'aéronaute Coxwell, la hauteur fabuleuse de 10000 mètres.

» Tout à coup, dit M. Glaisher, je me sentis incapable de faire aucun mouvement. Je voyais vaguement M. Coxwell dans le cercle, et j'essayais de lui parler mais sans parvenir à remuer ma langue impuissante. En un instant, des ténèbres épaisses m'envahirent, le nerf optique avait subitement perdu sa puissance. J'avais encore toute ma connaissance et mon cerveau était aussi actif qu'en écrivant ces lignes. Je pensais que j'étais asphyxié, que je ne ferais plus d'expériences et que la mort allait me saisir... D'autres pensées se précipitaient dans mon esprit, quand je perdis subitement toute connaissance, comme lorsqu'on s'endort... Ma dernière observation eut lieu à 1 heure 54, à 9 000 mètres d'altitude. Je suppose qu'une ou deux minutes s'écoulèrent avant que mes yeux cessassent de voir les petites divisions des thermomètres, et qu'un même temps se passa avant mon évanouissement. Tout porte à croire que je m'endormis à 1 heure 57 d'un sommeil qui pouvait être éternel. »

M. Coxwell, heureusement, avait conservé ses facultés, et bien qu'ayant les bras paralysés et les mains noires il put tirer avec ses dents la corde de la soupape.

A 8 000 mètres, le thermomètre était descendu à 21° au-dessous de zéro.

Les expériences de M. Glaisher, les plus concluantes et les plus complètes faites jusque-là, eurent un grand retentissement dans le monde savant tout entier.

***

Elles furent reprises en 1867 par des savants français. M. Camille Flammarion, aidé de M. Eugène Godard, poursuivirent ensemble la solution de plusieurs problèmes sur l'état physique et hygrométrique des nappes de nuages, la formation des nuées, leur hauteur, la direction et la rapidité des vents et des courants superposés, mais aucune ascension à grande hauteur n'eut lieu jusqu'à celle du *Zénith*, qui amena la mort de Sivel et Crocé-Spinelli.

Paul Bert, pour combattre l'asphyxie due aux grandes hauteurs et appelée mal des montagnes, avait fait de très intéressants travaux. Ayant constaté que les changements dans la pression atmosphérique n'agissent nullement, comme on le croyait jusque-là, par une influence mécanique ou physique, mais parce qu'elles font varier la tension de l'oxygène et ses combinaisons avec le sang, il en conclut qu'il suffirait d'absorber de l'oxygène pour lutter contre la torpeur des hautes régions.

A la suite de nombreuses analyses sur le sang des animaux soumis à diverses dépressions et d'épreuves personnelles subies dans un cylindre de l'appareil inventé par lui, et dans lequel une pompe à vapeur faisait le vide, il arriva à vérifier la constante exactitude de sa théorie.

Pendant ce temps, MM. Gaston et Albert Tissandier faisaient de nombreux voyages aériens et de remarquables observations relatives aux ombres aérostatiques, tandis que Sivel, ancien officier de marine, et Crocé-Spinelli, ancien élève de l'Ecole centrale, entreprenaient une série d'ascensions destinées à expérimenter les découvertes de Paul Bert.

Ce sont MM. Gaston Tissandier, Sivel et Crocé-Spinelli qui montaient le *Zénith* qui entreprit, après un long et heureux voyage de durée, l'ascension en hauteur où deux des aéronautes trouvèrent la mort.

L'horrible catastrophe est encore trop près de nous pour qu'il soit utile d'en rappeler les détails.

Parti le 15 avril 1875, à 11 h 35 du matin, de l'usine à gaz de la Villette, l'aérostat reprenait terre à 4 heures, avec deux cadavres dans sa nacelle.

Il faut lire le beau récit que M. Gaston Tissandier, le seul survivant, a fait de ce terrible drame.

C'est à 7 000 mètres que l'engourdissement semble les avoir saisis. A cette hauteur, M. Tissandier écrivait encore d'une main que le froid faisait trembler :

« J'ai les mains gelées. Je vais bien. Brume à l'horizon avec petits cirrus arrondis. Nous montons. Crocé souffle. Nous respirons oxygène. Sivel ferme les yeux. Crocé ferme aussi les yeux. Je vide aspirateur. Temp. 10° 1 h 2. H. 320. Sivel est assoupi. — 1 h 25. Temp. 11°. H. 300. Sivel jette lest... » (Ces derniers mots sont à peine lisibles.)

Mais Sivel se ranime pour jeter du lest, le ballon bondit à 8 000 mètres, et les trois voyageurs perdent connaissance.

M. Tissandier s'étant réveillé à 2 h 8 m., vit bientôt Crocé-Spinelli se redresser à son tour, et, dans une sorte d'accès de folie, jeter par-dessus bord l'aspirateur, le lest, les couvertures, tout ce qui lui tombe sous la main.

Ayant de nouveau perdu connaissance, M. Tissandier ne revint à lui qu'à 3 h 30 environ, l'aérostat se trouvant encore à une altitude de 6 000 mètres. Ses compagnons avaient la figure noire, les yeux ternes, la bouche béante et remplie de sang.

A quatre heures, le *Zénith,* s'éventrant contre un arbre, déposait à terre les deux morts et le survivant.

**

Dans quelques jours, le *Horla,* monté par MM. Paul Jovis et Mallet, reprendra la route abandonnée depuis cette catastrophe, et s'élèvera, si aucun accident ne vient entraver la volonté des aéronautes à la hauteur de 8 000 mètres.

Le *Figaro,* suivant en cela l'exemple magnifique du *New York Herald* qui, après avoir envoyé des expéditions au Pôle Nord, lança Stanley à travers l'Afrique, le *Figaro* a préparé, avec un soin minutieux, tous les détails de cet intéressant et hardi voyage.

En outre, une commission spéciale va être nommée, avec le concours du Bureau central météorologique et de la Faculté de médecine, pour contrôler et étudier les renseignements que rapporteront les voyageurs.

Quelques savants officiels, qui patronnèrent la malheureuse ascension du *Zénith,* semblent croire aujourd'hui, malgré les tentatives victorieuses de Robertson, de Gay-Lussac et de Glaisher, que l'homme ne peut vivre au-dessus de 7 000 mètres, et que, s'il résiste aux dangers de ces hauteurs, il n'y conserve pas assez de lucidité pour poursuivre d'utiles observations météorologiques.

En tout cas, l'éminent directeur de l'Observatoire de Meudon, M. Janssen, a déclaré que cette expérience aurait le plus grand intérêt si on la pouvait accomplir entièrement, prouver l'altitude atteinte et la durée du séjour aux grandes hauteurs. Mais il doute que ces conditions puissent être tout à fait remplies.

Pour vaincre ces difficultés, M. Jovis a fait construire

d'abord un appareil enregistreur semblable à celui dont nous nous sommes servis dans notre premier voyage sur le *Horla*. Mais cet appareil réglé alors à 3 000 mètres va l'être à 9 500. Mû par un mouvement d'horlogerie très délicat, il dessine sur une bandelette de papier roulée autour d'un cylindre, et qui se déroule d'une façon lente et régulière, une petite ligne noire, à l'encre.

Le tracé vertical révèle la hauteur atteinte, tandis que la longueur du trait mesure la durée de chaque période de l'ascension. Ce baromètre précieux, construit par MM. Richard frères, est exposé, dès maintenant, dans la salle des dépêches du *Figaro*.

En outre, les baromètres à déversement de mercure sont des témoins irrécusables de l'élévation; car le mercure contenu dans un tube à deux branches monte dans l'un et baisse dans l'autre à mesure que diminue la pression atmosphérique. Cet appareil étant réglé à 7 000 mètres, le métal liquide parvient alors à l'orifice du tube libre et se répand. La quantité répandue indiquera, par conséquent, de combien on a passé 7 000 mètres.

Tous les autres appareils, électroscope, boussole aérienne, instrument des plus précieux inconnu jusqu'à ce jour, seront construits par l'ingénieur Chevalier.

La question des vêtements pour affronter une différence de température qui peut être de cinquante degrés en une heure a été résolue grâce aux conseils du géographe M. Liénard, que ses nombreuses ascensions ont renseigné sur ces dangers. Ils seront en soie et garnis intérieurement d'une fourrure fine et légère. Les propriétaires de la *Belle Jardinière*, qui sont eux-mêmes des aéronautes, et dont l'un fut, avec moi, parrain du *Horla*, se sont chargés de les faire confectionner. Enfin, la nouvelle nacelle du ballon, contenant tout le laboratoire aérien nécessaire pour cette montée, sera exposée la semaine prochaine.

Bonne chance aux voyageurs.

(*Le Figaro*, 3 août 1887.)

LA FORTUNE

L'architecture se meurt, l'architecture est morte. La disparition de cet art est d'ailleurs facile à constater, mais en y songeant bien, ce n'est pas aux architectes qu'il faut s'en prendre.

Si nous voyons de temps en temps s'élever dans Paris un affreux monument nouveau, songeons que deux ou trois cents projets, sinon plus, ont passé sous les yeux d'une commission présidée par un ministre ou par un membre de l'Institut. C'est donc le membre de l'Institut (à tout seigneur tout honneur), puis le ministre, puis la commission tout entière qu'il faut traiter comme ils le méritent. Si M. Eiffel, marchand de fers, dresse sur Paris l'effroyable corne dont les dessins et les débuts font présager la laideur totale et définitive, il ne faut assurément pas en vouloir à M. Eiffel qui fait ce qu'il peut avec son fer. Mais quand il nous sera permis de contempler dans toute sa hauteur et toute sa hideur ce monument du mauvais goût contemporain, nous proclamerons bien haut les noms des patrons de cette chaudronnerie, afin qu'on ne songe jamais à eux quand le Ministère des beaux-arts sera vacant.

Les millions employés à construire cette cage-paratonnerre (qui nous fera désirer une Commune déboulonneuse) n'auraient-ils pas pu servir à favoriser l'effort de l'architecte inconnu qui porte peut-être en sa tête des formes nouvelles d'édifices. Les pauvres jeunes gens qui cherchent aujourd'hui le secret de la beauté des lignes et des ornements de pierre en sont réduits à subir le goût du bourgeois qui commande son château, ou de la commission ministérielle composée de vieux fossiles pétrifiés dans la période grecque, dans celles du Moyen Age ou de la Renaissance.

Donc, si l'impuissance de l'architecture monumentale contemporaine doit être attribuée d'abord au goût rétrograde ou nul de nos gouvernants, il est juste aussi de faire large part à la médiocrité du bourgeois riche.

Et c'est une curieuse étude à faire que celle de l'emploi de la fortune, de nos jours.

Ceux qui étaient autrefois les seigneurs, les grands seigneurs, portaient en leur âme une curiosité, une ardeur, une hardiesse qui les poussaient aux entreprises. Quand ils avaient fini de faire la guerre où se plaisait leur cœur aventureux, ils bâtissaient des châteaux ou des cathédrales. La France n'est-elle pas couverte de merveilleux monuments, tous différents, édifiés de siècle en siècle par des artistes modernes, patients, convaincus, sur l'ordre de princes ignorants et magnifiques? Nous devons à ces seigneurs entreprenants et à ces grands artistes, demeurés souvent inconnus, l'admirable musée des monuments historiques dont notre sol est peuplé. Il suffit de nommer tous les illustres châteaux français, ceux du Nord et ceux du Centre, ceux de l'Est et ceux de l'Ouest, pour voir surgir devant nos yeux une surprenante galerie de palais où s'est fixé, sous des aspects nombreux, variés et superbes, tout le génie architectural de notre race. Chaque siècle a laissé d'innombrables traces, de merveilleux échantillons de son art toujours renouvelé. Et nous pouvons suivre d'époque en époque toutes les modifications de l'inspiration immortelle. Aujourd'hui plus rien. Manquons-nous donc d'artistes? Pourquoi les architectes auraient-ils disparu de France puisque nous avons toujours d'admirables sculpteurs et de remarquables peintres? Certes, il en existe qui, demain, pourraient créer des types de monuments comme ont fait ceux d'autrefois!

339

Mais ce qui nous manque, par exemple, c'est l'homme généreux et riche pour oser et pour payer ces tentatives.

**

Certes, la nature de l'homme riche, de l'homme très riche d'aujourd'hui est inférieure à celle de l'homme puissant et riche de jadis.

Cherchons un peu à quoi nos opulents contemporains emploient leur temps, leur argent, et ce qu'ils peuvent avoir d'intelligence.

Leur première ambition, en général, est de faire parler d'eux, de briller et de dominer, par leur fortune. Cette ambition est naturelle, mais les moyens dont ils se servent pour y parvenir sont au moins très discutables.

Le plus employé est le cheval. Cet animal est devenu, en effet, la plus noble conquête de l'homme, comme l'a proclamé le prophète évangéliste Buffon, car il donne la gloire et la considération. Je ne veux point parler du cheval utile, de celui qu'on monte et qu'on attelle, mais de l'affreuse bête efflanquée nommée cheval de course, sur le dos de laquelle on met un petit homme maigre dont le génie consiste à cravacher les côtes qui le portent avec plus d'ardeur que le voisin et d'arriver premier dans une course où il ne court pas lui-même.

Ces jeux sont très respectacles comme divertissements pour amener le public et comme prétexte à paris, bien que je préfère les petits chevaux des casinos qui peuvent donner les mêmes émotions tout en coûtant beaucoup moins cher à installer.

Peu importe d'ailleurs. Il ne s'agit ni de juger, ni de blâmer, ni de condamner, ni de moraliser, mais de constater que le plus grand effort d'esprit de nos contemporains opulents consiste à faire galoper des bêtes et à découvrir des jockeys incomparables et non des artistes originaux qui attacheraient le nom de leur protecteur à quelque monument impérissable. Quand l'homme riche n'est point un homme de sport par suite des tendances de sa nature morale ou des empêchements de sa nature physique, il devient volontiers amateur d'art et collectionneur.

Cela vaut peut-être un peu moins que s'il était un simple turfiste comme on dit dans le galimatias hippique et moderne, car le propriétaire d'écuries est à peu près sûr de se ruiner, tandis que le collectionneur cache, derrière un goût qui semble noble, une âme rapace de trafiquant. Il n'achète pas pour encourager, pour aider l'artiste, il ne cherche pas à découvrir les talents nouveaux, à les pousser, à leur donner l'or qui leur permettrait de se développer complètement et librement, il achète, après contrôle d'hommes compétents, des objets rares dont la valeur est plus cotée que celle des rentes nationales.

Ce qu'il y a de bizarre et de curieux, en effet, dans son cas, c'est qu'il ne connaît rien lui-même au bibelot. A force d'en voir il finit par discerner à peu près le prix courant des objets assez connus; mais il hésite devant les pièces rarissimes, incapable de reconnaître leur provenance et de contrôler leur authenticité. Il n'est, au fond, qu'un avare amassant non de l'or, mais des poteries, des toiles, des meubles, des bijoux, en procédant toujours par comparaison et jamais par intuition. Quand il hésite, il a recours à l'expert, ce qui prouve bien qu'il n'aime pas l'objet, que la beauté et la grâce de la chose ne le préoccupent nullement, et qu'il tient à la seule estimation — bien établie.

Et c'est grâce à lui, pour lui, que s'est développée, comme le chien d'arrêt pour le chasseur, la race anxieuse des experts. Quelques-uns exercent cette profession officielle à la façon des notaires et des avoués, mais les plus sûrs sont des amateurs bien doués, vraiment nés pour le bibelot, ceux-là, et qui, sans fortune, utilisent leurs facultés naturelles, leur flair, leur sens du beau, du rare, du curieux, du gracieux, de l'introuvable, et cherchent, dénichent, reconnaissent, apprécient, jugent, estiment, classent, d'un œil sûr, infaillible, l'objet qu'on leur montre ou qu'ils découvrent.

Il est en France plus de cent collections ayant coûté

plus d'argent qu'il n'en faudrait pour bâtir la féerique abbaye du Mont-Saint-Michel.

Où sont-elles, ces collections? Elles sont rangées dans des vitrines, enfermées dans des armoires, classées comme des herbiers ou des médailles. Servent-elles à la décoration de quelque hôtel original et princier? Non. L'hôtel, au contraire, semble construit uniquement pour les contenir comme une boutique est faite pour enfermer des marchandises. Ce sont, en effet, des marchands qui ont acheté ces choses, avec la peur incessante d'être trompés, d'être volés, puis ils les ont mises en ordre, ravis de savoir au juste ce qu'elles valent, ils les ont alignées, époussetées, numérotées et cataloguées avec un soin minutieux et puéril de gens très ordonnés et très riches.

*

Un d'eux disait un jour à l'ami qui visitait son hôtel : « Voyez donc ma salle de bains, elle est, je crois, le dernier mot du confortable. »

L'ami regarda et admira cette salle fort jolie en effet, avec vitraux et vieilles faïences italiennes couvrant les murs du haut en bas, puis il répondit : « C'est très bien, mais vieux jeu. Vous en êtes encore à la baignoire. »

— A la baignoire. Mais oui! Par quoi voulez-vous donc la remplacer?

— Oh! moi, si je possédais votre fortune colossale, j'aurais une piscine en marbre rouge où coulerait jour et nuit de l'eau tiède comme coule une rivière dans un pré. On y pourrait nager à vingt personnes. Sur le bord de ce bassin, des statues, l'une assise les pieds dans l'eau, une autre debout, tordant ses cheveux, une autre à genoux, se mirant, une autre lisant, une autre chantant, créées par les premiers sculpteurs de mon époque, alterneraient avec de fines colonnes portant la voûte de marbre blanc. Et dans les fonds de la vaste galerie, des vitraux superbes, de la verdure et des fleurs.

« Et mes amis viendraient nager chez moi au lieu

d'aller piquer des têtes dans les bains à fond de bois ou dans la piscine Rochechouart.

« Et cette jolie fantaisie ne coûterait pas un demi-million. » L'homme riche écoutait, stupéfait, puis, après un long silence : « Oh ça, c'est de la folie ! » dit-il.

(*Gil Blas*, 9 août 1887.)

AUX BAINS DE MER

Autrefois, on allait à la mer pour prendre des bains et
nager. Aujourd'hui, on vient sur les plages pour se livrer
à un exercice d'une nature toute différente et qui ne
demande pas le voisinage de l'eau. Du matin jusqu'au
soir, on rencontre dans les rues du village marin et sur les
routes avoisinantes, dans les prés, par les champs, au
bord des bois, partout, des hommes, des femmes, des
enfants, des vieillards, des vierges et des mères de famille
déformées par cinq ou six accidents de reproduction ; les
hommes vêtus de complets en flanelle blanche, les femmes
d'un petit uniforme à jupe courte en flanelle noire et tous
portant à la main une raquette.

Cette raquette, l'odieuse raquette, cauchemar affreux,
on ne peut faire un pas dehors sans la voir. Tous l'ont au
bout du bras du matin jusqu'au soir, ne la quittent pas, la
manient comme un joujou, la font sauter en l'air, la
brandissent, s'asseoient dessus, vous regardent à travers
comme derrière la grille d'une prison, ou la raclent
comme une guitare. Vous la retrouvez dans les maisons,
dans toutes les maisons, sur les tables, sur les chaises,
derrière les portes, sur les lits, partout, partout.

Après l'avoir vue tout le jour on en rêve toute la nuit,
et à travers des songes tumultueux on aperçoit toujours
la main, rien qu'une main, immense et folle, agitant, dans
le firmament vide, une raquette démesurée.

Ces gens, ces pauvres gens, qui portent ce signe

particulier de leur folie comme autrefois les bouffons déments agitaient un hochet à grelots, sont atteints d'un mal d'origine anglaise qu'on appelle le lawn-tennis.

Ils ont leurs crises en des prairies, car un grand espace est nécessaire à leurs convulsions.

On les voit, par troupes, s'agiter éperdument, courir, sauter, bondir en avant, en arrière, avec des cris, des contorsions, des grimaces affreuses, des gestes désordonnés, pendant plusieurs heures de suite, maintenus par un filet qui arrête leurs emportements.

On pourrait croire, en les regardant de loin, de très loin, que ce sont des enfants qui s'amusent à quelque jeu violent et naïf. Mais, dès qu'on approche, le doute disparaît; on comprend la nature de leur mal, car des hommes mûrs, des hommes vieux, des femmes à cheveux gris, des obèses, des étiques, des chauves, des bossus, tous ceux qu'on croirait ailleurs être des sages et des raisonnables se démènent et se désarticulent avec plus de folie encore que les jeunes.

Et leurs bonds, leurs gestes, leurs élans révèlent aussitôt au passant effaré l'expression bestiale cachée en tout visage humain qui ressemble toujours à un type d'animal et fait apparaître étrangement tous les tics secrets du corps.

Et les yeux se troublant, l'esprit s'affolant à les voir, c'est alors une danse macabre de chiens, de boucs, de veaux, de chèvres, de cochons, d'ânes à figures d'hommes, enculottés et enjuponnés, qui s'agitent avec des secousses grotesques du ventre, de la poitrine ou des reins, des coups de jambe et des coups de tête, une mimique violente et ridicule.

C'est ainsi qu'on s'amuse et c'est pour se livrer à ces crises quotidiennes et convulsives qu'on vient aux bains de mer en l'an 1887.

**

Les baigneurs d'Etretat ont pu jouir dernièrement d'une distraction d'autre nature qui a causé dans la petite ville une émotion profonde.

Un remarquable magnétiseur qui est aussi un fort adroit prestidigitateur, M. Pickmann, a affolé et terrifié ses spectateurs par des expériences d'hypnotisme.

L'hypnotisme, qui est en train de devenir une religion qui a ses miracles, ses apôtres, ses fanatiques et ses incrédules, diffère des religions ordinaires en ceci que presque tous ses prêtres sont docteurs en médecine et non plus en théologie. Jusqu'ici le principal résultat obtenu par les pratiques hypnotiques est une hausse sensible du prix des épingles, la principale épreuve consistant à en cacher partout, dans les rideaux, sur les fauteuils, sur les robes, sous les tables, afin que le voyant les retrouve. En admettant une perte de 50 %, la consommation normale des épingles a donc subi une notable augmentation, et les maisons des croyants sont devenues inquiétantes, les sièges pleins de ces épingles non découvertes présentant de sérieux dangers.

Cependant, parmi les expériences faites par des hommes de science et de raison, il en est quelques-unes qui semblent indéniables, et qui présentent un intérêt étrange et puissant. On sait que les magnétiseurs peuvent suggérer à leurs sujets préalablement endormis la vision d'êtres ou d'objets imaginaires quelconques. Rien d'étonnant à cela.

On dit : — « Voici un chat, un chien, un loup, un verre, une montre. » Et l'hypnotisé voit un chat, un chien, un loup, un verre ou une montre.

Je dis voit, et non pas croit voir, car l'examen de l'œil avec un prisme au moment de l'hallucination y montre reflétée sur la rétine l'image de l'objet suggéré — qui n'existe pas ! — Ce fait est affirmé en des ouvrages de médecine fort sérieux ; et il confirme cette théorie que tout est illusion dans la vie. Les conséquences philosophiques de cette bizarre observation sont infinies et déconcertantes.

On est arrivé aussi, au moyen du sommeil hypnotique, à déterminer d'une façon fort curieuse l'indépendance fonctionnelle de chaque hémisphère cérébral, en produi-

sant des illusions et des hallucinations bilatérales simulta-
nées de caractères différents pour chaque côté.

Combien de fois n'avons-nous pas senti obscurément
travailler en nous ce double cerveau dont un désaccord
fonctionnel presque insensible peut expliquer tant de
phénomènes de double volonté, de double croyance, de
double jugement, et tant de contradictions dans notre être
pensant et raisonnable.

Au point de vue utilitaire, on ne découvre pas encore
nettement quels seront les avantages des pratiques hypnotiques introduites dans la vie courante.

Comme il demeure indubitable que certains êtres sous
l'influence de cet engourdissement partiel du cerveau,
accompagné d'une surexcitation extrême de certaines
facultés, deviennent les esclaves du magnétiseur, reçoivent
ses ordres pendant le sommeil et les exécutent au réveil,
aveuglément, sans aucun souvenir de les avoir reçus, les
assassins de l'avenir pourront éviter les dangers de la
guillotine en prenant quelques leçons et en se procurant
un *bon sujet* qu'ils exerceront préalablement sur des
poulets ou des lapins.

Ne se peut-il que Pranzini ait été l'agent inconscient
d'un camarade et que ses négations obstinées soient
simplement le résultat du sommeil persistant de sa
mémoire?

Un autre avantage sera la possibilité d'endormir ses
domestiques chaque soir et de leur donner des ordres
minutieux pour le lendemain. On évitera de cette façon
les réponses insolentes, les commentaires désobligeants et
surtout les désobéissances. L'art de M. Pickmann n'est
pas encore arrivé à cette perfection. Je l'ai vu cependant
faire une chose des plus surprenantes que je pourrais
appeler un admirable tour de prestidigitation mentale.

Introduit le soir dans une maison où il n'était jamais
entré, il a pu deviner un objet auquel a pensé le maître du
logis, et, les yeux bandés, courir à l'étage supérieur, à
travers des chambres inconnues chercher, trouver et
rapporter cet objet. Il m'a paru posséder à un degré plus
étonnant que ses confrères ce bizarre flair nerveux que

nous a révélé M. Cumberland et que possède aussi très étrangement, paraît-il, M. Garnier, l'architecte de l'Opéra.

**

Il est d'ailleurs une expérience des plus simples que connaissent bien tous les Parisiens coureurs de rues... et de ruelles et qui rentre absolument dans le domaine de l'hypnotisme. Quand un homme, qui aime les femmes, aperçoit un peu devant lui, sur l'autre trottoir d'une large rue, une tournure éveillant son désir, il lui suffit de regarder avec persistance, avec volonté, cette taille et cette nuque fuyant à travers la foule, et toujours, après une minute ou deux de cet appel mystérieux, la femme se retourne et le regarde aussi.

Dans une salle de spectacle on peut également, du fond d'une loge, solliciter et attirer un regard qui, surpris, cherche et trouve le vôtre au bout de quelques instants.

Je laisse à d'autres le soin d'expliquer ces phénomènes qui ne m'étonnent aucunement, tant nous ignorons encore les propriétés et les puissances de nos organes.

(*Gil Blas*, 6 septembre 1887.)

NOUVEAU SCANDALE ?

Une nouvelle très invraisemblable a couru hier dans Paris. Jusqu'à plus amples renseignements nous nous refusons absolument à l'admettre. Cependant, comme elle intéresse le monde des lettres tout entier, il est de notre devoir de la faire connaître aux lecteurs de *Gil Blas,* tout en les mettant en garde contre une crédulité trop prompte.

On raconte que tous les membres encore vivants de l'Académie française ont été convoqués hier chez un des plus illustres d'entre eux, un des plus vénérés maîtres de la pensée moderne pour recevoir communication d'une révélation des plus graves.

Il ne s'agirait de rien moins que du recommencement du procès de Mmes Limouzin, Rattazzi et de deux autres dames que nous ne nommons point par un sentiment de réserve bien naturel, qui auraient employé pour les dernières nominations académiques les mêmes manœuvres illicites que pour les fournitures de gamelles au Ministère de la guerre et pour les croix accordées aux industriels pressés et riches.

Le fait dénoncé est d'autant plus triste, et, hâtons-nous de le dire, d'autant plus improbable, qu'on sait dans le monde entier combien l'Académie française s'est toujours tenue en dehors des influences et des coteries féminines.

Que certains vieux généraux fatigués par leurs campagnes se laissent troubler, conquérir et même corrompre jusqu'à accorder, sur la sollicitation de regards tentateurs et de bourses sonnantes, une fourniture de bidons, de boutons de guêtres ou de draps pour culottes à des fabricants astucieux, nous l'admettons tout en doutant encore, mais nous ne pouvons croire que les Immortels aient poussé la faiblesse jusqu'à donner leurs voix aux candidats de ces dames.

Voici, en tout cas, ce qu'on raconte :

Il y aurait eu, depuis plusieurs années, chez Mmes Limouzin, Rattazzi, D... et S... des dîners et des soirées littéraires destinés uniquement à la conquête d'influences illégitimes au sein de l'illustre assemblée. Dans ces dîners, où assistait, assure-t-on, l'élite de la littérature contemporaine, qui alternait ainsi avec des généraux et des hommes politiques, on traitait, pour sauver les apparences, les plus hautes questions d'art et de science, mais on présentait, en réalité, de jeunes poètes et jeunes romanciers ambitieux aux grands maîtres de la forme écrite.

La maîtresse de céans (nous ne nommons plus personne afin de ne pas désigner trop clairement les convives) profitait du doux moment qui suit le repos, quand l'attendrissement né des vins généreux se mêle à la reconnaissance de la digestion qui va bien, pour s'approcher de l'Immortel ému, et lui dire, avec son plus séduisant sourire :

— Cher maître, permettez-moi de vous présenter M. Roulon des Palmes qui vient de publier *Fleurs aurorales,* dont je vous ai parlé déjà.

Et ainsi, de semaine en semaine, on faisait le siège du grand homme qui commençait par voter un prix pour *Fleurs aurorales* ou pour *Triple Châtiment,* de M. Jehan Larivaudière, romancier de grand talent encore peu connu et presque un débutant dans les lettres, bien qu'âgé de soixante-treize ans. On explique donc aujourd'hui par cette influence fâcheuse de certaines femmes intrigantes les choix si souvent discutés et les récompenses si souvent incompréhensibles accordées par l'Académie.

On attribue même, mais nous nous refusons absolument à le croire, une grande part à Mmes Limouzin et

Rattazzi dans les nominations de MM. Léon Say et Ferdinand de Lesseps comme membres de l'Académie, car on assure, à voix basse, qu'on a saisi chez elles, lors de l'enquête faite par M. Gragnon, *quatre* collections des œuvres complètes de ces deux Immortels, soit cent quatre-vingt-seize volumes qui auraient disparu au cours de l'enquête.

M. Gragnon aura à s'expliquer sur cette disparition devant la commission parlementaire. On se demande avec curiosité ce qu'on a pu faire d'une pareille quantité de livres. Les a-t-on détruits ou rendus à leurs auteurs afin qu'ils puissent les remaner à leur guise. Cette dernière version est très admissible, car on ne connaît pas, dans le commerce, le double de cette collection.

Voici maintenant un échantillon des lettres qu'on se récitait hier sur le boulevard, car, vraies ou fausses, tout le monde les sait par cœur.

« Chère madame, vous êtes vraiment la plus délicieuse des amies et le pâté de foie gras que vous m'avez envoyé, le plus succulent des pâtés. Ma femme l'a trouvé exquis et me charge de vous remercier. Nous le dégustons avec religion, en pensant à vous et en parlant de vous. Nous avons tant de bien à en dire, nous découvrons chaque jour en vous des qualités si nouvelles et si charmantes que cet éloge, commencé depuis que nous vous connaissons, ne finira qu'avec ma vie.

» Certes, je songe à votre candidat et je travaille pour lui. J'ai déjà gagné les voix de L..., de G..., de B..., de N... et de R... Si j'osais vous donner un conseil ce serait d'inviter à dîner M. R... qui est très friand de bonne cuisine et de doctes causeries.

» Pour en revenir à votre ami, M. Palumeau, nous sommes tous d'accord sur la grande valeur de son beau livre : « De l'emploi du verbe *être* dans l'ancienne poésie française », et je ne doute pas qu'il obtienne le prix de trois mille francs que vous m'avez demandé pour lui.

» Veuillez agréer, chère madame, l'hommage, etc. »

On a pensé un moment que la date portée sur cette lettre était antérieure à la fabrication du papier, mais l'expert consulté a déclaré reconnaître le papier spécial destiné à la préparation du dictionnaire, et fabriqué en 1640. Quelques feuilles à peine ont disparu depuis cette époque.

On raconte aussi, encore plus bas, que cette agence pour nominations et prix académiques avait une organisation beaucoup plus active et compliquée que l'agence pour gamelles et décorations, et que si le scandale n'avait pas été étouffé dans l'œuf, comme on dit à l'Institut, il aurait atteint au moins 20/40 des Immortels. Cela est faux, nous n'en doutons pas. Il paraît probable cependant que ces dames se sont occupées activement de soutenir leurs candidats pour les trois fauteuils actuellement vacants.

On murmure que M. Claretie est fortement patronné par Mme Limouzin. Les habitués du foyer des Français prétendent qu'on allait mettre en répétitions, sur cette scène, un acte en vers, intitulé : *Péché caché* de... devinez... de M. Limouzin lui-même !...

A la suite de cette représentation, quatre sociétaires de la Comédie devaient recevoir la croix d'honneur ! Nous ne dirons pas leurs noms.

On affirme, en outre, qu'une chaloupe canonnière amarrée actuellement au quai de la Tournelle a été offerte, avec équipage complet, par un amiral, candidat au second fauteuil, à Mme Rattazzi qui devait la présenter au ministre de la Marine pour en solliciter l'admission dans la flotte en remplacement des torpilleurs reconnus défectueux à la suite des expériences de cet été.

On prétend enfin que le candidat au troisième fauteuil ne serait autre que le général Boulanger lui-même. Voici à ce sujet quelques détails assez curieux. On a surpris, chez Mme Limouzin, lors de la première perquisition, trois volumineux paquets de lettres. Ce sont des lettres qu'on n'avait pas pris la peine de lire qui ont décidé le gouvernement à remuer toute cette boue dans l'espoir d'en couvrir cet officier redouté. Or, il ne s'agissait que de trois volumes de correspondance envoyés à l'impression et dont Mme Limouzin corrigeait les épreuves.

Inutile d'ajouter que ces volumes devaient assurer la nomination du général à l'Académie. Les titres qu'a bien voulu nous communiquer un sympathique éditeur étaient :

— *Lettres aux Princes;*
— *Lettres à Divers;*
— *Lettres aux Dames.*

Voici maintenant le plus curieux de l'affaire.

De qui tient-on la révélation de ces menées académiques?

Je vous le donne en mille!...

De M. Michelin!...

Comment et pourquoi?

On se rappelle que Mme Rattazzi fut condamnée par le tribunal pour tentative de corruption sur cet incorruptible président du Conseil municipal.

Or, il paraît qu'à la suite du refus indigné de cet honnête homme, cette dame, par un brusque revirement bien féminin, enthousiasmée de cette conduite, alla le trouver de nouveau pour lui offrir le prix Montyon, et afin de le convaincre lui donna les preuves indéniables de ses relations avec l'Académie.

Non moins intraitable la seconde fois que la première, repoussant la récompense comme il avait repoussé la tentative de corruption, M. Michelin n'hésita pas à dénoncer cette nouvelle manœuvre!

***

Au dernier moment, on nous dit que nous avons été trompés et qu'il s'agit simplement de l'académie du Chat Noir, dont M. Salis est directeur perpétuel.

La démarche de Mme Limouzin, allant chercher refuge et protection chez cet illustre gentilhomme cabaretier, donne beaucoup plus de vraisemblance à cette toute récente version.

(*Gil Blas*, 15 novembre 1887.)

353

LE STYLE ÉPISTOLAIRE

Je ne peux écrire ces mots prétentieux sans que m'apparaisse la figure de mon professeur de seconde, qui avait coutume de nous affirmer que le style épistolaire était une des gloires de la France. Il paraît qu'ailleurs ce fameux style n'existe pas. Nous avons cela, chez nous, comme le vin de Bordeaux et le vin de Champagne. Je serais cependant un peu tenté de croire qu'une sorte de phylloxéra littéraire a porté aussi ses ravages sur cette branche du génie national. Donc, le style épistolaire nous appartient, et Mme de Sévigné l'a porté à sa perfection. Cela est une chose tellement reconnue, tellement indéniable, tellement éclatante, que je me sentirais incapable d'avouer, même si je le pensais, que ces fameuses lettres de Mme de Sévigné ne m'ont pas affolé d'enthousiasme. Et si j'avais le mauvais goût de le confesser, beaucoup de gens me considéreraient comme le dernier des drôles.

Honneur donc au style épistolaire, qui est une sorte de bavardage écrit, familier et spirituel, permettant d'exprimer avec agrément les choses banales que les devoirs de la politesse forçaient les gens bien élevés à communiquer à leurs amis de temps en temps, toutes les semaines ou tous les mois, selon le degré d'intimité.

Etant donné cette nécessité d'adresser sur du papier des pensées à des amis, il est indubitable que ces pensées auront plus de prix et de grâce si elles sont galamment tournées. Jadis, pendant les deux siècles qui ont précédé notre Révolution, on se donnait beaucoup de mal pour ne pas dire grand-chose en des lettres familières et souvent maniérées. Tout le monde écrivait, tous les jours, et même toutes les nuits, à quelqu'un. On se demande comment il pouvait rester du temps pour faire autre chose, tant sont nombreuses et volumineuses les correspondances qu'on a retrouvées et publiées.

Si la plupart de ces lettres demeurent sans intérêt, pouvant tout au plus nous apprendre quelques détails de la vie à cette époque, il en est cependant un grand nombre qui tirent une haute valeur de la qualité des correspondants et de l'importance des sujets qu'on y traite. Toutes celles qui touchent d'une façon intime à l'histoire de notre pays forment une sorte de bibliothèque secrète des archives nationales, où il nous est donné d'apprendre par le menu comment est faite l'histoire.

Les historiens nous servent les gros événements comme des plats montés, tandis que, dans les lettres, nous apprenons la cuisine de la politique, des guerres et des révolutions.

A ce point de vue, rien de plus curieux et de plus amusant à lire que la correspondance du maréchal de Tessé réunie et publiée par le comte de Rambuteau. Si Tessé n'est point absolument un grand virtuose du style épistolaire, il fut cependant un de ceux à qui l'art d'écrire a le plus servi, car il demeure avant tout un courtisan, un familier de Mme de Maintenon, un adroit, un diplomate de guerre et de cour, emportant aux camps une écritoire dont il usait plus que de son épée.

En dehors de tous les détails amusants, imprévus, comiques, gaulois ou sérieux, qu'on trouve de ligne en ligne dans ces lettres que le comte de Rambuteau a eu la bonne inspiration de nous donner, on y voit d'une façon saisissante quel était le ton des hommes de ce temps avec les plus grandes dames, et on ne pourrait certes pas appeler cela le bon ton si l'esprit ne purifiait tout.

Les plaisanteries les plus osées sur les choses dont il semble qu'on doive le moins parler, les anecdotes les plus vives, dont M. de Rambuteau a dû même supprimer quelques-unes, faisaient donc sourire, sans les fâcher, sans les choquer, les princesses les plus augustes et formaient, à cette époque solennelle, la monnaie courante des correspondances.

Elles y sont contées, en effet, avec une adresse spirituelle, qu'on appelait alors un tour galant, et qui consistait à escamoter l'audace sous l'élégance piquante de la phrase. Tessé, comme la plupart des hommes et des femmes de ce siècle, avait acquis une ingéniosité spéciale, pour faire passer les plaisanteries trop hardies, en attirant d'abord l'attention par des cabrioles de rhétorique.

***

La pensée, distraite par la drôlerie alerte des mots, par des sous-entendus malins, par cette transparente jupe de danseuse qui ne cache rien de ce qu'elle devrait cacher et qui fait dire : « Oh! mon dieu, mais elle est nue! » sans qu'on se choque par trop de cette nudité dévoilée sous un voile (car le voile existe, et c'est lui qui étonne le plus, tant il est clair), — la pensée s'égaye de ce tour, s'amuse de cette farce, et accepte de voir le dessous, à cause du dessus destiné, semblait-il, à le dissimuler.

Il est indubitable qu'aujourd'hui on ose dire aux femmes, dans le monde, des choses aussi vives qu'autrefois; mais je ne pense point qu'on puisse les écrire car le style épistolaire est mort, comme l'affirmait mon professeur.

En France, on a toujours aimé la gauloiserie, qui a droit de cité dans la société la plus choisie, et c'est même une marque d'élégance, un signe de race de cette société de tolérer l'esprit français dans ses hardiesses les plus scabreuses, et d'en rire et de ne pas se fâcher de la chose, si on se choque parfois du mot. C'est là une tradition que nous ont laissée les hommes et les femmes des deux grands siècles avant le nôtre. Le maréchal de Tessé peut être pris comme le type de ces hommes de cour audacieux et prudents.

Certes, la société qui rit, comme la nôtre, des naturelles

plaisanteries n'est pas plus immorale que la société qui rougit sans rire, comme celle de nos voisins les Anglais.

Mais, si cette tradition de libre fantaisie s'est continuée, bien qu'atténuée, dans l'intimité de quelques maisons françaises, il est certain que la plupart des salons nouveaux demeurent étrangers à tout esprit, libre ou non. Les nouvelles couches, comme les a baptisées le plus spirituel des grands hommes de la République, sont des couches sans traditions et sans lecture, qui prennent la lourdeur pour le bon ton, l'ennuyeux pour le comme-il-faut, et qui ont su faire de la jeune société française un très épais mélange de demi-bourgeoises pécores et de demi-rustauds poseurs, hommes d'affaires sans agrément, lourds politiciens de province, très gênés quand il faut parler d'autre chose que de leurs intérêts.

Ces hommes-là, sans aucun doute, n'ont ni le temps ni le goût d'écrire à leurs amis ou à leurs amies des choses spirituelles et profondes sur ce qu'ils voient, ce qu'ils pensent et ce qu'ils sentent. Ils pensent en général que deux et deux font quatre, et ne savent l'exprimer autrement que Monsieur Jourdain. En fait de sensations, ils ne raffinent guère, et ils y voient tout juste pour se conduire à travers les spéculations dont l'unique souci obstrue leur intellect.

Si j'étais femme cependant, je n'aimerais pas avoir pour ami un homme incapable de me donner autre chose que des boucles d'oreilles; et, bien qu'adorant les perles délicates et l'eau pétrifiée des diamants, je trouverais cela insuffisant pour exprimer toutes les nuances de l'affection et pour me faire passer les longues heures d'ennui solitaire. Je voudrais attendre l'enveloppe où son écriture reconnue m'apporterait la promesse des compliments ingénieux, des histoires racontées, des anecdotes amusantes, et de la fantaisie joyeuse ou tendre, jetée de ligne en ligne, pour moi, pour me plaire et me distraire.

**

Combien sont-ils aujourd'hui, parmi les hommes les plus connus, les plus intelligents, les plus éminents, capables de raconter ainsi, d'une façon charmante, par amitié, par amour, ou seulement par intérêt de courtisan, comme le maréchal de Tessé, toutes les choses diverses qui leur passent sous les yeux dans la vie quotidienne et changeante?

Et j'ajoute : combien y a-t-il de femmes capables de répondre à ces lettres sur ce même ton, avec la même souplesse élégante et capricieuse?

Et, si nous songeons que presque tous les hommes connus des deux siècles précédents ont laissé des correspondances pleines d'intérêt, de charme et de style, que presque toutes les femmes en vue d'alors, depuis les princesses jusqu'aux parvenues, étaient capables de tenir tête, sans désavantage, aux premiers écrivains du temps, en cette escrime d'esprit écrit, nous sommes obligés de conclure, comme mon professeur de seconde, que le style épistolaire n'est plus, et qu'il a été mis à mort, en compagnie de quelques gentilshommes et de quelques belles dames, par la Révolution française.

(*Le Gaulois*, 11 juin 1888.)

358

AFRIQUE

Alger, le 25 novembre 1888

Nous approchons. Alger semble une tache blanche aperçue à l'horizon. On dirait un gros tas de linge étendu qui sèche là-bas sur la côte. Puis il grandit, ce tas, et devient peu à peu, sous le regard, un amas, une colline de maisons grimpant les unes sur les autres. On distingue d'abord la ville française avec ses arcades, ses hautes constructions percées de grandes fenêtres; puis, au-dessus, s'étage la ville arabe, une agglomération de murs, d'un blanc de lait, luisant ou bleuâtre, invraisemblablement clair sous la lumière aveuglante du jour. Dans ce monceau de petites demeures, carrées, emmêlées, empilées, comme une pyramide de gros dés à jouer, on ne voit pas d'ouvertures, pas de fenêtres, rien que d'imperceptibles trous par où les anciens corsaires guettaient la mer. Sur le quai où l'on débarque, une fourmilière d'hommes, de toutes les races, remue, charge, décharge, entasse sur des voitures, sur des bateaux, roule, empile, traîne, porte dans tous les sens toutes les marchandises imaginables, en caisses, en barriques, en sacs, en ballots, en bourriches, en paquets, avec des cris dans toutes les langues, des disputes, des explications, des gestes frénétiques.

Tous ces hommes, vêtus de toile grise ou blanche, nu-jambes, nu-pieds, nu-bras, maigres, souples et braillards, présentent aux regards toutes les teintes que peut prendre

359

la chair humaine depuis le noir du cirage jusqu'au café au lait jaunâtre.

Ils ont dans les veines un mélange de tous les sangs connus; métis de nègres, d'Arabes, de Turcs, de Maltais, d'Italiens, de Français, d'Espagnols, ils représentent, dès les premiers pas sur cette terre, la population mêlée, remuante, agitée et travailleuse, de cette belle et curieuse côte qui ne ressemble et ne peut ressembler à rien autre chose au monde.

Bien des gens croient qu'Alger, Oran ou Constantine sont des villes d'Orient; que le rivage algérien est un rivage oriental. Ils se trompent. L'Orient commence à Tunis, la première ville africaine qui ait le caractère si particulier des cités orientales. Ici nous sommes en Afrique, dans l'ancienne Afrique romaine, où se rencontrent, se frôlent et se mêlent les espèces d'hommes les plus différentes.

A côté des anciens Berbères, de l'Arabe nomade des tribus, de l'Arabe travailleur des oasis, des portefaix de Biskra (Biskris), des marchands de toute sorte du Mzab (Mozabites), du Kabyle agriculteur, vêtus de flanelle de laine ou de soie blanche et coiffés du turban, on rencontre le Maure (Arabe des villes) promenant à petits pas son gros ventre et ses gros mollets dans la veste de drap, le gilet de couleur et le large pantalon de toile qui tombe en poche, par-derrière, l'Espagnol noir, poilu, actif et malpropre, le Maltais lourd et querelleur, le juif à la barbe frisée, et le colon français qui garde l'allure, la démarche et le vêtement de la patrie.

**

Ce qui frappe le plus en entrant dans Alger, c'est le bruit et le mouvement des rues. On ne parle pas, on crie; on ne circule pas, on se heurte; les chevaux ne trottent pas, ils s'emportent, sans aller plus vite que s'ils trottaient. Cela est gai, remuant, amusant, distrayant, étourdissant. La ville est vivante au possible, colorée et charmante. Elle serait délicieuse si elle était propre. Mais je ne sais pas s'il en est beaucoup de par le monde où traînent autant de saletés. On ne sait où mettre le pied sur le trottoir ou sur la chaussée. Le ruisseau peut-être semble préférable, attendu qu'on n'y jette jamais rien; toutes les odeurs possibles vous suivent et vous asphyxient. N'importe, on est content tout de même, tant les rues sont jolies à voir. S'il pleut, par exemple, ne sortez pas, car elles deviennent des cloaques absolument infranchissables.

Que de fois n'a-t-on point décrit la ville arabe, ce labyrinthe de ruelles, d'escaliers, d'impasses, de couloirs tortueux au milieu de ces petites maisons impénétrables, serrées les unes contre les autres, se touchant presque à leur sommet, bizarres, irrégulières, dont le premier étage, un peu saillant, est soutenu par une multitude de bâtons peints à la chaux et scellés dans le mur inférieur, et dont les terrasses, comme les marches isolées d'un escalier disloqué par un tremblement de terre, s'étagent les unes sur les autres, en regardant au loin la grande baie et le cap Matifou.

La partie française d'Alger, depuis sept ans, n'a guère changé. On a, cependant, l'impression que la ville est plus riche, plus sûre d'elle-même, plus laborieuse, plus capitale. Les produits algériens ont un nom; les vins d'Algérie vont dans le monde entier; les terres algériennes se couvrent de vignes qui fourniront bientôt des boissons, un peu lourdes, mais saines, à l'Europe phylloxérée, et on dirait qu'Alger sent son importance grandissante. Elle a raison.

En cette ville, d'une physionomie si spéciale, on ne se croit pas dans une grande cité départementale, dans un chef-lieu de province, mais dans une capitale d'Etat. Elle est bien, avec son activité et la confusion des types, des langues, des costumes, des usages, des religions, qui lui donne un caractère unique, la capitale bigarrée de cette Africa cosmopolite, aujourd'hui colonie française.

Mais elle devient insensiblement, ou plutôt sensiblement, un sol français. Le progrès de la colonisation, depuis sept ans que je ne l'avais vue, est indubitable, indiscutable. Des colons sont arrivés qui n'étaient plus les déclassés, les fugitifs des premiers jours, mais des travailleurs sachant qu'on peut, sur cette terre neuve, gagner sa vie mieux qu'ailleurs. A côté de leurs fermes, on rencontre partout, maintenant, les propriétés des riches agriculteurs français, qui ont placé des fonds en ce pays et y tentent les grandes cultures.

*
* *

Beaucoup de choses cependant s'opposent encore au développement rapide de cette belle colonie ou, plutôt, de ce morceau de la France. On y manque de ce qu'on pourrait appeler l'outillage de la civilisation. Il n'y a pas de routes, pas de chemins de fer, pas de barrage et, par conséquent, pas d'eau. Si on donnait suite au projet ingénieux de M. Tirman, qui demande l'abandon, par la France, à l'Algérie, de son excédent de recettes, afin de pouvoir s'assurer ainsi la possibilité de faire un gros emprunt, cette terre, en peu d'années, pourrait arriver presque à son maximum de production, qu'elle n'atteindrait, avec les ressources actuelles, que dans un temps fort éloigné.

Espérons qu'on ne refusera point au gouverneur général le moyen de rendre ainsi tout à fait salutaire l'influence bienfaisante qu'il a exercée sur l'Algérie.

Alger est un centre où bat une vie indépendante, où coule un sang français nouveau, où une société intelligente et une élite intellectuelle se sont formées, qui en font un des grands foyers humains du vieux monde.

Et la preuve que cette ville rivalise presque en tout avec Paris, c'est qu'au vieux Prado, romantique de la Seine, elle a opposé le Chambige, complexe et décadent, pour qui on a été d'ailleurs plus sévère ici que là-bas; car, ici, on a vu de plus près ce vilain crime, dont les petits, les menus détails révoltants ont inspiré une universelle répulsion pour ce raté de la vie et de la mort, qui afin d'expliquer l'écart de la troisième balle, après la justesse des deux premières, n'a rien trouvé de mieux que de communiquer au public palpitant les lettres d'amour de celle qu'il avait suicidée héroïquement.

On nous a dit, pour expliquer cette attitude peu conforme aux traditions de la galanterie française, que la sensibilité de son âme était d'une espèce si rare, que les gens d'une droiture vulgaire n'y pouvaient rien comprendre.

N'aurait-il pas mieux valu, pour la pauvre femme victime de sa supériorité sentimentale, qu'il eût montré moins de sensibilité et de délicatesse?

Le désir ne m'est pas venu de demander l'autorisation de visiter ce criminel illustre dans son cachot; mais j'ai pu voir, le jour même où deux des leurs allaient repartir pour l'immense désert inconnu qui va de nos possessions à l'Afrique centrale, les sept Touaregs faits prisonniers l'an dernier par les Chaamba.

Il est bien rarement donné à des yeux européens de pouvoir contempler des Touaregs, ces mystérieux et terribles cavaliers qui rôdent sur nos frontières. Deux hommes seulement jusqu'ici ont donné sur eux, sur leurs immenses confédérations qui vont du Soudan et de l'Egypte à l'océan Atlantique, quelques détails un peu précis : ce sont les voyageurs Barth et Duveyrier.

Le dernier Européen qui ait pénétré sur leurs territoires est le malheureux colonel Flatters, qui fut massacré par eux avec toute la colonne qu'il commandait. On se rappelle comment il fut surpris auprès d'un puits, avec son état-major et toutes les bêtes de somme qu'on chargeait d'eau, entouré et mis à mort. On se rappelle aussi l'épouvantable fuite, la retraite horrible des survivants restés à garder le camp, qui, sans eau, sans chameaux, partirent à travers le sable, et, après quelques jours de marche, sentant qu'il fallait s'entre-tuer et s'entre-manger, se mirent à marcher isolément, à portée de fusil l'un de l'autre, et se cachant, se rasant comme des gibiers derrière toutes les saillies du sol. Un soir enfin, le premier duel eut lieu; le premier mort, frappé d'une balle, roula sur le sol, et tous accoururent à cette curée humaine. Un Arabe, armé d'un couteau, s'improvisa boucher, dépeça et distribua la victime aux camarades, qui se sauvèrent avec leurs parts, et reprirent, loin [l'un] de l'autre, leur marche terrible.

Et, durant plus d'une semaine, le monstrueux combat recommença chaque jour et chaque jour les misérables dévoraient un des leurs. Le dernier tué et mangé ainsi fut le maréchal des logis Pobéguin. Le lendemain, les secours envoyés d'Ouargla rencontraient les débris de la colonne. Depuis ce moment, aucun contact n'avait eu lieu entre les Touaregs et nous.

***

Or, l'an dernier, une troupe de ces enragés pillards se mit en route pour venir razzier les chameaux de nos tribus de l'extrême Sud, les Chaamba. Ce détachement, fort de quarante hommes, monté sur des méhara coureurs, surprit en effet les troupeaux de leurs ennemis et les enleva.

Mais, dans le désert, comme ailleurs, tout se sait, et les Chaamba, prévenus, partirent au nombre de trois cents pour couper la route au convoi, et ils allèrent l'attendre au puits, où ne pouvaient manquer de venir boire les Touaregs. Ceux-ci, qui peuvent rester six jours sans manger et trois jours sans boire, arrivèrent avec leurs bêtes volées et aperçurent les Chaamba prêts à combattre. Les Touaregs, malheureusement pour eux, s'étaient divisés en deux troupes, et cette bande, forte de vingt hommes seulement, exténués de faim et de fatigue, ne pouvait guère livrer bataille à trois cents Chaamba. S'ils eussent été réunis, ils auraient pu attaquer et vaincre, car ce sont d'intrépides soldats.

***

Les Chaamba, de leur côté, en gens prudents, parlementèrent, reprirent leurs chameaux et laissèrent passer leurs ennemis. Mais ils avaient remarqué leur petit nombre et, au lieu de repartir immédiatement, comme les autres l'avaient espéré, ils demeurèrent au puits, pour attendre. La seconde troupe de Touaregs y arriva, en effet, parlementa également, fut désarmée après promesse de la vie sauve. Mais les promesses arabes sont peu sûres et, le lendemain, le massacre commença. Cependant, un Chaamba, homme d'honneur, étendit son burnous sur un Touaregs qu'il connaissait. Ceux qui vivaient encore, profitant de ce geste protecteur, se jetèrent sur le burnous, et furent ainsi épargnés.

Les Chaamba nous les livrèrent.

Donc, grâce à la complaisance de M. le capitaine Bissuel — qui publie, ces jours-ci, un volume de tous les renseignements recueillis de leur bouche, et qui a pu, en leur faisant exécuter avec du sable la carte en relief de leur pays, la reconstituer, si concordante avec les données existantes qu'elle semble scrupuleusement exacte — j'ai vu, assis dans un petit bâtiment peint à la chaux, ouvert sur les terrasses du fort d'Alger, qui ferme la ville à l'est et qui domine la rade et le port, ces grands guerriers qui sont, en réalité, des guerriers d'Homère, maigres, vêtus d'étoffes noires, la face cachée comme celle des femmes, à cause des sables brûlants, ne montrant, sous le double voile, noir aussi, qui couvre le bas et le haut du visage, que des yeux sincères et luisants.

Ils ont avec eux un nègre qui porte six doigts à chaque main. J'ai dit que ce sont des guerriers d'Homère. Ils ne vivent que pour la guerre, ne respectent et ne comprennent que cela. Les nobles, car c'est un pays de féodalité absolue, toujours à cheval, ou plutôt à méhari, toujours en éveil, toujours sur leurs gardes, protègent et défendent leurs serfs et, sans cesse, attaquent le voisin. Car, faire la guerre, pour eux, c'est piller.

Quand on leur demande pourquoi ils combattent ainsi des gens qui ne leur ont rien fait, ils répondent avec étonnement : « Je comprends qu'on n'attaque pas un vieillard, un infirme ou une femme ; mais un homme comme moi, pourquoi ne l'attaquerais-je pas ? »

Profitant de leur captivité, l'éminent directeur de l'Ecole supérieure des lettres d'Alger, M. Masqueray, a pu apprendre leur langue, refaire la grammaire touareg, traduire leurs récits et se renseigner sur leurs mœurs et leurs usages.

Il a fini, d'ailleurs, par les aimer pour leur bravoure, leurs sentiments héroïques, leur prodigieux mépris du danger et de la mort. Une seule chose chez nous les a effrayés : les grands navires qui marchent sur l'eau ; car ils n'avaient jamais vu la mer.

Ils combattent avec des lances de fer, se mettent en selle d'un seul bond, sur le dos du chameau, dont ils ont abaissé la tête pour prendre un point d'appui, et ils le dirigent par des pressions sur le cou, avec leurs pieds, qu'ils ont fins et délicats, car ils ne marchent presque jamais.

Le gouverneur général vient de renvoyer deux de ces prisonniers dans leurs tribus, afin d'engager des relations avec ces peuples et de les décider à venir réclamer ceux que nous avons gardés.

Quand arriveront-ils chez eux ? Dans deux mois au plus tôt !

(*Le Gaulois*, 3 décembre 1888.)

LES AFRICAINES

Sur cette ville cosmopolite qu'est devenue l'esplanade des Invalides depuis l'ouverture de l'Exposition, s'abattait un de ces coups de soleil lourds, brûlants et moites, qui tombent entre deux averses, les jours d'orage ; toutes les constructions hétérogènes, plantées l'une contre l'autre, habitées par des races nées sous tous les ciels, donnaient à ce labyrinthe international l'aspect d'un petit champ miraculeux, où un dieu fantaisiste aurait semé des échantillons de tous les peuples et de toutes les constructions connues.

Je parcourais une sorte de ruelle tortueuse où l'on voyait, se suivant, des logis faits avec des bâtons et habités par de petits hommes jaunâtres et grimaçants, d'autres faits avec des nattes, avec des peaux, avec des boues, avec des toiles, des cases pleines de nègres, des tentes pleines d'Arabes. Soudain une musique bizarre, aigre et bondissante, jaillissant d'une petite construction mauresque, noya brusquement mon cœur sous une vague de souvenirs qui fit passer dans mes yeux de claires visions africaines.

J'entrai, et j'aperçus sur une estrade des femmes de là-bas dansant la danse du désert que scandait un sauvage orchestre de musiciens juifs et maures, au milieu desquels un fort Mozabite bronzé soufflait avec des joues enflées de triton monstrueux dans la terrible rhaïta, flûte formidable, faite d'une corne noire que l'homme, à moitié fou d'énervement, balançant la tête, ouvrant des yeux énormes, sans arrêt, sans repos, sans paraître respirer, sans dégonfler une seconde sa grande bouche ballonnée, emplissait interminablement de son haleine assourdissante.

Les femmes se balançaient, tournaient, glissaient en frappant du talon les planches de l'estrade. Il y avait Aklita (duvet de pêche), Yamina (fleur de jasmin), deux Mauresques, une Arabe, Houria, deux négresses du Soudan, une chanteuse juive Sultana, une enfant de six ans, déjà danseuse, et deux Ouled Naïl, une de Biskra et l'autre de Boghar.

Ce fut en moi une joie profonde, un de ces ressouvenirs qui grisent, une suite d'images, de gens, de choses, de paysages aimés, apparus, évoqués, dans ce petit coin forain de la grande fête parisienne; et je revis surtout, avec une netteté surprenante, les deux plus étranges apparitions de danses et de femmes africaines, qui aient émerveillé mes yeux, l'une à Djelfa, l'autre à Tunis. Je dois ajouter que les danseuses venues à Paris sont pour la plupart mariées, tandis que celles rencontrées là-bas étaient... libres.

***

Depuis huit jours, j'errais à cheval à travers les plaines d'alfas, les longs espaces pierreux et les dunes, en compagnie de deux officiers qu'on m'avait autorisé à accompagner dans une excursion topographique. Le soir, devant la tente, puis, pendant les longs trajets au pas, sous le soleil martyrisant des premiers jours d'août dans le désert, nous causions de ce pays que je commençais à aimer non seulement par les yeux, mais aussi par le cœur. Oh! quel soleil, non point pesant comme celui des régions humides et tropicales, qui semble une matière brûlante, lourde et féconde, mais terrible, dévastateur et léger, une sorte d'onde sèche et impalpable de feu qui s'est répandue sur le monde, qui a tout brûlé, tout mangé, ne laissant plus une herbe, plus d'insecte, presque plus de bêtes, calcinant les pierres, desséchant les sources, buvant même la sueur des hommes dont la peau semble tannée par cette atmosphère d'incendie.

Pendant huit jours nous n'avions rien vu, senti, respiré que Lui, ce Roi dévorant de l'été africain. Nous étions noirs déjà comme des Arabes, maigris et forts, rafraîchis d'ailleurs par l'air froid des nuits que nous passions devant les tentes, la tête enveloppée en des burnous dont j'écartais parfois les plis pour regarder le ciel violet du sud, où les astres palpitants semblaient vivre.

Nous avions rencontré des tribus nomades cherchant des restes d'herbes brûlées pour leurs troupeaux affamés. Les campements apparus au loin comme une lèpre brune étaient les seules manifestations de vie que nous eussions aperçues sur la surface du sol, tandis que des vautours glissaient lentement dans le ciel jaune comme s'ils eussent nagé, épiant ce passage des hommes qui laissent derrière eux des charognes. Or, un soir, tout à coup, nous rencontrâmes une route, puis des voitures, deux voitures pareilles à celles qu'on loue dans les sous-préfectures. Elles nous attendaient, conduites par des soldats qui lancèrent au grand trot les chevaux pour nous emmener à la ville.

Car Djelfa est une ville, une petite ville d'Europe, non une ville arabe, une petite ville qui a même une petite rivière où on pêche des petits poissons, où on voit des boutiques le long des rues, et des épiciers mozabites ou juifs, attendant le client, comme chez nous.

Mais soudain, au milieu d'un passage étroit enfermé entre deux lignes de maisons apparut, grande, mince, le corps cambré, drapée superbement sous des étoffes rouges et bleues, la tête couverte d'une montagne inimaginable de cheveux noirs formant une sorte de tour carrée, soutenue par un étrange diadème et par des chapelets de médailles qui serpentaient dedans, la gorge disparue sous des colliers faits avec des pièces de vingt francs, le ventre emprisonné sous une bizarre plaque d'argent naïvement ciselée où pendait, au bout d'une chaîne, une serrure symbolique, les bras couverts de bracelets, les chevilles chargées d'anneaux, une femme, une Ouled Naïl, une courtisane du Sud.

Dans cette petite ville de colons, poussée en plein désert, l'apparition subite de cet être éclatant et magnifique, couvert de parures, au visage tatoué d'étoiles bleues, à la démarche fière comme celle d'une reine barbare, me saisit d'étonnement et d'admiration. Plus loin j'en vis une autre debout sur le seuil de son logis, encadrée par sa porte, comme en une niche d'idole. La masse de ses cheveux édifiés en monument touchait le haut de l'entrée ; et elle nous regardait avec des yeux fixes, dédaigneux, vaguement souriants. Elles n'étaient belles ni l'une ni l'autre, mais inexprimablement étranges et saisissantes, bestiales et mystiques, parées pour des vices primitifs exigeants et simples de nomades.

D'autres nous apparurent encore. Dans ce village franco-arabe elles étaient plus de cinquante, car Bou-Amama, en ce temps-là, terrorisait les petites oasis de l'Ouest et avait forcé les courtisanes couvertes d'argent et d'or à se réfugier à Djelfa, centre de la tribu des Ouled Naïl, à laquelle beaucoup de ces femmes appartenaient.

C'est une tradition dans cette tribu, tradition acceptée, presque respectée par tout le peuple arabe, que les filles aillent amasser dans les ksours et villages, en se livrant aux hommes, la dot qu'elles rapporteront pour se marier chez elles.

Après le dîner, au mess des officiers, dont je n'oublierai jamais l'accueil charmant, un d'eux me proposa d'aller au Café Maure.

De loin, trois ou quatre rues avant celle où était placé cet établissement, on entendait la clameur aiguë, assourdie par les murs de terre, de la flûte en corne noire qui semblait un cri féroce, ininterrompu, mystérieux. Certes, quand Aïssa viendra, au dernier jour, réveiller les morts, il fera sortir de terre les cadavres arabes couchés sous les pierres du désert, au son de la rhaïka.

Nous approchons ; des fantômes blancs sont debout devant la porte, immobiles sous le flot de clarté jaune qui jaillit de ce lieu, et va frapper, de l'autre côté de la rue, ce mur de chaux où des silhouettes noires sont plaquées. D'autres hommes accroupis le long de ce logis, pour ne point payer l'entrée, écoutent. Il faut écarter ces corps qui ne se dérangent jamais, les bousculer et les enjamber et j'aperçois, dans une pièce basse, claire, nue et vaste, pleine de fumée d'huile à quinquet et de tabac, un monceau d'Arabes, debout, couchés, roulés, deux cents peut-être, ne laissant au milieu d'eux qu'un étroit et long passage sur le sol nu où glissent l'une en face de l'autre deux femmes qui dansent, la taille droite et la tête immobile. Seul le ventre s'agite, tressaille, traversé de frissons, et les jambes aussi remuent sans qu'on devine sous la robe éclatante et longue quel mouvement elles font, comment elles portent ce torse rigide et cette tête sévère avec ce glissement mystérieux, charmant, incompréhensible, scandé parfois d'un coup de talon sec qui rend encore plus étrange cette danse auguste et primitive. Les tambourins et la rhaïka accélèrent leur vacarme formidable, crispent, tordent, déchirent, affolent les nerfs; et on comprend quel autre effet cela doit produire sur ces primitifs.

Devant les premiers Arabes vautrés à terre, une ligne d'autres danseuses est accroupie. Elles attendent leur tour pour se montrer. Deux d'entre elles tout à l'heure se lèveront, le corps sonnant sous les parures d'or et d'argent dont l'amour des hommes les a couvertes et, un mouchoir de soie bleue ou rouge tenu par les bouts entre leurs mains et balancé devant leur visage impassible, elles allumeront, en dansant aussi, les désirs dans les cœurs, afin d'amasser une dot pour l'époux.

* * *

Ce que je vis à Tunis m'a plus surpris encore, bien que je fusse préparé par plusieurs mois passés, à deux reprises différentes, dans l'intérieur des pays arabes, à tout ce qu'ils peuvent nous révéler de singulier. A Tunis, nous ne pouvons pénétrer ni dans les mœurs, ni dans les maisons des indigènes. Ils vivent à côté de nous, soumis, semble-t-il, à des lois européennes, ou plutôt à la police qui gouverne la voie publique, mais libres, en leurs demeures, de tout faire puisque nous n'y entrons point. Un prélat, que ses immenses propriétés et de grosses sommes gagnées, dit-on, par ses participations heureuses aux affaires de la jeune colonie, ont fait surnommer, là-bas, Monseigneur Mercanti, prêche une croisade contre les nègres esclaves chassés comme du gibier en des contrées lointaines; pourquoi ne s'occupe-t-il pas plutôt de l'esclavage à Tunis, où on achète l'ouvrier au moyen d'un subterfuge très simple, où tout musulman peut acheter une femme, deux femmes, autant de femmes qu'il veut, pour les enfermer dans une oubliette conjugale où elles disparaissent, où il en fait ce qu'il lui plaît, où la seule loi qui veille véritablement sur elles est le grand principe d'économie domestique auquel obéissent secrètement tous les propriétaires de chair humaine ou d'autre chose.

Donc, un soir, un fonctionnaire français, fort gracieux et armé d'un pouvoir redoutable pour les Arabes, m'offrit de voir ensemble tout ce qu'on peut voir à Tunis la nuit.

Nous dûmes être accompagnés par un agent de la police beylicale sans quoi, aucune porte, même celle des plus vils bouges indigènes, ne se serait ouverte devant nous.

La ville arabe d'Alger est pleine d'agitation nocturne. Dès que le soir vient, Tunis est mort. Les petites rues étroites, tortueuses, inégales, semblent des couloirs d'une cité abandonnée, dont on a oublié d'éteindre le gaz, par places.

Nous voici partis très loin, dans ce labyrinthe de murs blancs; et on nous fit entrer chez des juives qui dansaient la « danse du ventre ». Cette danse est laide, disgracieuse, curieuse seulement pour les amateurs par la maestria de l'artiste. Trois sœurs, trois filles très parées faisaient leurs contorsions impures, sous l'œil bienveillant de leur mère, une énorme petite boule de graisse vivante coiffée d'un cornet de papier doré, et mendiant pour les frais généraux de la maison, après chaque crise de trépidation des ventres de ses enfants. Autour du salon, trois portes entrebâillées montraient les couches basses de trois chambres. J'ouvris une quatrième porte et je vis, dans un lit, une femme couchée qui me parut belle. On se précipita sur moi, mère, danseuses, deux domestiques nègres et un homme inaperçu qui regardait, derrière un rideau, s'agiter pour nous le flanc de ses sœurs. J'allais entrer dans la chambre de sa femme légitime qui était enceinte, de la belle-fille, de la belle-sœur des drôlesses qui tentaient, mais en vain, de nous mêler, ne fût-ce qu'un soir, à la famille. Pour me faire pardonner cette défense d'entrer, on m'amena le premier enfant de cette dame, une petite fille de trois ou quatre ans, qui esquissait déjà la « danse du ventre ».

Je m'en allai fort dégoûté.

Avec des précautions infinies, on me fit pénétrer ensuite dans le logis de grandes courtisanes arabes. Il fallut veiller au bout des rues, parlementer, menacer, car si les indigènes savaient que le Roumi est entré chez elles, elles seraient abandonnées, honnies, ruinées. Je vis là de grosses filles brunes, médiocrement belles, en des taudis pleins d'armoires à glace.

Nous songions à regagner l'hôtel quand l'agent de police indigène nous proposa de nous conduire tout simplement dans un bouge, dans un lieu d'amour dont il ferait ouvrir la porte d'autorité.

Nous voici le suivant à tâtons en des ruelles noires inoubliables, allumant des allumettes pour ne pas tomber, trébuchant tout de même en des trous, heurtant les maisons de la main et de l'épaule et entendant parfois des voix, des bruits de musique, des rumeurs de fête sauvage sortir des murs, étouffés, comme lointains, effrayants d'assourdissement et de mystère. Nous sommes en plein dans le quartier de la débauche.

Devant une porte on s'arrête ; nous nous dissimulons à droite et à gauche tandis que l'agent frappe à coups de poing en criant une phrase arabe, un ordre.

Une voix, faible, une voix de vieille répond derrière la planche ; et nous percevons maintenant des sons d'instruments et des chants criards de femmes arabes dans les profondeurs de ce repaire.

On ne veut pas ouvrir. L'agent se fâche, et de sa gorge sortent des paroles précipitées, rauques et violentes. A la fin, la porte s'entrebâille, l'homme la pousse et entre comme en une ville conquise, et d'un beau geste vainqueur, semble nous dire : « Suivez-moi ».

Nous le suivons, en descendant trois marches qui nous mènent en une pièce basse, où dorment, le long des murs, sur des tapis, quatre enfants arabes, les petits de la maison. Une vieille, une de ces vieilles indigènes qui sont des paquets de loques jaunes nouées autour de quelque chose qui remue, et d'où sort une tête invraisemblable et tatouée de sorcière, essaye encore de nous empêcher d'avancer. Mais la porte est refermée, nous entrons dans une première salle où quelques hommes sont debout, qui n'ont pu pénétrer dans la seconde dont ils obstruent l'ouverture en écoutant d'un air recueilli l'étrange et aigre musique qu'on fait là-dedans. L'agent pénètre le premier, fait écarter les habitués et nous atteignons une chambre étroite, allongée, où des tas d'Arabes sont accroupis sur des planches, le long des deux murs blancs, jusqu'au fond. Là, sur un grand lit français qui tient toute la largeur de la pièce, une pyramide d'autres Arabes s'étage, invraisemblablement empilés et mêlés, un amas de burnous d'où émergent cinq têtes à turban.

Devant eux, au pied du lit, sur une banquette nous faisant face, derrière un guéridon d'acajou chargé de verres, de bouteilles de bière, de tasses à café et de petites cuillers d'étain, quatre femmes assises chantent une interminable et traînante mélodie du Sud, que quelques musiciens juifs accompagnent sur des instruments.

Elles sont parées comme pour une féerie, comme les princesses des Mille et Une Nuits, et une d'elles, âgée de quinze ans environ, est d'une beauté si surprenante, si parfaite, si rare, qu'elle illumine ce lieu bizarre, en fait quelque chose d'imprévu, de symbolique et d'inoubliable.

Les cheveux sont retenus par une écharpe d'or qui coupe le front d'une tempe à l'autre. Sous cette barre droite et métallique s'ouvrent deux yeux énormes, au regard fixe, insensible, introuvable, deux yeux longs, noirs, éloignés, que sépare un nez d'idole tombant sur une petite bouche d'enfant, qui s'ouvre pour chanter et semble seule vivre en ce visage. C'est une figure sans nuances, d'une régularité imprévue, primitive et superbe, faite de lignes si simples qu'elles semblent les formes naturelles et uniques de ce visage humain.

En toute figure rencontrée, on pourrait, semble-t-il, remplacer un trait, un détail, par quelque chose pris sur une autre personne. Dans cette tête de jeune Arabe, on ne pourrait rien changer tant ce dessin en est typique et parfait. Ce front uni, ce nez, ces joues d'un modelé imperceptible qui vient mourir à la fine pointe du menton, en encadrant, dans un ovale irréprochable de chair un peu brune, les seuls yeux, le seul nez et la seule bouche qui puissent être là, sont l'idéal d'une conception de beauté absolue dont notre regard est ravi, mais dont notre rêve seul peut ne pas se sentir entièrement satisfait. A côté d'elle, une autre fillette charmante aussi, point exceptionnelle, une de ces faces blanches, douces, dont la chair a l'air d'une pâte faite avec du lait; encadrant ces deux étoiles, deux autres femmes sont assises, au type bestial, à la tête courte, aux pommettes saillantes, deux prostituées nomades, de ces êtres perdus que les tribus sèment en route, ramassent et reperdent, puis laissent un jour à la traîne de quelque troupe de spahis qui les emmène en ville.

Elles chantent en tapant sur la darbouka avec leurs mains rougies par le henné, et les musiciens juifs les accompagnent sur de petites guitares, des tambourins et des flûtes aiguës.

Tout le monde écoute, sans parler, sans jamais rire, avec une gravité auguste.

Où sommes-nous? Dans le temple de quelque religion barbare? Ou dans une maison publique?

Dans une maison publique? Oui, nous sommes dans une maison publique, et rien au monde ne m'a donné une sensation plus imprévue, plus fraîche, plus colorée que l'entrée dans cette longue pièce basse, où ces filles parées, dirait-on, pour un culte sacré, attendent le caprice d'un de ces hommes graves qui semblent murmurer le Coran jusqu'au milieu des débauches.

On m'en montre un, assis devant sa minuscule tasse de café, les yeux levés pleins de recueillement. C'est lui qui a retenu l'idole ; et presque tous les autres sont des invités. Il leur offre des rafraîchissements et de la musique, et la vue de cette belle fille jusqu'à l'heure où il les priera de rentrer chacun chez soi. Et ils s'en iront en le saluant avec des gestes majestueux. Il est beau, cet homme de goût, jeune, grand, avec une peau transparente d'Arabe des villes que rend plus claire la barbe noire, luisante, soyeuse, et un peu rare sur les joues.

La musique cesse. Nous applaudissons. On nous imite. Nous sommes assis sur des escabeaux, au milieu d'une pile d'hommes. Soudain une longue main noire me frappe sur l'épaule et une voix, une de ces voix étranges des indigènes essayant de parler français, me dit :

— Moi, pas d'ici. Français comme toi.

Je me retourne et je vois un géant, en burnous, un des Arabes les plus hauts, les plus maigres, les plus osseux que j'aie jamais rencontrés.

— D'où es-tu donc ? lui dis-je stupéfait.

— D'Algérie !

— Ah ! je parie que tu es Kabyle ?

— Oui, Moussi.

Il riait, enchanté que j'eusse deviné son origine, et me montrant son camarade :

— Lui aussi.

— Ah ! bon.

C'était pendant une sorte d'entracte.

Les femmes à qui personne ne parlait ne remuaient pas plus que des statues, et je me mis à causer avec mes deux voisins d'Algérie, grâce au secours de l'agent de police indigène.

J'appris qu'ils étaient bergers, propriétaires aux environs de Bougie, et qu'ils portaient dans les replis de leurs burnous des flûtes de leur pays dont ils jouaient le soir, pour se distraire. Ils avaient envie sans doute qu'on admirât leur talent et ils me montrèrent deux minces roseaux percés de trous, deux vrais roseaux coupés par eux au bord d'une rivière!

Je priai qu'on les laissât jouer, et tout le monde aussitôt se tut avec une politesse parfaite.

Ah! la surprenante et délicieuse sensation qui se glissa dans mon cœur avec les premières notes si légères, si bizarres, si inconnues, si imprévues, des deux petites voix de ces deux petits tubes poussés dans l'eau. C'était fin, doux, haché, sautillant : des sons qui volaient, qui voletaient l'un après l'autre sans se rejoindre, sans se trouver, sans s'unir jamais; un chant qui s'évanouissait toujours, qui recommençait toujours, qui passait, qui flottait autour de nous, comme un souffle de l'âme des feuilles, de l'âme des bois, de l'âme des ruisseaux, de l'âme du vent, entré avec ces deux grands bergers des montagnes kabyles, dans cette maison publique d'un faubourg de Tunis.

(*L'Echo de Paris*, 15 juin 1889.)

L'ÉVOLUTION DU ROMAN
AU XIXᵉ SIÈCLE

Ce qu'on appelle aujourd'hui le roman de mœurs est d'invention assez moderne. Je ne le ferai pas remonter à *Daphnis et Chloé,* cette églogue poétique, sur laquelle s'extasient les esprits doctes et tendres qu'exalte l'Antiquité, ni à l'*Ane*, conte grivois, que refit en le développant, Apulée, ce décadent classique.

Je ne m'occuperai pas non plus, dans cette très courte étude sur l'évolution du roman moderne depuis le commencement de ce siècle, de ce qu'on appelle le roman d'aventures, lequel nous vient du Moyen Age, et, né des récits de chevalerie, continué par Mˡˡᵉ de Scudéry, et plus tard modifié par Frédéric Soulié et Eugène Sue, semble avoir eu son apothéose dans ce conteur de génie que fut Alexandre Dumas père.

Quelques hommes encore aujourd'hui s'acharnent à égrener des histoires aussi invraisemblables qu'interminables, durant cinq ou six cents pages, mais ils ne sont lus par aucun de ceux que passionne ou même qu'intéresse l'art littéraire.

A côté de cette école des amuseurs, qui ne s'impose que rarement à l'estime des lettrés et qui a dû son triomphe aux facultés exceptionnelles, à l'inépuisable imagination et la verve intarissable de ce volcan en éruption de livres, qui se nommait Dumas, se déroula dans notre pays une chaîne de romanciers philosophes dont les trois ancêtres principaux, bien différents de nature, sont : Lesage, J.-J. Rousseau et l'abbé Prévost.

De Lesage descend la lignée des fantaisistes spirituels qui, regardant le monde de leur fenêtre, un lorgnon sur l'œil, une feuille de papier devant eux, psychologues souriants, plus ironiques qu'émus, nous ont montré, avec de jolis dehors d'observation et des élégances de styles, de fringantes marionnettes.

Les hommes de cette école, artistes aristocrates, ont surtout la préoccupation de nous rendre visibles leur art et leur talent, leur ironie, leur délicatesse, leur sensibilité. Ils les dépensent à profusion, autour de personnages fictifs, manifestement imaginés, des automates qu'ils animent.

De J.-J. Rousseau descend la grande famille des écrivains romanciers-philosophes, qui ont mis l'art d'écrire, tel qu'on le comprenait autrefois, au service d'idées générales. Ils prennent une thèse et la mettent en action. Leur drame n'est pas tiré de la vie, mais conçu, combiné et développé en vue de démontrer le vrai ou le faux d'un système.

Chateaubriand, incomparable virtuose, chanteur de rythmes écrits, pour qui la phrase exprime la pensée autant par la sonorité que par la valeur des mots, fut le grand continuateur du philosophe de Genève ; et Mme Sand a tout l'air d'avoir été le dernier enfant génial de cette descendance. Comme chez Jean-Jacques, on retrouve chez elle l'unique souci de personnifier des thèses en des individus qui sont, tout le long de l'action, les avocats d'office des doctrines de l'écrivain. Rêveurs, utopistes, poètes, peu précis et peu observateurs, mais prêcheurs éloquents, artistes et séducteurs, ces romanciers n'ont plus guère aujourd'hui de représentants parmi nous.

Mais de l'abbé Prévost nous arrive la puissante race des observateurs, des psychologues, des véritalistes. C'est avec *Manon Lescaut* qu'est née l'admirable forme du roman moderne.

En ce livre, pour la première fois, l'écrivain cessant d'être uniquement un artiste, un ingénieux montreur de personnages est devenu, tout à coup, sans théories préconçues, par la force même et la nature propre de son génie, un sincère, un admirable évocateur d'êtres humains. Pour la première fois nous recevons l'impression profonde, émouvante, irrésistible de gens pareils à nous, passionnés et saisissants de vérité, qui vivent leur vie, notre vie, aiment et souffrent comme nous entre les pages d'un livre.

Manon Lescaut, cet inimitable chef-d'œuvre, cette prodigieuse analyse d'un cœur de femme, la plus fine, la plus exacte, la plus pénétrante, la plus complète, la plus révélatrice peut-être qui existe, nous dévoile si nue, si vraie, si intimement évoquée, cette âme légère, aimante, changeante, fausse et fidèle de courtisane, qu'elle nous renseigne en même temps sur toutes les autres âmes de femme, car toutes se ressemblent un peu, de près ou de loin.

Sous la Révolution et sous l'Empire, la littérature sembla morte. Elle ne peut vivre qu'aux époques de calme, qui sont des époques de pensée. Pendant les périodes de violence et de brutalité, de politique, de guerre et d'émeute, l'art disparaît, s'évanouit complètement, car la force brutale et l'intelligence ne peuvent dominer en même temps.

La résurrection fut éclatante. Une légion de poètes surgit, qui s'appelèrent A. de Lamartine, A. de Vigny, A. de Musset, Baudelaire, Victor Hugo et deux romanciers apparurent, de qui date la réelle évolution de l'aventure imaginée à l'aventure observée, ou mieux à l'aventure racontée, comme si elle appartenait à la vie.

Le premier de ces hommes, grandi pendant les secousses de l'Epopée impériale, se nomma Stendhal, et le second, le géant des lettres modernes, aussi énorme que Rabelais, ce père de la littérature française, fut Honoré de Balzac.

Stendhal gardera surtout une valeur de précurseur : c'est le primitif de la peinture de mœurs. Ce pénétrant esprit, doué d'une lucidité et d'une précision admirables, d'un sens de la vie subtil et large, a fait couler dans ses livres un flot de pensées nouvelles, mais il a si complètement ignoré l'art, ce mystère qui différencie absolument le penseur de l'écrivain, qui donne aux œuvres une puissance presque surhumaine, qui met en elles le charme inexprimable des proportions absolues et un souffle divin qui est l'âme des mots assemblés par un engendreur de phrases, il a tellement méconnu la toute-puissance du style qui est la forme inséparable de l'idée, et confondu l'emphase avec la langue artiste, qu'il demeure, malgré son génie, un romancier de second plan.

Le grand Balzac lui-même ne devint un écrivain qu'aux heures où il semble écrire avec une furie de cheval emporté. Il trouve alors, sans les chercher, comme il le fait inutilement et péniblement presque toujours, cette souplesse, cette justesse, qui centuplent la joie de lire.

Mais devant Balzac on ose à peine critiquer. Un croyant oserait-il reprocher à son dieu toutes les imperfections de l'univers? Balzac a l'énergie fécondante, débordante, immodérée, stupéfiante d'un dieu, mais avec les hâtes, les violences, les imprudences, les conceptions incomplètes, les disproportions d'un créateur qui n'a pas le temps de s'arrêter pour chercher la perfection.

On ne peut dire de lui qu'il fut un observateur, ni qu'il évoqua exactement le spectacle de la vie, comme le firent après lui certains romanciers, mais il fut doué d'une si géniale intuition et il créa une humanité tout entière si vraisemblable, que tout le monde y crut et qu'elle devint vraie. Son admirable fiction modifia le monde, envahit la société, s'imposa et passa du rêve dans la réalité. Alors, les personnages de Balzac, qui n'existaient pas avant lui, parurent sortir de ses livres pour entrer dans la vie, tant il avait donné complète l'illusion des êtres, des passions et des événements.

Cependant, il ne codifia point sa manière de créer comme il est d'usage de le faire aujourd'hui. Il produisit simplement avec une surprenante abondance et une infinie variété.

Derrière lui, une école se forma bientôt, qui, s'autorisant de ce que Balzac écrivait mal, n'écrivit plus du tout, et érigea en règle la copie précise de la vie. M. Champfleury fut un des plus remarquables chefs de ces réalistes, dont un des meilleurs, Duranty, a laissé un fort curieux roman : *Le Malheur d'Henriette Gérard.*

Jusque-là, tous les écrivains qui avaient eu le souci de donner en leurs livres la sensation de la vérité semblent s'être peu préoccupés de ce qu'on appelait l'art d'écrire. On eût dit que, pour eux, le style était une sorte de convention dans l'exécution, inséparable de la convention dans la conception, et que la langue châtiée et artiste apportait un air emprunté, un air irréel aux personnages du roman qu'on voulait créer tout à fait pareils à ceux des rues.

C'est alors qu'un jeune homme, doué d'un tempérament lyrique, nourri des classiques, épris de l'art littéraire, du style et du rythme des phrases à n'avoir plus d'autre amour dans le cœur, et armé aussi d'un œil admirable d'observateur, de cet œil qui voit en même temps les ensembles et les détails, les formes et les couleurs, et qui sait deviner les intentions secrètes tout en jugeant la valeur plastique des gestes et des faits, apporta dans l'histoire de la littérature française un livre d'une impitoyable exactitude et d'une impeccable exécution, *Madame Bovary.*

C'est à Gustave Flaubert qu'on doit l'accouplement du style et de l'observation modernes.

Mais la poursuite de la vérité, ou plutôt de la vraisemblance amenait peu à peu la recherche passionnée de ce qu'on appelle aujourd'hui le document humain.

Les ancêtres des réalistes actuels s'efforçaient d'inventer en imitant la vie ; les fils s'efforcent de reconstituer la vie même, avec des pièces authentiques qu'ils ramassent de tous les côtés. Et ils les ramassent avec une incroyable ténacité. Ils vont partout, furetant, guettant, une hotte au dos, comme des chiffonniers. Il en résulte que leurs romans sont souvent des mosaïques de faits arrivés en des milieux différents et dont les origines, de nature diverse, enlèvent au volume où ils sont réunis le caractère de vraisemblance et l'homogénéité que les auteurs devraient poursuivre avant tout.

Les plus personnels des romanciers contemporains qui ont apporté dans la chasse et l'emploi du document l'art le plus subtil et le plus puissant sont assurément les frères de Goncourt. Doués, en outre, de natures extraordinairement nerveuses, vibrantes, pénétrantes, ils sont arrivés à montrer, comme un savant qui découvre une couleur nouvelle, une nuance de la vie presque inaperçue avant eux. Leur influence sur la génération actuelle est considérable et peut être inquiétante, car, tout disciple outrant les procédés du maître tombe dans les défauts dont le sauvèrent ses qualités magistrales.

Procédant à peu près de la même façon, M. Zola, avec une nature plus forte, plus large, plus passionnée et moins raffinée, M. Daudet avec une manière plus adroite, plus ingénieuse, délicieusement fine et moins sincère peut-être, et quelques hommes plus jeunes comme MM. Bourget, de Bonnières, etc., etc., complètent et semblent terminer le grand mouvement du roman moderne vers la vérité. Je ne cite point avec intention M. Pierre Loti, qui reste le prince des poètes fantaisistes en prose. Pour les débutants qui apparaissent aujourd'hui, au lieu de se tourner vers la vie avec une curiosité vorace, de la regarder partout autour d'eux avec avidité, d'en jouir ou d'en souffrir avec force suivant leur tempérament, ils ne regardent plus qu'en eux-mêmes, observent uniquement leur âme, leur cœur, leurs instincts, leurs qualités ou leurs défauts, et proclament que le roman définitif ne doit être qu'une autobiographie.

Mais comme le même cœur, même vu sous toutes ses faces, ne donne point des sujets sans fin, comme le spectacle de la même âme répété en dix volumes devient fatalement monotone, ils cherchent, par des excitations factices, par un entraînement étudié vers toutes les névroses, à produire en eux des âmes exceptionnellement bizarres qu'ils s'efforcent aussi d'exprimer par des mots exceptionnellement descriptifs, imagés et subtils.

Nous arrivons donc à la peinture du *moi,* du *moi* hypertrophié par l'observation intense, du *moi* en qui on inocule les virus mystérieux de toutes les maladies mentales.

Ces livres prédits, s'ils viennent comme on les annonce, ne seront-ils pas les petits-fils naturels et dégénérés de l'*Adolphe* de Benjamin Constant?

Cette tendance vers la personnalité étalée — car c'est la personnalité voilée qui fait la valeur de toute œuvre, et qu'on nomme génie ou talent — cette tendance n'est-elle pas une preuve de l'impuissance à observer, à observer la vie éparse autour de soi, comme ferait une pieuvre aux innombrables bras?

Et cette définition, derrière laquelle se barricada Zola dans la grande bataille qu'il a livrée pour ses idées, ne sera-t-elle point toujours vraie, car elle peut s'appliquer à toutes les productions de l'art littéraire et à toutes les modifications qu'apporteront les temps : un roman, c'est la nature vue à travers un tempérament.

Ce tempérament peut avoir les qualités les plus diverses, et se modifier suivant les époques, mais plus il aura de facettes, comme le prisme, plus il reflétera d'aspects de la nature, de spectacles, de choses, d'idées de toute sorte et d'êtres de toute race, plus il sera grand, intéressant et neuf.

(*Revue de l'Exposition universelle de 1889*, octobre 1889.)

DANGER PUBLIC

J'imagine que la plupart des hommes de lettres pensent à peu près de même en politique. Nous sommes, en général, des indifférents, des indifférents utiles, à l'occasion, et facilement changeants. Lorsqu'on s'est formé des idées, justes ou fausses, un peu sur toutes choses, il reste un point sur lequel on ne peut en avoir que de très fluctuantes : c'est celui-là. En somme, la profession de foi de celui qui réfléchit, qui voit les causes et les raisons, qui a appris dans l'histoire ce que sont les peuples, comment on gouverne, comment on rend grandes ou décadentes, glorieuses ou méprisées, sages ou folles, opulentes ou misérables, les enfantines et simples multitudes, ne peut guère se formuler que par de décourageantes constatations. Entre le gouvernement d'un seul, qui peut être la tyrannie d'une brute féroce, le suffrage restreint qui est un bâtard de l'injustice et du tremblement, et le suffrage universel, émanation directe de toutes les ignorances, de toutes les convoitises, de toutes les bassesses de l'animal humain sans culture, un homme éclairé ne doit avoir que de très vagues sympathies.

Mais, si ces sympathies ne peuvent s'attacher en principe à la forme du pouvoir, elles peuvent aller aux hommes qui l'exercent. Les grands tyrans ont toujours eu des cours d'hommes distingués ; les grandes républiques aussi. Je crois que la nôtre n'en aura pas.

Quand on est bien renseigné par la lecture, par la

385

réflexion et par l'observation, sur les qualités que doivent posséder ceux qui sont appelés à gouverner les masses; quand on a les notions que nous possédons aujourd'hui sur la nature, sur le caractère spécial, sur les mérites très particuliers des politiciens utiles, on les connaît, on les juge, et on les classe à leur valeur, avec une rapidité et une sûreté qui ne laissent plus guère de place à l'erreur.

Qu'il s'agisse d'un roi, d'un ministre ou d'un député, l'élite du pays le connaît aussitôt qu'elle l'a vu à l'œuvre. L'élite du pays, il est vrai, n'est qu'une infime minorité, dont le vote passe insignifiant; mais elle pense, elle parle et, ce qui peut être plus grave, elle écrit.

Indifférents à la politique, comme je l'ai dit dans le début, les artistes, les savants et, en général, tous ceux qui vivent de l'idée, regardent désormais avec des yeux calmes, un peu dédaigneux, mais sans haine, tous les agissements et les actes de nos éphémères gouvernements. Hésitant entre les vieilles théories monarchiques dont l'application fut souvent bonne à la France, et les jeunes théories républicaines, qui paraissent jusqu'ici d'une mise en pratique difficile, il est une quantité d'hommes indépendants et désintéressés qui attendaient simplement des détenteurs actuels de l'autorité des preuves d'intelligence, de puissance véritable, de hauteur de vues et de maîtrise gouvernementale, pour s'allier sans arrière-pensée à ce pis-aller brutal et répugnant du nombre électeur, primant toutes les forces sociales, dominant tous les droits innés ou acquis, valeur, activité, esprit, instruction, fortune et le reste.

*

Ces hommes indépendants et désintéressés, qui sont assez nombreux, dans toutes les classes de la société, et dont les écœurements peuvent amener, tout à coup, de grandes secousses de l'opinion publique, comme celle qui nous a si étrangement menacés, cette année même, il faut, en somme, peu de chose pour les contenter, les séduire et les attirer.

En ce moment, surtout, on est tout disposé à la tolérance. On accepte n'importe quoi, n'importe qui, pourvu que ce n'importe quoi, que ce n'importe qui ait seulement l'apparence de quelque chose ou de quelqu'un. Nous l'avons bien vu dernièrement. Nous nous contentons de peu, de très peu, nous sommes indulgents jusqu'à nous faire pitié à nous-mêmes, car nous sommes las, mais las jusqu'au degré où la lassitude va devenir de la rage.

Tout le monde ou presque tout le monde se sent disposé à accepter ce qui est, à accepter ceux qui gouvernent, tout le monde ou presque tout le monde, pour être débarrassé du harcelant souci politique, les accepterait même avec plaisir le jour où ils nous donneraient la plus légère garantie de capacité, de sécurité et enfin de probité. Nous attendons avec l'envie de crier : « Bravo ! » le premier républicain ou les premiers républicains qui nous donneront la sensation d'un gouvernement éclairé, l'espérance d'un gouvernement durable et fort, la confiance dans un gouvernement impartial et indépendant.

Mais c'est aux actes qu'on juge les hommes, et, après la grande et réjouissante panique des députés et des sénateurs qui, à force d'avoir peur, se sont rués ensemble sur un trop timide prétendant et l'ont fait fuir devant eux comme un chien épouvanté devant son troupeau, nous assistons, aujourd'hui, à une autre venette d'une autre nature, tellement misérable, tellement stupéfiante, tellement inexplicable qu'on demeure éperdu devant la bêtise ou devant la lâcheté du pouvoir.

Ce n'est plus un général ambitieux, c'est M. François Coppée, de l'Académie française, qui menace, en ce moment, la République.

M. François Coppée, le poète, oui, madame, le poète du *Passant*, du *Reliquaire*, des *Humbles* et des *Intimités*; M. François Coppée, de l'Académie française, enfin. Vous croyez peut-être qu'à l'imitation de M. Renan, devenu impudique sous les palmes et écrivant l'*Abbesse de Jouarre*, il a écrit à son tour quelque drame hardi, dont Marianne a rougi sous son bonnet? Point du tout.

M. Coppée a composé simplement un acte où il s'agit d'un prêtre fusillé par la Commune et d'un communard sauvé par la sœur de ce prêtre.

La pièce, présentée au Théâtre-Français, a été reçue à l'unanimité par le comité, et allait être jouée quand le ministre s'y est opposé.

***

Voilà qui est trop fort et trop bête ou trop couard! L'homme, le citoyen quelconque, l'élu de je ne sais où qui est, aujourd'hui, ministre de l'Instruction publique veut-il par hasard nous faire croire qu'on n'a pas fusillé des prêtres et d'autres gens sous la Commune? C'est comme si on voulait nous insinuer que les Versaillais n'ont pas fusillé des communards et même aussi d'autres gens. De qui a-t-on peur? De M. Coppée? — Non. — Des spectateurs ordinaires du Théâtre-Français? Quel étonnement! — Non! — Alors, de qui? Des communards? Mais ils ne sont pas encore en masse à la Comédie-Française. Ils n'y feront pas de bruit, soyez tranquilles. De qui donc a-t-on peur? De qui? Des communards qui sont au pouvoir, peut-être?

Peur! Voilà. On a peur. On a peur de tout le monde, et tout le monde a peur sous ce régime. Croyez-vous qu'ils ont des principes, des croyances, des convictions ou des idées? Non, ils ont peur. Peur de l'électeur, peur des villes, peur des campagnes, peur des majorités, peur du papier, surtout du papier des votes, et de l'autre, celui des journaux; peur de l'opinion, cette rouleuse; peur de ce qu'ils disent, de ce qu'ils font, de ce qu'ils pensent et peur de leur ombre, c'est-à-dire de l'ombre des poltrons.

Quand un ministre craintif a tremblé au jour où M. Zola et M. Busnach allaient faire jouer *Germinal* sur un théâtre populaire, on a ri et on a protesté, mais on a compris que l'appréhension d'une bagarre pouvait faire hésiter cet illettré inquiet.

Quand le gouvernement, ému pour la réputation de l'armée, poursuit le livre de M. Descaves, nous protestons encore au nom du principe inviolable de la liberté de pensée; cependant, nous sommes sans étonnement sur les défenseurs violents du prestige militaire.

Mais quand nous apprenons que le préposé à l'instruction nationale interdit de son autorité privée, de son autorité d'incompétent parvenu, la représentation d'une pièce de M. François Coppée reçue à l'unanimité par le comité de la Comédie-Française, nous crions : « C'est trop ridicule, à la fin : guerre à ces gens-là! »

Ils prétendent, ces niais, qu'il y a péril pour la République! Péril pour la République! Un péril préparé, médité par M. Coppée, ce pétroleur — ou ce jésuite — car le danger peut venir de droite ou de gauche dans cette pièce où l'on parle en même temps de la Commune et de la religion; un péril favorisé par M. Claretie, un péril auquel ont concouru sournoisement tous les sociétaires de la Comédie!

Dieu, est-ce bête! C'est pour l'intelligence française et pour notre réputation de peuple libre et spirituel qu'il y a péril, qu'il y aura grand péril tant que nous serons entraînés à la dérive de leurs paniques par ces outres vides et flottantes des votes populaires.

A force d'être médiocres, ces hommes sont redoutables comme ces épidémies, bénignes au début, qui deviennent invincibles et chroniques; à force d'amoindrir le pays, de le rapetisser à leurs idées, d'y semer leurs procédés, ils finiront par le détruire; et si, en matière de gouvernement, l'indifférence pour la forme me paraît être un dogme de sage, pourvu que cette forme soit appliquée au mieux des intérêts matériels et intellectuels du pays, il n'en est point de même pour ceux qui détiennent le pouvoir en des mains maladroites, ignorantes ou trembleuses.

(*Le Gaulois,* 23 décembre 1889.)

LES SERVANTES

Le premier soleil printanier tombe tiède, vif et clair sur les grandes prairies normandes. La terre sue de la verdure, s'en couvre comme d'une bave verte. Les arbres s'enveloppent de feuilles, la plaine se cache sous l'herbe haute, drue, reluisante, et l'on voit entre les haies les filles de ferme aux jupes courtes tirer vers les pâturages les lourdes vaches dont les mamelles pendent ballotées entre leurs cuisses. Elles vont, la fille devant, la bête derrière, la fille traînant, la bête traînée, l'une pressée et l'autre lente, n'ayant l'une et l'autre au fond des yeux que les reflets verts des arbres et des herbes. A quoi pensent-elles? A quoi songe la pauvre fille qui gagne douze francs par mois, qui couche sur la paille d'un grenier, s'habille de quatre loques, et sans avoir jamais lavé dans l'eau froide d'une rivière ou dans l'eau chaude d'une baignoire son corps nerveux, fort comme celui d'un homme, voudrait peut-être le parer pour plaire au charretier qui laboure là-bas au bout de la plaine, derrière la maigre charrue que traînent deux chevaux roux? Dans son rêve animal et court passe la boutique ambulante du marchand de rubans, de bonnets et de fichus, qui rôde sur les routes en tentant les paysannes. Elle entend le grelot de l'âne, le jappement du chien, le cri de l'homme qui annonce ses marchandises; et l'envie veille en son pauvre cœur de brute, l'envie d'être parée, par les belles matinées des dimanches, pour passer devant les garçons, en entrant à l'église.

*
* *

Le premier soleil printanier tombe tiède, vif et clair, sur les grands arbres des Champs-Elysées.

De la place de la Concorde au rond-point, sous les marronniers en dôme, où piaillent les moineaux dans les feuilles, un peuple d'enfants joue sur le sable. Les tout-petits sont accroupis et maçonnent des buttes de leurs mains maladroites, d'autres plus grands roulent des cerceaux ou combinent des amusements en des concilia-bules sérieux qui réunissent les garçons aux jambes nues et les fillettes en jupes courtes.

Les parents et les bonnes assis sur les bancs, sous l'ombre des verdures renaissantes, rêvassent, lisent ou tricotent et regardent d'un œil distrait couler vers le bois de Boulogne le fleuve luisant des roues qui tournent. C'est un flot noir, continu, roulant, de fiacres, de landaus, de victorias, et de chapeaux clairs, et d'ombrelles, et de livrées aux boutons brillants. Les fouets défilent innom-brables, pareils aux lignes d'une armée de pêcheurs noyés qu'emporterait le courant. Mais sous les arbres les nourrices vont deux par deux, un enfant au bras, d'un pas lourd de bêtes laitières, berçant l'humanité nouvelle sur l'oreiller de chair de leurs molles et grandes mamelles. Elles parlent de temps en temps, avec l'accent de la campagne lointaine, avec des patois champêtres qui font rêver aux pesantes vaches brunes couchées dans les herbages.

Elles vont, les grosses femmes pleines de lait, en se balançant et se souvenant des prés, sans autres idées et sans autres désirs que ceux du pays délaissé, presque indifférentes aux rubans de soie rouges, bleus ou roses si larges, si longs, qui traînent dans leur dos, de leur nuque à leurs pieds, presque indifférentes au beau bonnet, léger comme une crème sur leur tête, presque indifférentes à toute cette élégance dont les mères les ont parées, les pauvres petites mères maigres et pâles qui habitent ces riches hôtels le long de la vaste avenue.

De temps en temps elles s'asseyent, ouvrent leurs robes et versent dans la bouche goulue d'un petit être assoiffé le flot blanc qui gonfle leurs poitrines; et le passant qui se promène croit sentir passer dans le vent une bizarre odeur de bêtes, d'étable humaine et de laitages fermentés.

**

Rue Notre-Dame-de-Lorette, la bobonne trotte. Elle est à tout faire et fait tout dans la maison; elle lave, cuisine, retape les lits, cire les chaussures, brosse les culottes et recoud les jupes, nettoie les enfants, jure au coup de sonnette et en sait long sur les mœurs de monsieur, car elle fait tout, la bobonne. Elle trotte sur ses savates écrasées, les pieds en des bas douteux, mais la gorge ronde bien serrée dans le corsage, accrochant l'œil des passants, du célibataire qui descend au bureau, du cocher qui lance une blague, du conducteur d'omnibus suivant à pied la boîte jaune pleine de voyageurs et qui fait le salut militaire, à la française, en voyant passer la bobonne. L'épicier l'appelle « mademoiselle », le boucher galant « mam'zelle », la laitière ajoute son petit nom, la fruitière lui dit « ma fille », et la marchande des quatre saisons, plus familière, « ma p'tite ».

Étourdie du matin au soir, par tous les ordres qu'elle reçoit, par toutes les choses qu'elle doit faire, la tête à l'envers, la main affolée, galopant sans cesse, elle semble vivre dans un coup de vent qui l'a tout à fait écervelée.

A quoi pense-t-elle? — Quatre sous de lait... six sous de fromage... deux sous de persil... dix sous d'huile... il me manque trois sous! Il me manque trois sous! qu'est-ce que j'ai bien pu acheter?... Vraiment monsieur n'est pas propre... Si l'épicier m'embrasse encore, moi, je le dirai à sa femme. Je ne veux pas d'histoires dans le quartier... Il est très bien, le cocher de M. Dubuisson... Il me manque trois sous tout d'même. Malheur! je s'rai donc jamais tranquille? Qu'est-ce qu'on m'a dit de faire pour le dîner? Une soupe aux choux ou bien une soupe à l'oseille? V'là que je sais plus, Madame va m'attraper. C'est pas une vie, c't' existence-là... J' vas compter cinq sous de lait, huit de fromage, trois de persil et douze pour l'huile, ça me fera trois sous de bénéfice en plus des trois que j'aurai rattrapés.

— Bonjour, madame Dubuisson.

— Bonjour, mon enfant.

M\ :sup:me Dubuisson est tout simplement la cuisinière de M. Dubuisson, femme légitime de ce cocher qui est très bien. Plus tard la bobonne aspire à devenir à son tour une madame Dubuisson, à porter, majestueuse, un grand panier plein de bonnes choses qui coûtent très cher, en promenant par les rues un gros ventre qui semble lourd.

Le pourra-t-elle? Il faut de la tête, de la sagesse, de la conduite, de la malice, de l'ordre, et bien savoir son métier de cuisinière pour arriver là.

Elles se connaissent et se saluent comme des princesses ces maréchales du fourneau.

On devine, on suppose, on commente ce qu'elles gagnent, les gages et la gratte. Elles parlent haut, traitent les fournisseurs avec autorité, encombrent les trottoirs devant les boutiques, larges et lourdes, forçant la foule alerte à des circuits pour les contourner. Aussi lentes, sûres, circonspectes, que la bobonne est pressée et indifférente aux achats, elles flairent le poisson, soupèsent les fruits, suspectent la volaille, soupçonnent le gibier, et elles marchandent avec obstination, sans que leur maître y gagne un sou.

Elles ont un vice, un vice caché : la bouteille ou l'amour. — Quelquefois le petit épicier rougit quand elles entrent, ou bien le marchand de vin glisse dans leur panier un litre de rhum qui ne figure point sur les notes.

Mais on les respecte, on les considère, car elles sont des puissances. On se les dispute, on se les arrache, on les sert avant tout le monde, et elles ont dans l'œil et dans la voix un dédain de souveraines en répondant au bonjour des humbles bobonnes, ces souillons, ce déchet des gens de maison.

(Dans le recueil collectif *Les Types de Paris*.
Edition du Figaro, Plon, 1889.)

UN EMPEREUR

Ceux qui vivent avec des yeux ouverts, ceux pour qui le monde est un spectacle dont les accidents et les émotions n'atteignent que leur sensibilité spéciale de voyeurs, promènent dans l'existence une sorte de tourment de connaître, de regarder et de sentir qui s'attache souvent au passé avec autant de force qu'au temps présent.

Beaucoup même ne sont pas frappés par l'acuité vibrante de la vie contemporaine comme ils sont émus par certaines apparitions de l'Histoire, d'où découlent pour eux des idées générales, des rêves d'artistes ou philosophiques.

L'Aujourd'hui est trop près, trop connu, trop deviné, pas assez imprévu pour nous donner la bizarre sensation d'étrangeté et de grandeur qu'on rencontre par moments dans l'évocation de l'Autrefois.

J'avais emporté dans la cabine de mon bateau une douzaine de volumes à lire en rôdant le long des côtes, tous ceux sur lesquels on n'a pas eu le temps de jeter les yeux pendant l'agitation de l'hiver. Comment lire à Paris, et comment bien lire au milieu de tout ce qu'on fait, de tout ce qu'on voit, de tout ce qu'on subit, de tout ce qu'on supporte, de tout ce qu'on écoute, de tout ce qui nous occupe, nous fatigue, nous mange et nous abrutit?

Je parcourus d'abord trois romans et il me sembla que je les connaissais depuis quinze ou vingt ans. Un peu de science me consola, car la science actuelle, depuis les grands novateurs modernes, a cela de particulier qu'elle est la prodigieuse évocatrice d'un monde nouveau. Elle change notre atmosphère, nos croyances, nos mœurs, notre histoire, la nature même de nos esprits; elle modifie la race humaine. Un romancier ne devrait lire que de la science, car, s'il sait comprendre, il apercevra par elle comment on sera, comment on pensera, comment on sentira dans cent ans. Les études et les découvertes d'Herbert Spencer, de M. Pasteur et quelques autres préparent à toutes les observations mieux que la lecture des plus grands poètes, car elles jettent nos esprits vers des hypothèses d'une réalité précise et inattendue qui seront demain des croyances, remplacées plus tard par d'autres.

Puis je regardai deux ou trois volumes de recherches historiques que j'avais emportés, et mon attention tomba sur ce titre :

*Un Empereur byzantin au X*ᵉ *siècle : Nicéphore Phocas.*

Byzance! S'il est dans l'histoire un nom de ville évocateur de visions féeriques et mystérieuses, c'est celui-là! Et de la Byzance du Xᵉ siècle, on ne sait rien ou presque rien.

Cité inconnue et magnifique, immense capitale d'un immense empire, sans cesse en guerre avec le musulman ou avec le chrétien du Nord, bien souvent victorieuse, pleine du bruit des triomphes, de fêtes inimaginables, d'un luxe fantastique, d'un déploiement de pompes dont les énumérations savantes font passer dans nos yeux d'invraisemblables images, raffinée, corrompue, barbare et dévote, elle semble dans le mystère qui l'entoure une ville étrange, où tous les instincts humains, toutes les grandeurs et toutes les ignominies, toutes les vertus et tous les vices fermentaient à la frontière de deux continents, à l'entrecroisement de deux civilisations, entre deux époques du monde, au milieu de la lutte furieuse du Croissant et de la Croix.

Il est vraiment surprenant qu'on puisse avec d'indéchiffrables écritures trouvées sur des pierres, sur des parchemins, sur des médailles, reconstituer la physionomie d'une époque comme l'a fait M. Gustave Schlumberger en nous racontant Nicéphore Phocas.

Ce livre extrêmement érudit est pourtant amusant pour tout le monde, pour quiconque sait voir et rêver en lisant, à la façon d'un conte des Mille et Une Nuits.

La guerre était alors le grand souci, la grande passion, le grand amusement, le grand passe-temps des hommes. Ce n'était pas notre guerre brutale et légale, mais une guerre artiste, colorée, pilleuse, massacreuse, monstrueusement mouvementée et belle. La nôtre disparaît dans le bruit et dans les fumées du canon. Celle d'alors éclate aux lueurs du feu grégeois, du « feu liquide » que les navires byzantins lançaient sur l'ennemi. L'auteur décrit d'une façon saisissante les effets et les ravages de cette matière explosive qui affolait les Sarrasins et dont le secret ne fut jamais connu. « Mystérieuse découverte apportée, dit-on, au VIIe siècle à Byzance par le Syrien Callinicus, mise au rang des plus précieux secrets d'Etat et demeurée la terreur des barbares aux corps nus d'Orient et d'Occident. »

A l'époque où commence le récit de M. Schlumberger, Byzance avait surtout à redouter les incursions et les pillages des Sarrasins de Crète.

« Chaque printemps, comme une monstrueuse machine de guerre, Crète vomissait ses flottes aux innombrables et légers bâtiments à voiles noires, d'une merveilleuse vitesse, qui s'en allaient partout, brûlant les cités, razziant les populations terrifiées, disparaissant avec les dépouilles et le peuple de toute une ville avant que les troupes impériales toujours surmenées eussent pu accourir. »

Le récit des massacres, des supplices infligés aux prisonniers, des inventions féroces des pirates vainqueurs est horrible, bizarre et curieux.

Byzance alors envoie contre Crète le plus célèbre et le plus heureux de ses soldats, Nicéphore Phocas dont le frère, Léon Phocas, est aussi un presque invincible général.

Je cueille deux détails dans la conquête de cette île pour

montrer combien décorative était la guerre d'alors.

La flotte envahisseuse comptait trois mille trois cents navires de toutes dimensions, dont la proue portait des tours et des monstres de bronze qui lançaient le feu grégeois.

Quand cette multitude de bâtiments, après beaucoup de peine pour trouver la route, car aucun pilote grec ne se hasardait depuis longtemps dans ces terribles parages, apparut devant l'île de Crète, « l'ensemble des hauteurs dominant la plage était occupé par des masses sarrasines, piétons et cavaliers, dont les hurlements s'entendaient distinctement et dont les blancs vêtements et les armes polies étincelaient au soleil. » Le débarquement semblait impossible devant cette formidable armée, aucun port n'existant sur cette plage. Alors on vit les plus gros dromons byzantins poussés à terre à force de rames; et quand ils échouèrent sur le sable, l'avant s'ouvrit; des ponts inclinés tombèrent sur le rivage et, du ventre de ces monstres flottants, les cuirassiers à cheval s'élancèrent au galop, bondirent sur la plage et chargèrent les musulmans épouvantés de ce spectacle extraordinaire.

Combien semble mesquine à côté de cela l'invention du cheval de Troie, qu'Homère fit éternelle et si grande par ses vers!

Le siège dura longtemps, et la ville semblait imprenable, défendue par d'énormes fossés, de hautes et puissantes murailles que rien ne pouvait ébranler ou disjoindre. Après des mois d'une lutte acharnée et de combats épouvantables, Nicéphore Phocas réussit à faire une brèche au moyen d'un procédé ingénieux souvent employé par les ingénieurs d'alors. Des mineurs, avec une patience et un art admirables, sapèrent un coin du rempart, en le soutenant en même temps avec d'énormes charpentes, des solives et des arcs-boutants en bois très sec. Puis toute cette boiserie souterraine fut enduite de matières grasses, d'huiles et d'essences. On y mit ensuite le feu, et en quelques instants elle fut consumée. Alors tout un pan de mur et deux tours s'écroulèrent en comblant le fossé.

La ville fut prise, pillée, et le massacre alla de quartier en quartier, de maison en maison, ne laissant derrière lui que des cadavres d'hommes suppliciés, de femmes violées et d'enfants.

**

Après de nombreux triomphes, Nicéphore devint empereur, et M. Schlumberger nous fait de cet étrange soldat un surprenant portrait. D'une vigueur et d'une force extraordinaires, mais laid, lourd, presque difforme, soldat avant tout, brutal, dur pour lui-même, capable de toutes les fatigues, de toutes les audaces, il était de caractère taciturne, renfermé, plutôt sombre, mais très passionné. Malgré son énergie physique qui faisait de lui un véritable hercule, un des traits le plus dominant de sa nature fut l'austérité de sa vie et la chasteté de ses mœurs. Il avait fait vœu de ne plus connaître aucune femme depuis la mort de la sienne et il avait pour grand ami saint Athanase dont il fit la connaissance en des circonstances très curieuses, et dont il demeura toujours l'admirateur et le disciple fervent et fanatique.

Mais voici le roman, l'éternel roman. C'est l'inévitable dompteuse des victorieux, la Reine des pays puissants, la femme qui apparaît, et d'un sourire bouleverse l'histoire, asservit les invincibles et déchaîne les catastrophes.

Romain, le précédent empereur avait laissé deux enfants et une veuve, la belle Théophano, fille, croit-on, d'un cabaretier de Laconie. Délicieusement jolie et séduisante, perverse et dépravée, elle avait conquis le cœur et la couche du souverain par sa grâce et sa séduction, sans qu'on sache bien en quelles circonstances ni par quelles adresses elle y parvint.

Elle agit et réussit de même avec l'austère soldat qui succédait au voluptueux Romain. Nicéphore aussitôt maître de Byzance et de cet immense empire fit sortir Théophano du palais sacré et la relégua au château de Pétrim, où elle fut consignée.

Mais il l'aimait déjà sans doute et « un mois et quatre

jours après son entrée triomphale dans la ville gardée de Dieu, Nicéphore, qui jusque-là avait vécu au palais comme un cénobite dans un pieux et solitaire recueillement, jugeant sa situation suffisamment affermie, incapable peut-être de maîtriser davantage la violence de son amour, jeta brusquement le masque, fixant au 20 septembre son mariage avec Théophano. Ce dut être pour le rude soldat un grand jour, le plus beau de son existence déjà si remplie. Du même coup, il obtenait l'empire d'une moitié du monde et la main de sa souveraine ».

Et voilà où apparaît toute l'attraction de ce livre inédit, c'est l'histoire d'un triomphateur à moitié barbare, d'une sorte de brute géniale, sainte et dépravée. On y trouve, on y comprend toutes les joies de ces grands vainqueurs à qui rien sur la terre ne fut refusé au milieu d'une civilisation brutale et raffinée, magnifique et corrompue.

Tout ce qui suivit ce mariage est d'un intérêt extrême, et la lutte imprévue du patriarche Polyeucte, interdisant à l'Empereur tout-puissant de franchir la très sainte porte médiane de l'Iconostase parce qu'il avait commis un crime canonique en contractant de secondes noces, est pleine de révélations particulièrement curieuses sur les doctrines religieuses d'alors. Ce Polyeucte apparaît comme un vrai prélat du Moyen Age, intraitable et brave, ne craignant rien et armé d'une piété et d'une foi de casuiste inexprimablement surprenantes. Il est enfin vaincu parce que tous les évêques de l'empire sont venus à Byzance pour le couronnement et pour demander des grâces.

D'innombrables détails sont amusants et curieux, en particulier tout ce qui concerne la si bizarre ambassade de l'évêque de Crémone Luitprand, envoyé près de Nicéphore par Othon Ier dit le Grand, empereur d'Allemagne. Puis la fin du volume est saisissante. On dirait un dénouement de Dumas père. L'impératrice, maltraitée et exaspérée par Nicéphore, conspire contre lui avec son amant Jean Tzimiscès, le plus brillant capitaine de l'armée byzantine, mis en disgrâce par le souverain. Et c'est un sombre assassinat de drame, un palais envahi la nuit, escaladé dans une tempête par les conjurés, cachés ensuite dans le gynécée impérial. Quand l'heure du meurtre est arrivée, ils ne trouvent pas l'Empereur dans son lit. Ils se croient dénoncés, perdus. On le découvre enfin. Inquiet, prévenu sans cesse des dangers qui le menacent, de plus en plus détaché d'un monde d'imposture et d'abjection, le rude maître de Byzance, après avoir longtemps prié, s'était couché sur une peau de tigre étendue au-dessous des images du Christ, de la Théotokos et du Précurseur, enveloppé simplement dans le vieux manteau du saint moine Michel Maleinos.

Pour la première fois de sa vie, il dormait sans avoir ses armes à ses côtés.

Le récit du crime est terrible. L'ayant découvert, les conjures se jettent ensemble sur lui et le frappent à grands coups de pied. Il se soulève, veut se défendre. Léon Balantès lui ouvre la tête qu'il avait nue, car son bonnet était tombé. L'arme trancha la face, coupant profondément le front, le sourcil et la paupière sans cependant fendre le crâne. Jean Tzimiscès regarde assis sur le lit, et injurie furieusement le souverain lié avec des cordes, qui roule sur le sol, ne pouvant plus rester debout. Le Basileus ne répond pas. Il appelle Dieu et la Théotokos à son aide. Tous, en l'insultant, lui arrachent la barbe et lui fracassent la mâchoire. On lui brise les dents à coups de pommeau d'épée. Et après l'avoir lardé de la tête aux talons, comme le palais s'éveille, un conjuré le transperce enfin de part en part.

C'est ainsi que mourut cet homme étrange et grand ; et c'est là que finit le livre si curieux, attrayant comme un conte d'Orient, qui nous révèle une Byzance inconnue.

(*Le Figaro*, 2 juillet 1890.)

401

GUSTAVE FLAUBERT

J'ai publié déjà tout ce que je voulais dire de Gustave Flaubert comme écrivain. Je parlerai un peu de l'homme, mais comme il n'aimait les révélations d'aucune nature, je n'en ferai point sur lui d'indiscrètes. Je veux seulement, à l'heure où ses amis offrent à Rouen, qui fut sa patrie, l'œuvre remarquable de M. Chapu, montrer quelques côtés caractéristiques de sa nature. J'ai connu Flaubert très tard, bien que sa mère et ma grand-mère eussent été des amies d'enfance. Mais les circonstances éloignent les amis et séparent les familles. Je l'ai donc vu deux ou trois fois seulement pendant ma première jeunesse.

C'est après la guerre, quand je vins à Paris, devenu homme, que j'allai lui faire une visite, définitive dans nos relations, et dont le souvenir est resté en moi inoubliable.

Il a dit et il a écrit lui-même que son amour immodéré des lettres lui a été en partie insufflé, au commencement de sa vie, par son plus intime et plus cher ami, mort tout jeune, mon oncle, Alfred Le Poittevin, qui fut son premier guide dans cette route artiste, et pour ainsi dire le révélateur du mystère enivrant des Lettres. Je trouve dans sa correspondance avec moi, cette phrase :

« Ah! Le Poittevin, quelles envolées dans le rêve il m'a fait faire! J'ai connu tous les hommes remarquables de ce temps, ils m'ont semblé petits auprès de lui. »

Il avait gardé le culte, la religion de cette amitié.

Quand il me reçut il me dit, en m'examinant avec

attention : « Tiens, comme vous ressemblez à mon pauvre Alfred. » Puis il reprit : « Au fait, ce n'est pas étonnant puisqu'il était le frère de votre mère ».

Il me fit asseoir et m'interrogea. Ma voix aussi, paraît-il, avait des intonations toutes semblables à celles de la voix de mon oncle ; et tout à coup je vis les yeux de Flaubert pleins de larmes. Il se dressa, enveloppé des pieds à la tête dans cette grande robe brune à larges manches qui ressemblait à un froc de moine, et levant ses bras, il me dit d'une voix vibrante de l'émotion du passé :

« Embrassez-moi, mon garçon, ça me remue le cœur de vous voir. J'ai cru tout à l'heure que j'entendais parler Alfred. »

Et ce fut là certainement la cause vraie, profonde, de sa grande amitié pour moi.

Certes je lui ai rapporté toute sa jeunesse disparue, car élevé dans une famille qui fut presque la sienne, je lui rappelais toute une manière de penser, de sentir, même d'exprimer, des tics de langage dont quinze ans de sa vie première avaient été bercés.

J'étais pour lui une sorte d'apparition de l'Autrefois.

Il m'attira, m'aima. Ce fut parmi les êtres rencontrés un peu tard dans l'existence le seul dont je sentis l'affection profonde, dont l'attachement devint pour moi une sorte de tutelle intellectuelle, et qui eut sans cesse le souci de m'être bon, utile, de me donner tout ce qu'il me pouvait donner de son expérience, de son savoir, de ses trente-cinq ans de labeurs, d'études, et d'ivresse artiste.

Je le répète : ayant parlé ailleurs de l'écrivain, je n'en veux plus rien dire. Il faut lire ces hommes-là, et ne pas bavarder sur eux.

Je signalerai seulement deux traits de sa nature intime : une vivacité naïve d'impressions et d'émotions que la vie n'émoussa jamais ; et une fidélité d'amour pour les siens, de dévouement pour ses amis, dont je n'ai jamais vu d'autre exemple.

Comme il avait l'horreur du bourgeois (et il le définissait ainsi : quiconque pense bassement) il passa parmi la plupart de ses contemporains pour une espèce de misanthrope féroce qui eût volontiers mangé du rentier à ses trois repas.

C'était au contraire un homme doux, mais de parole violente, et très tendre, bien que son cœur, je crois, n'eût jamais été ému profondément par une femme. On a beaucoup parlé, beaucoup écrit sur sa correspondance publiée depuis sa mort, et les lecteurs des dernières lettres parues l'ont cru atteint d'une grande passion parce qu'elles sont pleines de littérature amoureuse. Il aima comme beaucoup de poètes, en se trompant sur celle qu'il aimait. Musset n'en fit-il pas autant; celui-là au moins, fuyait avec Elle en Italie ou dans les Iles Espagnoles, ajoutant à sa passion insuffisante le décor du voyage, et le légendaire attrait de la solitude au loin. Flaubert préféra aimer tout seul, loin d'elle, et lui écrire, entouré de ses livres, entre deux pages de prose.

Comme elle lui reprochait vivement, dans chacune de ses réponses, de ne venir jamais la voir, et de se passer de sa présence avec une obstination humiliante, il lui donna un rendez-vous à Nantes, et le lui annonça ainsi avec la satisfaction triomphante d'un utile devoir accompli : « Songe donc que nous passerons ensemble tout un grand après-midi, la semaine prochaine ».

Ne semble-t-il pas que si on aime une femme d'un sentiment vrai, on doit désirer éperdument passer près d'elle tous les instants de sa vie?

Gustave Flaubert fut dominé durant son existence entière par une passion unique et deux amours : cette passion fut celle de la Prose française; un des amours pour sa mère, l'autre pour les livres.

Son être entier, depuis le jour où il pensa en homme jusqu'à celui où je le vis étendu, le cou gonflé, tué par l'effort effroyable de son cerveau, fut la proie de la Littérature, ou, pour être plus exact, de la Prose. Ses nuits étaient hantées par des rythmes de phrases. Pendant ses longues veilles dans son cabinet de Croisset où sa lampe allumée jusqu'au matin servait de signal aux pêcheurs de la Seine, il déclamait des périodes des maîtres qu'il aimait ; et les mots sonores, en passant par ses lèvres, sous ses grosses moustaches, semblaient y recevoir des baisers. Ils y prenaient des intonations tendres ou véhémentes, pleines des caresses et des exaltations de son âme. Rien, assurément, ne le remuait autant que de réciter aux quelques amis préférés de longs passages de Rabelais, de Saint-Simon, de Chateaubriand ou des vers de Victor Hugo qui sortaient de sa bouche comme des chevaux emportés.

De son admiration illimitée pour les maîtres de toutes les langues, de tous les temps et de tous les pays, naquit peut-être, en partie, son affreuse peine à écrire et l'impossibilité où il vivait d'être pleinement satisfait de l'accord mystérieux de sa forme et de sa pensée. Son idéal irréalisable lui venait d'une masse de souvenirs de choses très belles et très différentes. Il était épique, lyrique et en même temps observateur incomparable des vulgarités courantes de la vie. Et il dut, avec un effort surhumain, asservir et humilier son goût de la beauté plastique jusqu'à exprimer scrupuleusement tous les détails banals et quotidiens du monde.

Son érudition par conséquent fut peut-être aussi un peu une gêne pour sa production. Héritier de la vieille tradition des anciens lettrés qui étaient d'abord des savants, il possédait une érudition prodigieuse. Outre son immense bibliothèque de livres qu'il connaissait comme s'il venait d'achever de les lire, il conservait une bibliothèque de notes prises par lui sur tous les ouvrages imaginables consultés dans les établissements publics et partout où il avait découvert des œuvres intéressantes. Il semblait savoir par cœur cette bibliothèque de notes, citait de souvenir les pages et les paragraphes où on trouverait le renseignement cherché, inscrit par lui dix ans auparavant, car sa mémoire semblait invraisemblable. Il apportait aussi dans l'exécution de ses livres un tel scrupule d'exactitude qu'il faisait des recherches de huit jours pour justifier à ses propres yeux un petit fait, un mot seulement. Alexandre Dumas nous dit, parlant de lui en déjeunant : « Quel étonnant ouvrier, ce Flaubert, il varlopait une forêt pour faire chaque tiroir de ses meubles. »

Il eut besoin, en écrivant *Bouvard et Pécuchet*, d'une exception à une loi botanique, car, affirmait-il, il n'y a pas de règle sans exception, ce serait contraire au sens de production de la nature. Tous les botanistes de France furent interrogés et demeurèrent muets. Je fis cinquante courses pour cela. Enfin, le professeur du Muséum d'histoire naturelle découvrit la plante qu'il cherchait, et le délire de joie de Flaubert à cette nouvelle fut invraisemblable.

Il vivait donc presque toujours à Croisset, au milieu de ses livres, et près de sa mère. Ce fut un admirable fils, et plus tard un oncle admirable pour sa nièce, fille de sa sœur morte après ses couches.

Il montra dans toutes les circonstances de la vie un cœur d'enfant et des allures de croquemitaine. Il fut même un peu toujours sous la tutelle de cette mère, car la Prose française, à qui il appartenait complètement, n'est ni une femme de tête ni une directrice d'existence.

Ils passaient, tous deux, des années presque entières à Croisset, entre la Seine et la côte couverte d'arbres. Lui, enfermé dans son cabinet, regardait comme repos le pays par les fenêtres. Quand il collait à celles de la façade sa grande figure de Gaulois, il voyait monter vers Rouen les gros vapeurs noirs de charbon et les beaux trois-mâts d'Amérique ou de Norvège qui semblaient glisser dans son jardin, traînés par un petit remorqueur, mouche haletante, empanachée de fumée. Quand il regardait au contraire vers son petit parc, il apercevait à la hauteur du premier étage une longue allée de tilleuls, et tout près, ombrageant les vitres, un tulipier géant, qui était pour lui presque un ami.

Il vivait avec Mme Flaubert, comme deux vieux. Il montrait pour elle une déférence absolue, presque une obéissance de petit garçon, et un respect affectueux dont il était impossible de ne pas s'émouvoir.

Il avait horreur du mouvement, bien qu'il eût un peu voyagé autrefois et nagé avec joie. Toute son existence, tous ses plaisirs, presque toutes ses aventures furent de tête. Jeune il eut de grands succès de femmes et les dédaigna vite. Et pourtant son cœur semblait plein d'appel; et sans avoir éprouvé peut-être aucune de ces grandes émotions qui brûlent un homme, il avait des souvenirs qui grandissaient avec le temps et devenaient poignants ainsi que tout ce qu'on laisse derrière soi.

Voici ce qui m'arriva juste un an avant sa mort.

Je reçus de lui une lettre où il me priait de venir passer deux jours et une nuit à Croisset afin de n'être pas seul en accomplissant une corvée pénible.

Quand il me vit entrer il me dit :

— « Bonjour mon bonhomme, merci d'être venu. Ça ne sera pas gai. Je veux brûler toutes mes vieilles lettres non classées. Je ne veux pas qu'on les lise après ma mort; et je ne veux pas faire ça tout seul. Tu passeras la nuit sur un fauteuil, tu liras; et quand j'en aurai trop nous causerons un peu ».

Puis il m'emmena faire quelques tours dans l'allée de tilleuls qui dominait la vallée de la Seine.

Depuis trois ans, il me tutoyait, m'appelant tantôt : « Mon bonhomme » et plus souvent : « Mon disciple ».

Je me rappelle que le jour où j'allai le voir ainsi à Croisset, nous causâmes, pendant toute la promenade sous les tilleuls, de M. Renan et de M. Taine, qu'il aimait et qu'il admirait beaucoup.

Puis nous dînâmes tous les deux dans la salle à manger du rez-de-chaussée. Ce fut un bon dîner copieux et fin. Il but quelques verres de vieux vin bordelais en répétant : « Allons, il faut que je me monte le bourrichon. Je ne veux pas m'attendrir ».

Revenus ensuite dans le grand cabinet tapissé de livres, il bourra et fuma quatre ou cinq des toutes petites pipes de faïence blanche vernie qu'il aimait tant, dont sa cheminée était couverte, et dont les tuyaux brunis par le tabac me faisaient regarder par moments sur sa table, dans un plat d'Orient, ses innombrables plumes d'oie au bec noirci d'encre.

Puis il se leva : « Aide-moi », dit-il. Nous passâmes dans sa chambre, longue pièce étroite donnant sur son cabinet. Sous un rideau tiré qui cachait des planches chargées d'objets, je vis une grande malle dont nous prîmes chacun une poignée pour la porter dans l'appartement voisin.

Nous la déposâmes devant la cheminée dont le feu flambait. Il l'ouvrit. Elle était pleine de papiers. « Voilà de ma vie, dit-il. Je veux en garder une partie, et brûler l'autre. Assieds-toi, mon bonhomme, et prends un livre. Je vais me mettre à détruire ça ».

Je m'assis, j'ouvris un livre, je ne sais pas lequel. Il avait dit : « Voilà de ma vie ». Un large morceau de l'histoire intime de ce grand homme simple était dans cette grande caisse de bois. Il allait la reprendre par les derniers jours, pour la finir par les premiers, en cette nuit où j'étais seul près de lui, sentant mon cœur crispé comme le sien.

Les premières lettres qu'il trouva étaient insignifiantes, lettres de vivants, connus ou non, intelligents ou médiocres. Puis il en déplia de longues qui le tinrent songeur. « C'est de madame Sand, dit-il, écoute. » Il me lut de beaux passages de philosophie et d'art, et il répétait, ravi : « Ah! quel bon grand homme de femme ». Il en trouva d'autres, de gens célèbres, d'autres de gens consacrés dont il soulignait les sottises avec forts éclats de voix. Il en classait beaucoup pour les garder. Un coup d'œil sur les suivantes lui suffisait pour les lancer au feu d'un mouvement brusque. Elles s'enflammaient, illuminant le vaste cabinet jusque dans ses coins les plus sombres.

Les heures passaient. Il ne parlait plus et lisait toujours. Il était dans la foule de ses disparus et de longs soupirs lui gonflaient la poitrine. De temps en temps il murmurait un nom, faisait un geste de chagrin, le geste vrai et désolé qu'on ne fait pas sur les tombes.

« En voilà de maman », dit-il. Il m'en lut aussi des fragments. Je voyais dans ses yeux des larmes briller puis couler sur ses joues.

Puis il s'égara de nouveau dans le cimetière des anciennes connaissances et des anciens amis. Il lisait peu ces papiers intimes et oubliés comme s'il eût voulu en avoir fini lui-même, et il se mit à en brûler, à en brûler des tas. On eût dit qu'à son tour il tuait ces déjà morts.

Quatre heures avaient sonné ; il trouva tout à coup, au milieu des lettres, un mince paquet, noué avec un étroit ruban ; et l'ayant développé lentement il découvrit un petit soulier de bal en soie, et dedans une rose fanée roulée dans un mouchoir de femme, tout jaune en son cadre de dentelles. Cela avait l'air du souvenir d'un soir, d'un même soir. Et il baisa ces trois reliques avec des gémissements de peine. Puis il les brûla, et s'essuya les yeux.

Le jour vint sans qu'il eût fini. Les dernières lettres étaient celles reçues dans sa jeunesse, quand il n'était plus enfant, quand il n'était pas homme encore.

Puis il se leva : « C'était, dit-il, le tas de ce que je n'avais voulu ni classer ni détruire. C'est fait. Va te coucher, merci ». Je rentrai dans ma chambre, mais je ne dormis pas. Le soleil se levait éclairant la Seine. Et je pensais : « Voilà une vie, une grande vie, c'est-à-dire : beaucoup de choses inutiles qu'on brûle, l'indifférent passe-temps de chaque jour, quelques souvenirs marquant de faits sentis, d'hommes rencontrés, des tendresses intimes de famille, et une rose flétrie, un mouchoir et un soulier de femme ». Voilà tout ce qu'il a eu, tout ce qu'il a éprouvé, goûté lui-même.

Mais dans sa tête, dans cette forte tête aux yeux bleus, l'univers entier passa depuis le commencement du monde jusqu'à nos jours. Il a tout vu, cet homme, il a tout compris, il a tout senti, il a tout souffert, d'une façon exagérée, déchirante et délicieuse. Il été l'être rêveur de la Bible, le poète grec, le soldat barbare, l'artiste de la

Renaissance, le manant et le prince, le mercenaire Matho et le médecin Bovary. Il a été même aussi la petite bourgeoise coquette des temps modernes, comme il fut la fille d'Hamilcar. Il a été tout cela non pas en songe, mais en réalité, car l'écrivain qui pense comme lui devient tout ce qu'il sent, si bien que la nuit où Flaubert écrivit l'empoisonnement de madame Bovary, il fallut aller chercher un médecin, car il défaillait, empoisonné lui-même par le rêve de cette mort, avec des symptômes d'arsenic.

Heureux ceux qui ont reçu du « je-ne-sais-quoi » dont nous sommes en même temps les produits et les victimes, cette faculté de se multiplier ainsi par la puissance évocatrice et génératrice de l'Idée. Ils échappent, pendant les heures exaltées du travail, à l'obsession de la vraie vie banale, médiocre et monotone; mais, après, quand ils s'y réveillent, comment pourraient-ils se défendre du mépris et de la haine artistes dont débordait le cœur de Flaubert pour la réelle humanité.

(L'Echo de Paris, 24 novembre 1890.)

FLAUBERT ET SA MAISON

Le docteur Cloquet disait à Mme Flaubert, après avoir vu pour la première fois le jeune Gustave, grand et mince garçon de seize ans, aux cheveux bouclés tombant sur les épaules : « Votre fils, c'est l'Amour adolescent. »

Il était beau, alors, paraît-il, d'une beauté olympienne de jeune dieu grec.

Cette beauté physique dura peu. Un voyage en Orient le fatigua et l'alourdit, et il devint alors l'homme que nous avons connu, un grand, un fort, un superbe Gaulois, aux superbes moustaches, au nez puissant, aux sourcils épais abritant et couvrant un œil bleu d'oiseau de mer, taché au milieu d'une toute petite pupille noire, toujours mobile et qui regardait fixement, aiguë et troublante, agitée d'un incessant tremblement.

Puis, j'ai vu, au dernier jour, étendu sur un large divan, un grand mort au cou gonflé, à la gorge rouge, terrifiant comme un colosse foudroyé.

On a moulé cette tête puissante, et, dans le plâtre, les cils sont restés pris. Je n'oublierai jamais ce moulage pâle qui gardait, au-dessus des yeux fermés, les longs poils noirs qui couvraient jusqu'alors son regard.

Sa maison est devenue aujourd'hui une usine à pétrole.

Il n'existait pas peut-être en France une demeure plus littéraire et plus séduisante pour un écrivain.

Toute blanche, datant du XVIIᵉ siècle, séparée de la Seine par un gazon et par un chemin de halage, elle regardait la magnifique vallée normande qui va de Rouen au port du Havre.

Les grands navires, remorqués lentement vers la ville et vus des fenêtres du cabinet de travail de Flaubert, semblaient passer dans le jardin. Il les regardait, la face collée aux vitres, puis il retournait s'asseoir à sa table de travail, reprenait, dans son grand plat d'Orient, une des cent plumes d'oie qui dormaient là, et il se remettait à écrire en déclamant sa prose. Il veillait si tard chaque nuit que sa lampe servait de phare aux pêcheurs de la rivière.

Deux des fenêtres de ce cabinet, plein de livres et de souvenirs de voyage, s'ouvraient sur le jardin, dont les allées gravissaient la côte. Un immense tulipier les venait caresser. Presque jamais Flaubert ne quittait ce cabinet de travail, n'aimant pas marcher, car il répétait souvent que le mouvement n'est point philosophique.

Quelquefois, cependant, il allait se promener une demi-heure dans la longue avenue de tilleuls, à la hauteur du premier étage, allant de la maison au bout de la propriété. Pascal aussi avait marché sous ces tilleuls, car il demeura quelques jours sous ce toit.

On croit aussi que l'abbé Prévost y fit un court passage. Quand on montait jusqu'au haut du jardin, une admirable vue s'étendait sous les yeux. Le grand fleuve, semé d'îles couvertes d'arbres, descendait de Rouen vers Le Havre.

Sur la rive droite, en se tournant vers l'est, les cent clochers des églises rouennaises se dressaient dans le ciel brumeux, tandis que sur la rive gauche les innombrables cheminées d'usines de Saint-Sever, faubourg industriel, déroulaient dans le même firmament leurs crêpes onduleux de fumée noire.

Mais quand on se tournait vers l'ouest, c'était une longue vallée verte où coulait le fleuve. Sur les côtés, des forêts sombres, et, dans le fond, le grand serpent d'argent liquide qui glissait doucement vers la mer.

(*Gil Blas,* Supplément, 24 novembre 1890.)

UNE FÊTE ARABE

La Route

Le *Duc de Bragance,* un des transatlantiques du dernier
type à grande vitesse qui font le service entre Marseille et
Alger, glissait sur une mer sans rides, sous une lune claire
que des nuages déchiquetés et festonnés voilaient et
découvraient, déroulant une fantasmagorie d'effets lumineux et sombres dans l'infini pays des astres.

On appelle transatlantique du dernier type à grande
vitesse un bateau mince et long, qui, par cela même qu'il
est très rapide, secoue ses voyageurs d'une inimaginable
façon dès que s'élève la moindre houle, les asphyxie,
quand la mer est forte, dans ses flancs étroits chauffés
comme une étuve par les chaudières, et offre aux
voyageurs de première classe une salle à manger sur
l'avant, admirablement exposée au tangage pour faciliter
sans doute les économies de cuisine de la Compagnie. Ces
économies, d'ailleurs, elle les pratique avec beaucoup
d'adresse, car je n'ai jamais été plus mal nourri, même
dans les trains de luxe, que sur ce bateau, et le pain qu'on
vous y présente serait refusé par des mendiants.

Mais la mer est belle, tout unie, et, entre les nuages,
tombe dessus une cendre de lumière lunaire éclatante et
triste. Ces traînées d'argent sur l'eau s'effacent puis
recommencent. Elles sont délicieuses, mystérieuses et
mélancoliques. Quelque chose y manque pour moi, non

413

pour mes yeux qui sont charmés, mais pour mon âme qui voudrait là quelque apparition surnaturelle. Laquelle? Une seule, hélas impossible, disparue avec la Foi, celle de celui qui marchait sur les flots.

Je me mis à rêver à la terre que j'allais revoir et qui a mis en moi des désirs de retour dont je ne me croyais point capable. Les grands horizons nus, pierreux et jaunes où apparaît au loin, presque invisible, la tache blanche d'un Arabe qui pousse devant lui la forme plus haute, brune et bossue, d'un chameau, flottaient dans ma pensée, aveuglants de soleil. Je sentais déjà ma chair pénétrée et brûlée par ce souverain féroce qui règne sur l'Afrique, du haut du ciel, et j'avais envie d'être arrivé dans le port de la blanche Alger, afin d'en repartir pour les bords du désert.

Une dépêche m'attendait à l'hôtel, venue d'un fonctionnaire français, à qui j'avais été adressé et annoncé. Saharien fervent, administrateur de Boghari, il me faisait savoir qu'une fête arabe annuelle, d'une nature toute spéciale, allait avoir lieu près de Bou-Guezoul, sur la route de Laghouat, quelques jours plus tard.

Je me mis en route le lendemain pour refaire ce voyage si beau, que Fromentin a raconté, en coloriste incomparable. Un landau, le seul existant à Blida, paraît-il, nous attendait à la gare de la Chiffa. L'Atlas, immense barrière de montagnes, limitant vers le sud la plaine de la Mitidja et soutenant, sur ses reins de rochers soulevés, les hauts plateaux qui conduisent au désert, laisse voir de loin l'entaille gigantesque de la Chiffa, couloir tortueux et boisé par où passe la route de Médéah, de Boghari et de Laghouat. Nous partons au train lent et ininterrompu de trois chevaux infatigables, qui graviront puis descendront, pendant plusieurs jours successifs, d'interminables montées, du même trottinement régulier qu'ils garderont aux descentes. Sur le dos du cocher, vêtu d'un veston de drap gris, une telle nuée de mouches s'installe et s'immobilise, qu'on dirait un enduit de grains volants collés sur lui.

Au moindre mouvement de nos ombrelles blanches, cette colonie ailée et vagabonde d'insectes noirs se dissipe

dans l'air en une seconde avec la rapidité d'une disparition, puis elle revient aussi vite s'installer au grand soleil,
sur le gros dos pacifique du gros homme qu'elle a choisi.
Et elle nous suivra, sur ce dos de cocher, toujours plus
nombreuse, d'étape en étape, d'auberge en auberge,
l'innombrable foule aérienne et légère de petites bêtes
tournoyantes qui vont ainsi n'importe où, avec n'importe
qui, vers le désert ou vers la mer, au hasard des voitures
qui passent.

Quand notre attelage eut gravi la longue vallée profonde de la Chiffa, nous arrivâmes dans les plaines
cultivées qui forment le territoire de Médéah. Je n'avais
pas vu cette contrée depuis huit ans, et mon étonnement
fut grand de traverser, avant comme après la ville, un
superbe pays vignoble. Médéah, vulgaire sous-préfecture
de colonie, sans quartier original, sans caractère, sans
grâce aucune, insinue par les yeux, dans le cœur et jusque
dans la chair, toute la tristesse monotone, toute la
mélancolie profonde que doit prendre la vie des exilés qui
font du vin sur cette terre lointaine.

Ils s'enrichissent d'ailleurs, et les vendanges que nous
voyons partout nous montrent l'admirable fertilité de ce
terrain qui semble suer, comme des gouttes de sang,
toutes ces grappes de raisin luisant et noir dont est
garni chaque pied de vigne.

L'étonnante grosseur des grains et leur rougeur teintant
de taches de meurtre les bras et les mains des vendan-
geurs font songer, dans ce décor de l'Atlas qui emplit
l'horizon de sommets énormes, au beau sonnet de Louis
Bouilhet :

LE SANG DES GÉANTS

Quand les géants tordus sous la foudre qui gronde
Eurent enfin payé leurs complots hasardeux,
La terre but le sang qui stagnait autour d'eux
Comme un linceul de pourpre étalé sur le monde.

On dit que, prise alors, d'une pitié profonde,
Elle cria « Vengeance! » et, pour punir les Dieux,
Fit du sable fumant sortir le cep joyeux
D'où l'orgueil indompté coule à flots comme une onde.

De là cette colère et ces fougueux transports
Dès que l'homme ici-bas goûte à ce sang des morts
Qui garde jusqu'à nous sa rancune éternelle.

O vigne, ton audace a gonflé nos poumons
Et sous ton noir ferment de haine originelle
Bout encor le désir d'escalader les monts.

Et les grands hommes maigres, arabes, moricauds et
marocains à la peau brûlée par le soleil, aux membres
empourprés par cette moisson de vins, circulent, la tête
chargée de paniers qui portent des ivresses futures.

Nous avons passé la nuit à Médéah et nous en sommes
repartis à trois heures de l'après-midi pour éviter le trop
grand soleil et arriver à Boghari vers quatre ou cinq
heures du matin, la distance étant de soixante-seize
kilomètres.

La route gravit des montagnes aux plans démesurés; la
végétation disparaît ou plutôt ne se révèle plus que par
petites plaques vertes sur les immenses ondulations de
terre rousse, crevassée, pierreuse, soulevées en vagues
gigantesques vers les cimes éloignées dont le soleil à son
déclin colore les pentes des reflets du soir.

C'est un des plus vastes, des plus larges, des plus
désolés paysages de cette contrée aux aspects changeants,
féerie ininterrompue de lumières tombées du ciel sur
des solitudes. Le soir de chez nous, c'est bien le soir,
l'approche de la nuit, l'entrée de l'ombre; mais le soir,
en Afrique, devient souvent une fantastique aurore,
aurore éblouissante et courte de lueurs roses qui se
traînent et se promènent sur les lointains, dorées et
changeantes, transformées sans cesse, passant en quelques
minutes par tous les tons imaginables des roses. Puis
elles s'éteignent peu à peu sur les crêtes, et finissent
par s'effacer sous un voile gris léger, bleuâtre, qui enve-

loppe la terre entière, doux comme un adieu charmant du jour.

L'obscurité se fit; nous roulons toujours, nous roulons indéfiniment à travers des montagnes et des vallées où on entrevoit des bois de pins noyés dans les ombres d'une nuit claire et sans lune.

Le jour allait paraître quand les trois chevaux qui nous traînaient de leur petit trot toujours égal s'arrêtèrent devant ce qu'on appelle l'auberge de Boghari. Avec des airs peu engageants le patron, maire du pays, nous reçut et nous fit pénétrer dans le plus nauséabond taudis à qui on ait jamais donné le nom d'auberge. Rien ne peut être fermé, ni portes, ni fenêtres, dans cette bicoque où toutes les puanteurs algériennes semblent emmagasinées.

La saleté doit être en effet un des traits caractéristiques de l'Algérie. Les rues d'Alger même sont des cloaques de pourritures et quand on s'aventure dans la ville arabe, il faut être doué d'un cœur introublable pour résister à l'infection de toutes les immondices qui se décomposent et glissent sous vos pieds. J'ajoute que la ville européenne n'est qu'insensiblement mieux tenue.

Chacun de nous se barricade dans sa case avec des meubles roulés devant ces issues que le vent ou quelque animal domestique ouvrirait à son gré, et l'on attend l'aurore en dormant si l'on peut. Mais cet étrange pays est si bizarre, si caractérisé et si beau, qu'au soleil levé on oublie tout.

C'est une grande vallée nue et jaune que dominent à droite le fort de Boghar sur une hauteur de neuf cent soixante-dix mètres, et à gauche dans un pli du sol pierreux et roux, le ksar (village arabe) de Boghari, accroupi avec ses maisons basses, plein de marchands mozabites et de filles publiques dites Ouled Naïl, couvertes d'oripeaux brillants; car c'est en ce lieu que les Arabes nomades viennent s'approvisionner et se livrer au plaisir.

En regardant vers le Sud, on aperçoit, à quelques centaines de mètres de la sortie du hameau des colons bâti dans le fond de la vallée, un étrange petit mont

417

rocheux, blanc et rouge, hérissé de pierres, qui semble la sentinelle debout à l'entrée du Sahara, car nous sommes au bord du désert.

Je me contente de citer quelques lignes de Fromentin qui décrit en maître styliste ce surprenant coin de terre :
— « Cette vallée ou plutôt cette plaine inégale et caillouteuse, coupée de monticules et ravinée par le Cheliff, est à coup sûr un des pays les plus surprenants qu'on puisse voir. Je n'en connais pas de plus singulièrement construit, de plus fortement caractérisé, et, même après Boghari, c'est un spectacle à ne jamais oublier. Imaginez un pays tout de terre et de pierres vives, battu par des vents arides et brûlé jusqu'aux entrailles, une terre marneuse, polie comme de la terre à poterie, presque luisante à l'œil, tant elle est nue, et qui semble, tant elle est sèche, avoir subi l'action du feu ; sans la moindre trace de culture, sans une herbe, sans un chardon ; des collines horizontales qu'on dirait aplaties avec la main ou découpées par une fantaisie étrange en dentelures aiguës formant crochet, comme des cornes tranchantes ou des fers de faux ; au centre d'étroites vallées, aussi propres, aussi nues qu'une aire à battre le grain ; quelquefois un morne bizarre, encore plus désolé si c'est possible, avec un bloc informe posé sans adhérence au sommet comme un aérolithe tombé là sur un amas de silex en fusion ; et tout cela d'un bout à l'autre, aussi loin que la vue peut s'étendre, ni rouge ni tout à fait jaune, ni bistré, mais exactement couleur peau de lion...

....

» D'ailleurs, ni l'été ni l'hiver, ni le soleil ni les rosées, ni les pluies qui font verdir le sol sablonneux et salé du désert lui-même, ne peuvent rien sur une terre pareille. Toutes les saisons lui sont inutiles et de chacune d'elles elle ne reçoit que des châtiments... »

Cette description de Fromentin est admirable.

Ayant grimpé sur le petit mont à la sortie du pays, je vis bien exactement la terre décrite par le peintre-écrivain, mais elle était par miracle trempée d'eau, car le grand cyclone qui venait de passer sur le nord de l'Afrique avait versé sur Boghari ses plus terribles trombes. Huit jours de soleil n'avaient pas suffi à la sécher, on voyait par places, au loin, de petits lacs luisants comme des plaques de verre, et il me sembla que toute cette vallée rousse semblait frottée d'une teinte verdâtre, imperceptible, inexprimable.

Je n'y fis qu'une vague attention ; et je descendis vers le Cheliff. Ah ! Madame Deshoulières, comme j'ai pensé à vous !

Je récitais tout en marchant :

> *Dans ces prés fleuris*
> *Qu'arrose la Seine,*
> *Cherchez qui vous mène,*
> *Mes chères brebis.*

Au milieu de ce pays dévoré par le soleil se déroule, brisée sans cesse par les détours et les crochets que le courant y a creusés, une immense ornière d'argile aux berges droites et profondes dans lesquelles coule un fleuve de boue. Voilà le Cheliff, le grand fleuve de l'Algérie, et voilà l'eau potable des Arabes. Goûtons-la, car nous la retrouverons partout dans les oasis. On dirait qu'on boit de la terre brûlée, râpée et fondue dedans. On mange de l'Afrique quand on boit cette eau, et on garde longtemps dans la bouche une saveur de sable et d'argile.

O fleuves d'Europe, fleuves de pêcheurs à la ligne, rivières à fleurs, à saules, à joncs et à nénuphars, cours d'eau gentils de poètes et d'amoureux, je songe à vous, mais je ne vous regrette pas aujourd'hui. Voici que sur la grande côte de Boghar apparaissent des chameaux chargés, conduits par des Arabes qui vont lentement, las de fatigue. Plus loin, par-derrière, voici les bourricots, une troupe de moutons ; et ces paquets de loques d'où sortent deux pieds nus, je devine que ce sont les femmes.

Le premier groupe de chameaux et d'hommes arrive au pont, le traverse, s'arrête ; puis, par un étroit sentier qui descend la haute berge escarpée du fleuve, un chameau passe, suivi d'un autre, puis de tous, et ils s'alignent dans la boue, un peu plus sombres que le sol, presque de la couleur des rochers roux de la montagne.

Pendant qu'ils boivent, leur long cou tombe vers l'eau où trempe leur bouche aux grosses lèvres, et on voit enfler leurs ventres sous leurs bosses chargées de choses diverses, car ils s'approvisionnent de liquide comme des barriques souples qui se gonfleraient.

Les hommes accroupis plus loin font leurs ablutions, boivent aussi et emplissent d'eau pour la route leurs outres en peaux de bouc, affreuses bedaines mortes, aux membres tronqués. Puis tout remonte et se remet en marche.

Seul, un Arabe reste en arrière avec un chameau qu'il agenouille, puis, sur le sol, à côté de l'animal impatient et grognant, il étend deux petites couvertures, tissées en poils de ces bêtes, s'assied et attend aussi.

La seconde bande des voyageurs arrive plus lentement, les femmes portant les enfants sur leurs reins, harassées, traînant les jambes, les pieds nus sur les pierres. Seuls les bourricots semblent alertes, petites bêtes infatigables, aux allures plaisantes, au grand œil charmant. Tout cela s'arrête, va boire, et reprend l'interminable chemin.

On aperçoit maintenant, là-bas, l'avant-garde, la troupe des premiers chameaux égrenés sur la route de Laghouat.

Voici des traînards, encore des enfants à pied, mous d'éreintement, ne marchant plus qu'à peine.

Alors, l'homme qui attendait auprès de son chameau, se lève, et comme un des petits Arabes s'approche de lui, il le fait boire au trou de sa peau de bouc, puis, le prenant par le milieu du corps, il le couche sur une des couvertures, le roule dedans comme un mince paquet de chair inerte, puis le pose, l'attache et le sangle sur le dos du chameau qui grogne toujours.

Une femme apparaît, un autre enfant la suit, péniblement. Elle rejoint l'homme qui lui dit quelques mots rapides, un ordre sans doute ; puis il désaltère à son tour le second gamin, le prend, le couche, l'enveloppe et le case à côté du premier.

Le petit se laisse manier comme son frère, sans résistance, accoutumé à cet empaquetage, muet et docile dans les mains du père qui relève ensuite la bête à coups de pied et la met en marche en la poussant.

Et l'on ne se douterait guère, si l'on n'avait pas vu cela, que cette bosse de chameau emporte et balance, de son tranquille mouvement de vague, dans ces deux morceaux de toile rousse, deux petits êtres humains.

La femme s'est assise ; elle se repose et regarde partir sa famille. Elle a le visage nu, ce qui n'est pas surprenant chez les nomades pauvres, et même elle me parle en me voyant l'examiner. Cela est rare, très rare. Je tire de ma poche une pièce d'argent et je la lui donne ; sa joie est immense. Elle la manifeste par des rires, des mouvements de mains et des paroles expressives que je ne comprends pas, d'ailleurs. Puis elle se lève et s'en va, en se retournant encore pour me faire des gestes de reconnaissance. Et moi, je suis des yeux cette sauvage aux pommettes saillantes, et là-bas, sur la route conduisant au désert, les nomades qui s'en vont débandés. Ce n'est pas une tribu, mais un groupement de quelques familles assemblées pour chercher, selon les saisons, de quoi nourrir les bêtes et les gens.

Horde errante, étrange, sans cesse en quête de pâturages, ignorant la maison, notre domicile bâti sur la terre, elle porte ses demeures de toile sur les bosses de ses chameaux, les plante au soir, les enlève au matin, les déplaçant ainsi du nord au sud au gré des étés et des hivers, de la pluie qui fait pousser l'herbe, et du soleil qui la brûle.

Ils me font pitié, ils me font peine, ils me font plaisir aussi à voir, ces primitifs buveurs d'eau du Cheliff. Je ne vous regrette pas, aujourd'hui, fleuves d'Europe, fleuves de pêcheurs à la ligne, rivières à fleurs, à saules, à joncs et à nénuphars, cours d'eau gentils de poètes et d'amoureux.

La nuit suivante fut encore passée dans l'auberge de Boghari à entendre hurler les chiens sous les fenêtres. Au soleil levant j'étais debout, et je voulus revoir le Cheliff avant de partir pour la fête de Bou-Guezoul.

O stupeur, la plaine est verte. Une petite herbe minuscule et fine, à peine soupçonnable hier, faite d'aiguilles de gazon innombrablement pressées, a tant germé, pendant la nuit, sur toute cette campagne sèche et rouge, qu'elle l'a vêtue d'une mince toison de prairie, car elle a plutôt l'air, cette herbe, d'une espèce de poil de la terre que d'une végétation véritable.

(*L'Echo de Paris,* 7 avril 1891.)

UNE FÊTE ARABE

La Fête

C'est un vrai jour de l'été africain; tout Boghari descend du ksar pour se rendre à Bou-Guezoul; et les Ouled Naïl, couvertes de leurs bijoux, chamarrées d'étoffes éclatantes, petites pour la plupart, avec des têtes gentilles et douces, quand elles sont jeunes, horribles quand elles sont vieilles, se mêlent aux femmes des Arabes vêtues de blanc et voilées, et aux grands hommes drapés dans leurs burnous. Tout cela s'en va par groupes, en des voitures empruntées ou louées, inimaginables véhicules du désert, ou bien sur des chevaux aux jambes fines, sur des mulets, sur des bourricots trottinants.

Le long de la route on en aperçoit de tous côtés, sur la droite ou sur la gauche, se dirigeant vers le même point. Des troupes de cavaliers dessinent par places les fiers profils des Arabes à cheval. Ce sont des caïds entourés de leurs hommes. Le sol n'est plus couvert de la petite herbe de Boghari, et nous suivons une espèce de val, dont un horizon démesuré forme les bords et dont le vaste espace est coupaillé dans tous les sens par des montelets de rochers aux pointes rouges dressées sur le ciel comme des dents. Puis nous quittons la grand-route et tournons à droite pour suivre une ondulation qui nous conduit vers une hauteur, lointaine encore. Mais voilà qu'au sommet d'un de ces petits soulèvements qui ressemblent à des vagues et empêchent cette contrée d'être jamais unie, nous apercevons un goum qui accourt vers nous ventre à terre en jouant avec des cannes ou des cravaches, avec les longs fusils, au bout d'un bras levé.

Comme il arrive droit à nous, chargeant à fond de train, la troupe se divise, en nous enveloppant; et les armes tonnent à nos oreilles; les coups nous partent dans la figure tandis que les cavaliers aux burnous blancs, aux burnous rouges, aux burnous bleus nous frôlent au galop furieux de leurs chevaux. C'est un honneur qu'on nous rend, le commencement de la fantasia qui va durer jusqu'au soir.

Un affluent du Cheliff se présente à franchir. Des mulets et deux chameaux en grande tenue saharienne nous attendent pour ce passage, qui n'a pas trois mètres de large. Devant ce déploiement de pompe, on s'émerveille d'abord de l'hospitalité arabe, tandis que mon serviteur murmure derrière moi, avec son sourire goguenard : « Une planche là-dessus aurait été plus commode que cette ménagerie. » C'était si vrai que je me mis à rire.

Le fait lui donna raison.

Le premier chameau, portant deux dames, passa fort bien. Il balançait les voyageuses emprisonnées dans une hutte en tapis d'Orient, édifiée sur sa bosse, tandis qu'au-dessus de ce monumental animal, oscillait, comme un mât de navire dans la tempête, une immense perche honorifique faite de roseaux liés ensemble et qu'on appelle le bassour. Puis la bête continua sa route vers la kouba de Sidi Mohammed Bel-Kassem qu'on apercevait sur la hauteur prochaine.

La traversée du second chameau qui portait les suivantes des dames ne fut pas également heureuse. La bête fit un faux mouvement, et les Arabes affirment que ses passagères se mirent à crier. Alors le chameau, saisi de peur, lâché par ses conducteurs, détala avec de telles secousses que la tente aérienne finit par culbuter sur son flanc. Il en sortait des clameurs perçantes et des jambes levées au ciel.

A mesure que nous avancions sur la longue pente montant vers le marabout, un extraordinaire spectacle se déroulait à nos yeux. A perte de vue sur la gauche, le mirage apparaît; une vision de marais et de roseaux dedans. Puis autour du mamelon couvert d'indigènes, auquel nous arrivions, dans la plaine étendue en cercle, dix-huit ou vingt tribus arabes étaient campées. Les tentes brunes, basses, presque rampantes, vrais champignons du sable, laissaient voir un peu seulement leur sommet pointu, et leurs arêtes inclinées et déjà, au-dessus de ces villages errants piqués là pour un jour, s'élevaient des fumées droites, de fines colonnes grises, dans l'air, transparente annonce des festins de couscous.

A travers ces campements, les chameaux rôdaient par groupes, profilant sur la terre nue leurs silhouettes invraisemblables, et devant nous la fête arabe faisait sonner son bruit sauvage de fusillade ininterrompue, de tambourins et de flûtes perçantes.

L'administrateur civil, M. Arnaud, et son adjoint, M. Chambige, qui nous ont invités et reçus, nous conduisent au milieu de la foule vers la tente préparée pour eux et pour nous. Elle a appartenu au sultan du Maroc et appartient maintenant à un caïd voisin qui l'a prêtée pour cette réjouissance. L'intérieur en est orné de décorations orientales en drap rouge. Entourée d'un peuple d'hommes en burnous, de femmes voilées et de courtisanes, elle nous sert d'abri contre le soleil dont la brûlure devient cuisante. Elle est ouverte au sud et au nord. D'un côté là-bas, vers le désert, c'est le paysage admirable de cette plaine éclatante de lumière, où les tribus sont reposées; de l'autre, sur une lente montée de sol rouge vers une crête voisine hérissée de rocs, ce sont des centaines de cavaliers qui vont et viennent, au pas, au trot, au galop, le fusil à la main ou pendu sur la cuisse, une armée arabe en délire. Ils s'éloignent et vont se grouper là-bas, à mille mètres environ des tentes, car la nôtre n'est pas seule; et la fantasia recommence pour nous.

Voici quatre pelotons de cinq ou six hommes chacun

qui se détachent de la masse blanche. Un peu éloignés d'abord les uns des autres, les cinq ou les six cavaliers de chaque troupe, lancés sur nous au grand galop, s'unissaient tout à coup, comme s'ils se collaient ensemble, pour former une sorte de tourbillon opaque d'hommes aux burnous de toutes nuances voltigeant autour d'eux et de chevaux dont les jambes deviennent presque invisibles dans leur vertigineux mouvement. Au-dessus de ces trombes qui laissent derrière elles des nuages de poussière, les fusils s'agitent, voltigent, lancés en l'air et rattrapés au vol par les mains de ces acrobates centaures.

Ils approchent, stupéfiants de vitesse ; ils grandissent, ils sont sur nous sans ralentir leur élan fantastique. Les armes partent, la poudre coiffe les coureurs de panaches blancs qui se déroulent et s'allongent sur leurs têtes. La foule indigène répond par des clameurs et des applaudissements, tandis que les femmes arabes poussent ces cris suraigus et vibrants dont toujours et partout elles expriment leurs émotions de gaieté, de douleur ou de pieuse exaltation.

Les cavaliers chargent toujours. Il sont à vingt mètres de nous. La masse des spectateurs recule, car des accidents arrivent quelquefois. Une petite émotion émeut une seconde notre tente où sont quelques invités et les femmes des fonctionnaires de Boghari, car il semble que ces fous emportés vont passer à travers nous comme des balles. Mais voilà qu'en un instant ils s'arrêtent brusquement, avec des secousses, des bondissements, des pirouettes sur place, un tas de mouvements brisés, jolis, imprévus, frémissants, de cavaliers de boîte à joujoux dont on arrête la mécanique.

Puis quand ils se furent séparés et éloignés au milieu des acclamations, on en aperçut deux seulement qui arrivaient à leur tour, deux poseurs équestres, préparant leur effet derrière le rideau des premiers. Ce ne sont plus des chevaux qui galopent, ce sont des animaux de légende, tant ils vont vite, tant ils sont légers et inimaginablement gracieux avec ces manteaux qui flottent et palpitent comme des drapeaux sur le dos de leurs maîtres.

D'autres, là-bas, se sont mis en route et accourent à leur tour. Il y en a six groupes, inégalement espacés. Derrière eux d'autres partent encore, et pendant une heure au moins, nous subissons les charges frénétiques, les fusillades ininterrompues qui nous claquent dans les oreilles, et la menace parfois réelle de l'invasion sous la tente. Les Arabes alors au service de l'administrateur se jettent à la tête des bêtes qui se cabrent en les soulevant.

Rien de plus charmant au monde, de plus original et de plus souple à voir que ce jeu inimaginable, ce défilé vertigineux de coups de fusil éclatant au galop fou des chevaux, quand on y assiste pour la première fois. Mais lorsqu'on le connaît déjà, il devient à la fin monotone, car aucune fantaisie nouvelle n'y est jamais introduite.

Voilà qu'il s'interrompt soudain; et tous les cavaliers reviennent au pas. Pourquoi?

El Hadji Ahmed, caïd des Zenakhra qui nous reçoivent, tribu sage, agricole et pacifique, se charge de l'apprendre à l'administrateur civil. On n'a plus de poudre. C'est le gouvernement qui l'offre pour cette fête. Elle est empaquetée et emmagasinée dans la tente voisine sous la garde de spahis, sans quoi la provision serait déjà pillée.

La poudre excite le désir des Arabes comme les diamants, les perles et les pierres précieuses, celui des femmes coquettes. Pour eux, c'est le bruit et la fumée grisants, la chasse et la guerre.

On annonce la distribution que l'administrateur adjoint va commencer et des centaines d'hommes à cheval, pirouettant et cabriolant, entourent cette tente comme un trésor. Les spahis sont sur leur garde, le fusil d'ordonnance au dos et la matraque à la main, car il va falloir frapper, peut-être; oui, on frappera. La poudre est trop tentante pour qu'on ne se jette pas dessus, quand on la voit à sa portée.

Pendant quelques minutes le partage des boîtes eut lieu au milieu d'une bousculade et d'un tumulte affreux de mouvements et de cris gutturaux. Puis une poussée se fit du dehors jetant les Arabes dans la tente, et ils se ruèrent sur les boîtes.

Les caïds et leur escorte se précipitèrent pour empêcher le pillage. Les spahis tapaient à coups de bâton sur les bras, sur les mains, sur les têtes des envahisseurs, qui furent enfin repoussés. Et malgré des clameurs violentes on cessa de donner la poudre. Mais ils en avaient obtenu déjà beaucoup, et la fantasia reprit.

Les fonctionnaires officiels nous racontent avec complaisance et sérénité que l'indigène n'a aucun moyen de se procurer cette poudre.

Directement, non, mais indirectement, oui. L'israélite électeur et citoyen français, qui peut acheter ouvertement et revendre en cachette, est le pourvoyeur naturel et discret de l'Arabe.

Libre de s'approvisionner dans les villes de toute la poudre de chasse qu'il désire, comment n'en vendrait-il pas, le plus possible, à son voisin l'Arabe, avec un bon bénéfice, la marchandise étant prohibée.

Sous notre tente on apporte le déjeuner, déjeuner indigène bien entendu. Comme les coups de fusil nous étourdissent, et comme les caïds, un surtout, le caïd Ali, qui porte sur un burnous noir la croix d'honneur, nous engagent à aller voir le reste de la fête pendant les apprêts du repas, nous voici mêlés à la foule arabe, ballottés par la cohue, dévisagés par les yeux noirs, les yeux perçants et cernés de khôl des femmes voilées dont les bandeaux, cachant le front, les joues, le nez, la bouche et le menton, avivent le regard aigu dans le bâillement du linge blanc.

Des musiques étranges et bondissantes résonnent de tous les côtés. Nous approchons d'un attroupement que le caïd entrouvre pour nous donner passage. Ce sont des femmes qui dansent, des Ouled Naïl. Elles sautent suivant le rythme sauvage, monotone et affolant de la danse sacrée des Aïssaoua. Depuis une heure, deux heures peut-être, en plein soleil, les yeux hagards, la salive aux lèvres, les vêtements presque arrachés du corps : laissant sortir entre les bandes d'étoffes les seins noirs et flasques agités de secousses, les cheveux répandus sur les épaules, noirs, mêlés, huileux, cinq femmes, deux jeunes et trois vieilles, font des sauts, des bonds et des flexions de jambes avec des gestes épileptiques. Dieu, leur Dieu Allah, le seul Dieu, s'amuse à les regarder sans doute, du haut de son paradis, car c'est pour lui qu'elles dansent ainsi.

Peut-être un peu pour nous. Quand elles nous aperçoivent, leurs mouvements s'accentuent, leurs frémissements augmentent. Deux hommes s'élancent, se mêlent à elles, les yeux en extase, et sans interrompre l'exercice sacré, les effleurent du bout des mains, sur les épaules, les bras, la poitrine, par des attouchements mystérieux qui sont effrayants et chastes. D'autres encore se joignent à ces fous, et tous, par des cris, et la prière éperdue des regards, ils excitent les musiciens qui ne font pas assez de bruit. Le rythme s'accroît, les tambourins roulent leurs battement désordonnés, la darbouka résonne, et dominant tout, la flûte, la terrible flûte pousse sa note ininterrompue sous l'infatigable souffle d'un nègre aux gros yeux blancs.

Autour de nous, cinquante Ouled Naïl se pressent, curieuses de tout, des étrangers et du divertissement. Elles sont couvertes de pièces d'or alignées en colliers, de pierres précieuses à peine taillées qu'on appelle les pierres arabes, de bijoux bizarres en argent, qui pendent sur la poitrine ou sur le ventre. Les bras sont cerclés d'anneaux, les chevilles aussi. Beaucoup sont jeunes, très jeunes, âgées de treize à seize ans, gentilles, d'une grâce et d'une joliesse un peu repoussantes de petits animaux, qui sont pourtant des femmes.

Mais voilà que deux danseuses s'abattent, en proie à des convulsions. L'écume leur sort de la bouche et des femmes de la foule se précipitent, les ramassent, les caressent, leur parlent, les calment et les réconfortent, tandis qu'un des hommes, les yeux tout à fait retournés dénoue d'un geste son turban, qui se déroule derrière lui, comme un long serpent qui se livrerait aussi aux transports divins des Aïssaoua.

On nous vient chercher. Le déjeuner nous attend. Il est

ce que sont sous les tentes les repas indigènes offerts aux Européens.

L'excellent mouton rôti en plein air, cadavre rissolé dont la peau se soulève en écailles dorées par le feu, apparaît porté par quatre Arabes sur un immense plat de bois. Son entrée sous les bords relevés de la tente et sous le soleil qui l'illumine surprend toujours comme l'apparition d'un supplicié du Moyen Age.

On ne le découpe jamais, on le mange avec les mains. L'hôte soulève, sur les côtés de la colonne dorsale, de longs filets entre son pouce et son index et les présente aux dames gravement. Elles doivent les prendre en souriant, entre deux doigts aussi, et les manger.

Cette politesse une fois faite et reçue les invités arrachent d'abord eux-mêmes les belles croûtes de peau vernies et parfumées par les braises de bois odorant et les croquent, puis attaquent la chair, le filet, le gigot, l'épaule. On emploie alors quelquefois le couteau, et les hommes galants viennent en aide aux dames. Mais on ne découpe pas, on dépèce, on arrache, on s'en nourrit en sauvages. Et c'est bon, très bon, excellent, excitant si fort l'appétit, la gaieté, la bonne humeur, qu'à sept personnes, dont deux dames, nous en avons mangé un tout entier.

Puis viennent des ragoûts où les fruits sucrés du désert et les piments féroces sont mêlés aux graisses chaudes et fondues des bêtes, autour des viandes bouillies qui ressemblent en même temps à des entremets et à du feu.

Puis c'est le tour du couscous, quelquefois bon et souvent détestable. C'est une farine de granules cuites dans une vapeur de mouton bouilli, avec des légumes, des haricots, des choux, toujours du piment. On obtient cette farine granuleuse avec du blé, qu'on a d'abord beaucoup mouillé, puis couvert de linges humides au soleil, pour le faire enfler et fermenter sans le laisser germer. D'autres préparations suivent pour l'amener à la perfection. On le sèche, on le broie entre deux meules légères en pierre dure, mais on ne le réduit point en poudre fine. Comme le grain ordinaire, on le casse simplement en grumeaux un peu plus gros que du millet. Ces grumeaux sont de nouveau séchés au soleil, puis on les vanne pour les débarrasser de l'écorce et de l'endocarpe du blé, et on les enferme enfin pour les conserver, en des peaux de chèvre ou de mouton.

Quand le couscous est fait avec du bon beurre et de bons légumes, il semble parfois excellent, et il contient des qualités nutritives tout à fait exceptionnelles, mais les beurres arabes le rendent presque toujours répugnant.

Pour le manger on fait un trou dans la pâte élevée en dôme au milieu d'une espèce de grande jatte de bois, vaste et pas très profonde. Par ce trou, on verse en abondance la sauce qui se répand dans le fond. Cette sauce est un bouillon de viandes et de légumes pimenté fortement. Chaque convive alors avec sa cuiller fouille dans le plat devant lui, jusqu'à ce liquide, et il le mélange dans son assiette avec la farine sèche restée par-dessus.

Pendant que nous nous livrions à ces usages compliqués et barbares, les détonations continuaient autour de nous. La tête des chevaux, mal arrêtés, arrivait parfois jusqu'à la tente et la fumée de la fusillade y flottait d'une entrée à l'autre, comme celle d'un train dans un tunnel.

Sur nos têtes, au-dessus de cette toile, le soleil tombait en pluie de feu, et je sentais sur mes épaules et sur ma nuque cette température d'étuve sèche qui caractérise si fort les midis sahariens.

Il n'y a pas un atome d'humidité dans l'air, pas une trace d'eau dans ce sol brûlé, pas un arbre et pas une herbe dans cet horizon tout nu, il n'y a rien que la tombée ininterrompue de lumière aveuglante et de chaleur dévoratrice que le soleil verse sur cette terre aimée par lui entre toutes, qu'il détruit et tue de sa caresse.

La brûlure qui tombe de son globe sur certaines oasis, en été, vers deux heures, quand tous les Arabes sont cachés dans leurs cases de boue, n'est comparable à rien de ce qu'on peut imaginer, et on sent que ce bienfaiteur des régions fertiles, atteintes seulement de loin par ses rayons, n'est ici qu'une sorte de destructeur tout-puissant, le féroce pacha du ciel.

La saison d'automne que nous traversons l'a calmé. Il

est attiédi, un peu dur encore; et nous, bien que doucement haletants et étourdis, nous déjeunons avec grand plaisir, écoutant toujours la musique lointaine des danseurs Aïssaoua qui continuent leurs exercices.

Trois heures plus tard, nous repartions, à la première sensation du soir, et nos chevaux trottinants nous traînèrent jusqu'à la nuit à travers l'idéale féerie des crépuscules roses d'Afrique.

(*L'Echo de Paris*, 13 avril 1891.)

Il est fort difficile de parler au public français d'un poète anglais comme M. Swinburne, quand on ne sait pas sa langue, et c'est mon cas. J'ai rencontré autrefois ce poète dont la physionomie bizarre est des plus intéressantes, et même des plus inquiétantes, car il me fait l'effet d'une sorte d'Edgar Poe idéaliste et sensuel, avec une âme d'écrivain plus exaltée, plus dépravée, plus amoureuse de l'étrange et du monstrueux, plus curieuse, chercheuse et évocatrice des raffinements subtils et antinaturels de la vie et de l'idée que celle de l'Américain simplement évocatrice de fantômes et de terreurs, et j'ai gardé de mes quelques entrevues avec lui l'impression de l'être le plus extravagamment artiste qui soit peut-être aujourd'hui sur le monde.

Artiste, il l'est en même temps à la manière ancienne et à la manière moderne. Lyrique, épique, épris du rythme, poète d'épopée, plein du souffle grec, il est aussi un des plus raffinés et des plus subtils, parmi les explorateurs de nuances et de sensations qui forment les écoles nouvelles.

Voici comment je l'ai connu. J'étais fort jeune, et passant l'été sur la plage d'Etretat. Un matin vers dix heures, des marins arrivèrent en criant qu'un nageur se noyait sous la Porte d'amont. Ils prirent un bateau, et je les accompagnai. Le nageur ignorant le terrible courant de marée qui passe sous cette arcade avait été entraîné, puis recueilli par une barque qui pêchait derrière cette porte, appelée communément la Petite Porte.

J'appris le soir même que le baigneur imprudent était un poète anglais, M. Algernon Charles Swinburne, descendu depuis quelques jours chez un autre Anglais, avec qui je causais quelquefois sur le galet, M. Powel, propriétaire d'un petit chalet qu'il avait baptisé « Chaumière Dolmancé ».

Ce M. Powel étonnait le pays par une vie extrêmement solitaire et bizarre aux yeux de bourgeois et de matelots peu accoutumés aux fantaisies et aux excentricités anglaises.

Il apprit que j'avais essayé, trop tard, de porter secours à son ami, et je reçus une invitation à déjeuner pour le jour suivant. Les deux hommes m'attendaient dans un joli jardin ombragé et frais derrière une toute basse maison normande construite en silex et coiffée de chaume. Ils étaient tous deux de petite taille, M. Powel gras, M. Swinburne maigre, maigre et surprenant à première vue, une sorte d'apparition fantastique. C'est alors que j'ai pensé, en le regardant pour la première fois, à Edgar Poe. Le front était très grand sous des cheveux longs, et la figure allait se rétrécissant vers un menton mince ombré d'une maigre touffe de barbe. Une très légère moustache glissait sur des lèvres extraordinairement fines et serrées et le cou qui semblait sans fin unissait cette tête, vivante par les yeux clairs, chercheurs et fixes, à un corps sans épaules, car le haut de la poitrine paraissait à peine plus large que le front. Tout ce personnage presque surnaturel était agité de secousses nerveuses. Il fut très cordial, très accueillant ; et le charme extraordinaire de son intelligence me séduisit aussitôt.

Pendant tout le déjeuner on parla d'art, de littérature et d'humanité ; et les opinions de ces deux amis jetaient sur les choses une espèce de lueur troublante, macabre, car ils avaient une manière de voir et de comprendre qui me les montrait comme deux visionnaires malades, ivres de poésie perverse et magique.

Des ossements traînaient sur des tables, parmi eux une

main d'écorché, celle d'un parricide, paraît-il, dont le sang et les muscles séchés restaient collés sur les os blancs. On me montra des dessins et des photographies fantastiques, tout un mobilier de bibelots incroyables. Autour de nous rôdait, grimaçant et inimaginablement drôle, un singe, familier, plein de tours et de farces à faire, pas un singe, un ami muet de ses maîtres, un ennemi sournois des nouveaux venus. Le singe fut pendu, m'a-t-on dit, par un des jeunes domestiques des Anglais, qui en voulait à l'animal. Le mort fut enterré au milieu du gazon, devant la porte du logis. On fit venir, pour le poser sur son cercueil, un énorme bloc de granit où fut gravé simplement le nom « Nip » et qui portait sur la partie haute, comme dans les cimetières d'Orient, une coupe d'eau pour les oiseaux.

Quelques jours plus tard je fus invité de nouveau chez ces Anglais originaux afin de déjeuner d'un singe à la broche, qui avait été commandé au Havre, à cette intention, chez un marchand d'animaux exotiques. L'odeur seule de ce rôti quand j'entrai dans la maison me souleva le cœur d'inquiétude, et la saveur affreuse de la bête m'enleva pour toujours l'envie de recommencer un pareil repas.

Mais MM. Swinburne et Powel furent délicieux de fantaisie et de lyrisme. Ils me contèrent des légendes islandaises traduites par M. Powel, d'une étrangeté saisissante et terrible. Swinburne parla de Victor Hugo avec un enthousiasme infini.

Je ne l'ai pas revu. Un autre écrivain étranger, un très grand, l'homme le plus intellectuel que j'aie rencontré, je veux dire par là, doué des intuitions les plus perspicaces sur l'humanité, de la philosophie la plus large, des opinions les plus indépendantes en tout, le romancier russe Ivan Tourgueneff me traduisit souvent des poèmes de Swinburne avec une vive admiration. Il critiquait aussi. Mais tout artiste a des défauts. Il suffit d'être un artiste.

Voici quelques renseignements qu'on m'a donnés sur M. Swinburne.

M. Walter Hamilton, dans son livre *Le Mouvement esthétique en Angleterre,* écrit que peu de gens hésiteraient à décerner à Swinburne le titre de roi des poètes esthétiques. En 1860, avant que le mouvement nouveau fût important, Swinburne avait dédié sa tragédie *La Reine Mère* à Dante Gabriel Rossetti, et son volume des *Poèmes et Ballades* à Burne Jones, à cet artiste qui a maintenant la place d'honneur à Grosvenor Gallery. L'un des tableaux les plus fameux de Burne Jones est inspiré du *Laus Veneris* de Swinburne et porte ce titre. Dans le même volume un autre poème est dédié à M. Whistler. Comme Burne Jones, Rossetti, Ruskin, A. C. Swinburne fut élève d'Oxford.

Sa naissance très aristocratique contraste singulièrement avec les tendances républicaines, très avancées, de ses *Chants d'avant l'Aube.*

Le grand-père du poète, Sir John Swinburne, portait le titre de baronet, appartenant à une famille qui, à travers la bonne et la mauvaise fortune, était restée fidèle à la dynastie des Stuarts.

Sir John vécut jusqu'à l'âge de 98 ans (il mourut en 1860) et durant sa longue vie, il fut l'ami de toutes les célébrités politiques et littéraires de France et d'Angleterre, réunissant le siècle à l'autre, et se souvenant aussi bien de Mirabeau et de John Wilke que de Turner et de Mulready.

Le père du poète (le plus jeune des fils de Sir John) avait une haute situation dans la Marine royale; en 1836, il épousa Lady Jane Henrietta, fille du comte de Ashburnham, de sorte que Algernon Charles Swinburne est descendant de deux des plus vieilles familles aristocratiques.

Un siège au Parlement lui fut offert par la *Reform League.* Il refusa, préférant vouer sa vie à l'art et à la littérature. Il passa six ans à Eton et ensuite quatre à Oxford.

Il a écrit environ trente volumes, prose et vers, et d'innombrables articles de revue.

Né en 1837, il connut tout jeune le succès. Voici la liste de ses principaux ouvrages :

La Reine Mère (1860); *Atalante à Calydon; Chastelard* (1865); *William Blake,* essai (1868); *Chants d'avant l'Aube* (1871); *Chant des Deux Nations; Bothwell, Erechtheus,* tragédies (1876); *Marie Stuart,* tragédie (1880).

Quand parurent les *Poèmes et Ballades,* le succès fut immédiat et vif chez les lettrés; mais la critique se fâcha, la critique anglaise, étroite, haineuse dans sa pudeur de vieille méthodiste qui veut des jupes à la nudité des images et des vers, comme on en pourrait vouloir aux jambes de bois des chaises. Robert Buchanan surtout, dans son livre : *l'Ecole sensuelle,* visa Swinburne avec une extrême violence. Tous les autres arbitres du goût dans l'art le suivirent; et les mots qu'on emploie pour flageller l'immoralité cinglèrent l'artiste et l'émurent enfin.

On parla de sadisme, on cita des extraits ingénieusement mal interprétés; et l'émotion fut si grande dans l'immorale et pudique Angleterre, reine de l'hypocrisie, que le succès du livre s'arrêta comme sous un murmure de honte nationale. Certes, il est impossible de nier que cette œuvre appartienne à l'école sensuelle, à la plus sensuelle, à la plus idéalement dépravée, exaltée, impurement passionnée des écoles littéraires, mais elle est admirable presque d'un bout à l'autre. Sans doute les amateurs de clarté, de logique et de composition s'arrêteront stupéfaits devant ces poèmes d'amour éperdus et sans suite. Il ne les comprendront pas, n'ayant jamais senti ces appels irrésistibles et tourmentants de la volupté insaisissable, et l'inexprimable désir, sans forme précise et sans réalité possible, qui hante l'âme des vrais sensuels.

Swinburne a compris et exprimé cela comme personne avant lui, et peut-être comme personne ne le fera plus, car ils ont disparu du monde contemporain, ces poètes déments épris d'inaccessibles jouissances. Tout ce que la femme peut faire passer d'aspirations charnellement tendres, de soifs et de faims de la bouche et du cœur, et de torturantes ardeurs hantées de visions enfiévrantes pour nos yeux et pour notre sang, le poète halluciné, l'a évoqué par ses vers.

Ouvrons ce livre et lisons d'abord ceci, les deux premières strophes de : *Une Ballade de Vie*.

« J'ai trouvé en rêves un lieu de zéphyr et de fleurs, — plein d'arbres odorants et coloré de joyeuses verdures, — au milieu duquel se tenait — une dame vêtue comme l'été avec ses douces heures ; — sa beauté aussi fervente qu'une ardente lune — faisait brûler et défaillir mon sang — comme une flamme sous la pluie. — Une tristesse avait rempli ses yeux bleus fatigués — et la mélancolique, la chagrine rose rouge de ses lèvres — semblait mélancolique des bonheurs en allés.

« Elle tenait un petit cistre par les cordes, — en forme de cœur, les cordes tressées avec les cheveux subtilement nuancés — de quelque joueur de luth mort — qui dans les années mortes avait fait de délicieuses choses. — Les sept cordes étaient nommées ainsi : — la première corde, charité, — la seconde, tendresse, — les autres étaient plaisir, douleur, sommeil et péché, — et la sympathie qui est parente de la pitié — et est la plus impitoyable. »

. . . .

Lisez.

Lisez ensuite *Une Ballade de Mort*. Puis arrêtons-nous à ce chef-d'œuvre, *Laus Veneris*, l'Eloge de Vénus :

« Dort-elle ou veille-t-elle ? car son col, — baisé de trop près, porte encore une tache pourprée — où le sang meurtri palpite et s'efface ; — douce, et mordue doucement, plus belle pour une tache.

« Mais quoique mes lèvres se fermèrent en suçant cette place, — il n'y a pas de veine battant sur son visage, — ses paupières sont si paisibles ; sans doute — le profond sommeil a chauffé son sang à travers tout son passage.

« Voilà, c'est elle qui fut le délice du monde ; — les vieilles grises années étaient des parcelles de sa puissance ; — les jonchées des chemins où elle marchait — étaient les jumelles saisons du jour et de la nuit.

« Voilà, elle était ainsi quand ses beaux membres attiraient — toutes les lèvres qui maintenant deviennent tristes en baisant Christ, — tachées du sang tombé des pieds de Dieu, — des pieds et des mains par lesquelles furent rachetées nos âmes.

« Hélas, Seigneur, sûrement tu es grand et beau. — Mais voilà ses cheveux merveilleusement tressés ! — Et tu nous as guéris par ton baiser pitoyable ; — mais vois, maintenant, Seigneur, sa bouche est plus charmante.

« Elle est bien plus belle ; que t'a-t-elle fait ? — Non, beau Seigneur Christ, lève les yeux et regarde ; — avait-elle alors ta mère, de telles lèvres, semblables à celles-ci ? — Tu sais combien ce m'est une douce chose.

. . . .

« Voyez, ma Vénus, le corps de mon âme gît — avec mon amour posé sur elle en guise de vêtement, — sentant mon amour dans tous ses membres et ses cheveux, — et versé entre ses paupières, à travers ses yeux.

. . . .

« Là, tels des amants dont les lèvres et les membres se touchent, — ils reposent, ils cueillent le doux fruit de la vie et le mangent ; — mais moi, les jours affamés et chauds me dévorent, — et dans ma bouche aucun de leurs fruits n'est doux.

« Aucun de leurs fruits si ce n'est le fruit de mon désir, — pour l'amour de l'amour de celle dont les lèvres respirent à travers les miennes ; — ses paupières sur ses yeux semblables à une fleur sur une fleur, — mes paupières sur mes yeux semblables à du feu sur du feu.

« Ainsi nous reposons non comme le sommeil repose près de la mort, — avec de pesants baisers et d'heureux souffles ; — non comme un homme repose auprès d'une femme, quand l'épouse nouvelle — rit bas par amour de l'amour et à cause des mots qu'il dit.

. . . .

« Ah, non comme eux, mais comme les âmes qui furent — tuées dans le vieux temps, l'ayant trouvée belle ; — qui, dormant avec ses lèvres sur leurs yeux, — entendirent de soudains serpents siffler dans ses cheveux.

« Leur sang court autour des racines du temps comme la pluie ; — elle les rejette et les recueille de nouveau ; —

avec les nerfs et les os elle tisse et multiplie — un excessif plaisir par une extrême douleur.

. . . .

« Car je revins chez moi très las, avec peu de consolation, — et voici mon amour, le cœur de ma propre âme, plus cher — que ma propre âme, plus beau que Dieu — qui a tout mon être dans ses mains à elle.

« Belle encore, mais belle pour personne autre que moi, — comme lorsqu'elle sortit de la mer nue, — changeant en feu l'écume où elle passait, — et qu'elle était comme la fleur intérieure du feu.

« Oui, elle me prit sur elle, et sa bouche — s'attacha à la mienne comme l'âme s'attache au corps, — et, riante, fit ses lèvres luxurieuses ; — sa chevelure avait le parfum de tout le midi brûlé de soleil. »

. . . .

Ne voilà-t-il pas de la poésie bizarre, haute, infinie dans la demi-obscurité de la pensée qui disparaît parfois sous l'abondance des images.

Lisez *Fragoletta,* ce bijou.

Arrêtons-nous encore à *Dolores,* Notre-Dame des Sept Douleurs. C'est une espèce d'hymne désespéré à la Luxure Idéale, d'où naît le spasme de la chair terrible, convulsif et sans rêve. Voici le début :

« Tes paupières froides qui cèlent comme un joyau — tes yeux durs qui ne se font tendres que pour une seule heure ; — tes opulents membres blancs, et ta cruelle — bouche rouge, telle une fleur vénéneuse ; — quand ils seront passés avec leurs gloires, — que restera-t-il de toi alors, que demeurera-t-il, — ô mystique et sombre Dolores — Notre-Dame de Peine ?

« Les prêtres donnent sept douleurs à leur Vierge ; — mais tes péchés qui sont soixante-dix fois sept, — sept âges ne suffiraient pas pour t'en purifier — et ils te hanteraient même dans le ciel : — minuits terribles et lendemains affamés, — et amours qui complètent et contrôlent — toutes les joies de la chair, toutes les douleurs — qui usent l'âme.

. . . .

« Il y a peut-être des péchés à découvrir, — il y a peut-être des actions qui sont délicieuses. — Quelle nouvelle œuvre trouveras-tu pour ton amant, — quelles nouvelles passions pour le jour ou la nuit? Quels charmes dont ils ne savent pas un mot, — ceux dont les vies sont comme des feuilles au vent? — Quelles tortures non rêvées, — jamais entendues, jamais écrites, inconnues?

« Ah, beau corps passionné — qui jamais n'a souffert d'un cœur! — Quoique sur ta bouche, les baisers soient sanglants, — quoiqu'ils mordent jusqu'à ce qu'elle se pâme et saigne, — plus doux que l'amour que nous adorons, — ils ne blessent ni le cœur ni le cerveau, — ô amère et tendre Dolorès, — Notre-Dame de Peine. »

....

Voici encore quelques citations de la fin de ce long poème qui contient d'extraordinaires beautés :

« Où sont-elles Cottyto ou Vénus, — Astarté ou Astaroth, où? — Peuvent-elles s'interposer entre nous, leurs maîtres, quand nous te touchons? — Leur souffle est-il chaud encore dans tes cheveux? — A leurs lèvres tes lèvres s'enfièvrent-elles encore — du sang de leurs corps rougissants? — As-tu laissé sur terre un croyant, — si tous ces hommes sont morts?

« Ils portaient des vêtements de pourpre et d'or, — ils étaient gorgés de toi, enflammés de vin, — tes amants, dans tes demeures invues, dans tes merveilleuses chambres. — Ils ont fui, et leurs empreintes nous échappent, — ceux qui te louent, t'adorent, et s'abstiennent, — ô fille de la mort et de Priapus — Notre-Dame de Peine.

« Qu'avons-nous besoin de craindre outre mesure, — de faire ta louange avec des voix peureuses, — ô maîtresse et mère du plaisir, — seul être aussi réel que la mort? »

....

Ces citations me semblent indiquer nettement la première manière et la première inspiration de Swinburne. Le poète est souvent obscur et souvent magnifique; il est plein du souffle antique, du souffle grec et en même temps inextricablement compliqué, à la manière toute moderne de MM. Verlaine et Mallarmé chez nous. J'ai parlé d'Edgar Poe, il en procède par cette étrange puissance qui semble tenir de la suggestion; il est grand par le lyrisme, par la multiplicité des images qui s'envolent comme des oiseaux innombrables, de toutes les races, de toutes les tailles, de toutes les formes, de toutes les nuances, si multipliés qu'on les distingue mal parfois et qu'on suit seulement dans l'espace ce grand nuage tournoyant plein de visions impures; mais le conteur américain, très maître de son art, lui est extrêmement supérieur par un prodigieux don de clarté, d'ordre et de composition qui anime ses mystérieux sujets d'une incompréhensible terreur.

M. Swinburne est encore un érudit pour qui l'Antiquité et les langues anciennes n'ont point de secrets, et il fait des vers latins admirables comme si l'âme de ce peuple était restée en lui.

Lorsque l'apparition de ses *Poèmes et Ballades* en 1866 souleva en Angleterre l'émotion pudibonde que j'ai dite, le poète répliqua dans un pamphlet d'où j'extrais le passage suivant :

« En réponse à certaines opinions insérées ou exprimées à propos de mon livre, je désire que l'on se souvienne de ceci seulement : le livre est dramatique, à mille faces, très divers; et nulle énonciation de gaieté ou de désespoir, de foi ou d'incrédulité ne peut être prise en assertion des sentiments ou des croyances personnelles de l'auteur.

. . . .

« Vraiment, il me semble que je ne me suis trompé qu'en ceci : j'ai omis de faire précéder mon œuvre de cet avertissement d'un grand poète :

> *... J'en préviens les mères de familles,*
> *Ce que j'écris n'est pas pour les petites filles*
> *Dont on coupe le pain en tartines; mes vers*
> *Sont des vers de jeune homme... »*

Depuis lors, Swinburne paraît avoir délaissé ce côté amoureux, puissamment charnel et passionné de son œuvre, pour se porter davantage vers des idées politiques et sociales, républicaines surtout.

Dans une lettre que Swinburne a écrite au traducteur des *Poèmes et Ballades*, il traite ce livre de *péché de jeunesse*.

Il semble résulter de cela que les idées de l'homme dont l'âge avance ont été profondément modifiées par les années. On retrouve dans les autres volumes de ce remarquable poète les mêmes beautés et les mêmes incohérences que dans celui dont nous devons la première traduction française à M. Gabriel Mourey.

(A. C. Swinburne, *Poèmes et Ballades*,
traduction de Gabriel Mourey,
préface de Guy de Maupassant.
Paris, A. Savine, 1891.)

TABLE DES MATIÈRES

Achevé d'imprimer en novembre 1994
sur les presses de l'Imprimerie Bussière
à Saint-Amand (Cher)

— N° d'édit. 1214. — N° d'imp. 2757. —
Dépôt légal : 2e trimestre 1980.

Nouveau tirage : novembre 1994.

Imprimé en France